Une promesse

ELAINE GRANT

Une promesse

éditions Harlequin

Titre original : AN IDEAL FATHER

Traduction française de MARIE-PIERRE CORRIN

HARLEQUIN®
est une marque déposée par le Groupe Harlequin

PRÉLUD'®
est une marque déposée par Harlequin S.A.

Photos de couverture
Paysage : © RADIUS IMAGES / JUPITER IMAGES
Père et fils : © KAZ MORI / GETTY IMAGES
Réalisation graphique couverture : © T. SAUVAGE

© 2008, Elaine Y. Grant. © 2009, Harlequin S.A.
83-85, boulevard Vincent-Auriol 75646 PARIS CEDEX 13.
Service Lectrices — Tél. : 01 45 82 47 47
www.harlequin.fr
ISBN 978-2-2808-0979-5 — ISSN 1950-277X

Chapitre 1

Sud de la Louisiane
Juin

— Attends-moi là sans bouger. Je reviens tout de suite.

Reconnaissant la voix de basse de son frère, Cimarron Cole leva les yeux de la pile de documents amoncelés devant lui. Fronçant les sourcils, il jeta un coup d'œil à la pendule accrochée sur le mur de la cabine de chantier qui lui tenait lieu de bureau ; l'heure de l'embauche était déjà passée depuis longtemps. Il soupira. Un ventilateur apportant un semblant d'air frais lui ébouriffait les cheveux et rendait l'atmosphère un peu plus respirable. Dehors, en revanche, la chaleur était accablante.

La poignée de la porte tourna, et la tête de R.J. apparut.

— Salut, frérot. Euh… Désolé, je suis un peu en retard.

— Un peu ? Tu devrais changer de disque, tu commences franchement à me taper sur les nerfs ! A cause de toi, les peintres n'avancent pas. Qu'est-ce que tu attends pour les rejoindre ?

— C'est-à-dire que... j'ai un petit problème aujour-d'hui.

Il ébaucha une grimace et jeta un coup d'œil derrière lui.

Cimarron resta de marbre et attendit les explications de son frère. Il avait l'habitude. Avec R.J., les « petits problèmes » étaient monnaie courante. Très beau garçon avec ses cheveux frisés et ses yeux noisette aux longs cils légendaires dans la famille Cole, il était la coqueluche des femmes. Séducteur impénitent, à trente-huit ans il continuait à courir le guilledou, sans donner le moindre signe de vouloir s'assagir. Sauf que, depuis quelque temps, il avait bien été obligé, par la force des choses, de ralentir un peu la cadence.

— Voilà, en fait... Erika est partie ce matin, laissa-t-il tomber. Enfin, pour être plus précis, elle m'a plaqué. Elle m'a dit, euh... Bon, je ne vais pas entrer dans les détails.

Cimarron balaya l'air d'un geste impatient.

— Dis-moi pourquoi je ne suis pas étonné ? Tu t'attends à quoi ? Tu changes de petite amie comme de chemise ! Oh ! Et puis, ne laisse pas la porte ouverte comme ça. Entre ou sors, mais fais quelque chose !

R.J. fit signe à quelqu'un de s'approcher. Wyatt, un garçonnet de cinq ans, portrait en miniature de son père, s'avança timidement dans le petit bureau.

Cimarron se raidit. Que faisait son neveu ici ? Quelle idée d'avoir accepté d'employer son frère sur ce chantier ! R.J. était une source perpétuelle d'ennuis. Que lui réservait-il aujourd'hui comme surprise ?

— Tu vois, elle est partie comme ça, sans demander son reste, et je n'ai personne pour s'occuper de Wyatt, poursuivit

R.J. Alors je m'étais dit qu'il pourrait peut-être rester ici avec toi, pendant que je…

Sans un mot, Cimarron se leva, l'œil mauvais. Il contourna le bureau, prit son frère par le bras et le força à sortir, puis il referma la porte derrière lui. Sa colère était palpable.

— Si tu crois que je vais jouer au baby-sitter pour toi toute la journée, tu te trompes lourdement. Je n'ai pas que ça à faire, figure-toi. J'ai tellement de boulot que j'en aurai sûrement jusqu'à minuit. Je t'avais prévenu : si tu voulais travailler ici, je devais pouvoir compter sur toi.

R.J. recula d'un pas, essayant de mettre un peu d'espace entre eux.

— Je sais, je sais. Mais maintenant je suis là…

— Avec plus d'une heure de retard ! Et pour tout arranger, tu débarques avec ton môme ! Ce n'est pas une garderie ici ! C'est un chantier, R.J., un endroit où l'on est censé *travailler*, si toutefois tu te souviens de la signification de ce mot.

— Ecoute, c'est juste pour aujourd'hui. Demain, j'aurai une baby-sitter. Et si ça se trouve, Erika sera revenue. Il est mignon, tu sais, il ne t'embêtera pas, je te promets. Il s'occupe très bien tout seul, tu n'auras aucun problème.

— N'insiste pas. Tu vas prendre ta journée et t'occuper de ton fils. Moi, je trouverai quelqu'un d'autre pour finir de peindre la corniche.

— Cimarron, tu ne peux pas me faire ça ! Tu sais que j'ai besoin du fric, encore plus si je dois payer une baby-sitter. Garde-le avec toi pendant que tu travailles et je filerai pendant mon heure de déjeuner pour trouver quelqu'un. S'il te plaît… Juste pour ce matin…

Cimarron sentit ses épaules s'affaisser. Il était incapable de résister bien longtemps au regard implorant de son frère. Des problèmes. Toujours des problèmes. Rien que des problèmes. Toute sa vie, sa famille n'avait été qu'une source incessante de problèmes. Et cela continuait.

Le visage de R.J. s'éclaira d'un large sourire.

— Je savais bien que tu ne me laisserais pas tomber, petit frère ! Je te revaudrai ça !

— Pas de promesse que tu ne pourras pas tenir, s'il te plaît. Allez, va faire ton boulot ce matin et reviens chercher ton gamin le plus vite possible. Je ne sais pas pourquoi tu m'as demandé ça, tu sais très bien que je ne sais pas m'y prendre avec les gosses.

— Je t'assure qu'il est adorable. Tu ne t'apercevras même pas de sa présence. Et puis, reconnais qu'il est mignon, non ? ajouta-t-il d'une voix empreinte de fierté.

— Disons que vous vous ressemblez comme deux gouttes d'eau.

R.J. lui décocha un sourire rayonnant.

— C'est bien ce que je disais ! Et puis, il te ressemble, à toi aussi.

Sur ce point, son frère n'avait pas tort. Malgré leurs quatre années de différence, on aurait pu les prendre tous les deux pour des jumeaux.

— Je reviens le chercher dans deux heures !

Sur ces mots, R.J. s'élança d'un pas vif dans l'allée agrémentée de grands arbres séculaires qui menait au chantier de restauration en cours. Il s'agissait d'une magnifique plantation datant d'avant la guerre de Sécession qui, une fois sa grandeur d'antan restituée, représenterait, sans nul doute, l'une des plus belles réalisations de Cimarron.

Un vent chaud se leva, agitant faiblement les feuilles d'un chêne voisin comme si, elles aussi, étaient lasses de cette chaleur torride et moite. Cimarron soupira. Il était loin de l'air pur et vivifiant de l'Idaho où il avait grandi. Pourtant, malgré toutes ces années passées là-bas, il ne s'y sentait plus chez lui. Il n'y avait plus aucune attache. Même R.J. ne savait pas où se trouvait leur bon à rien de père. En tout cas, c'était ce qu'il affirmait. Le plus triste dans l'affaire, songea Cimarron, le cœur empli d'amertume, c'était que son frère n'avait guère la fibre paternelle lui non plus. Qui pouvait dire combien de temps il serait capable de s'occuper de son fils ? Dès que le virus du rodéo le frapperait de nouveau, il fallait s'attendre à ce que jouer au papa l'ennuie prodigieusement et qu'il disparaisse à son tour.

Le téléphone sonna dans la cabine, le tirant de ses pensées. Lorsqu'il entra, Wyatt, perché dans un coin sur une chaise, jeta sur lui un œil méfiant et craintif.

— Allô !

— Cimarron Cole ?

— Lui-même. Qui est à l'appareil ?

— Bobby James. Vous ne vous souvenez sans doute pas de moi, nous nous sommes rencontrés l'année dernière au casino, à La Nouvelle-Orléans.

Cimarron fronça les sourcils.

— Non, en effet, je suis désolé.

— Je suis propriétaire de ce vieux *fishing lodge* dans le Montana, près de Bozeman. Vous me remettez, maintenant ?

— Ah, oui, ça me revient.

— Ecoutez, je me demandais si vous…

Wyatt, qui se tortillait sur sa chaise, attira l'attention de Cimarron. Que se passait-il ? Son neveu était là depuis cinq minutes à peine et déjà il y avait un problème. Il serra les dents, s'efforçant de garder son calme. Il était mal à l'aise avec les enfants, sans doute parce qu'il n'avait jamais pu être enfant lui-même.

— Attendez, monsieur James, ne quittez pas une seconde.

Il posa une main sur le combiné, et se tourna vers le petit garçon.

— Qu'est-ce que tu as, à gigoter comme ça ? Tu ne peux pas rester tranquille deux minutes ?

— J'ai besoin d'aller au cabinet.

D'un geste impatient de la tête, Cimarron lui désigna une porte.

— C'est là. Tu peux te débrouiller tout seul ?

— J'ai cinq ans ! lâcha l'enfant, visiblement étonné de cette question.

— En effet, ça veut tout dire. Vas-y.

Il reprit le téléphone.

— Je vous écoute.

L'homme se lança alors dans une description alambiquée de sa maison qui se trouvait dans un endroit appelé « Little Lobo ».

Cimarron, dont l'attention se fixait plus sur les bruits étouffés lui parvenant de derrière la porte que sur sa conversation, dut faire répéter plusieurs fois ce que Bobby James lui expliquait. Au bout de quelques minutes, il n'y tint plus.

— Ecoutez, je vous rappelle. Donnez-moi un numéro où je peux vous joindre.

— D'accord, mais ne traînez pas trop.

Cimarron prit note du numéro, raccrocha, puis repoussa sa chaise avant d'aller frapper à la porte des toilettes.

— Qu'est-ce que tu fabriques là-dedans ?

— Je fais caca.

Il leva les yeux au ciel.

— Ah. Parfait.

Puis, comme pris de remords, il demanda :

— Tu veux de l'aide ?

— Non !

Cimarron colla le numéro de Bobby James sur le tableau d'affichage. Il le rappellerait dans l'après-midi, quand il serait plus tranquille.

Enfin, Wyatt sortit des toilettes et referma la porte avec précaution.

— Ça sent mauvais, dit-il d'une petite voix.

— Je m'en doute.

Il lui désigna la chaise du menton. Docile, Wyatt s'y installa.

— Ton papa sera là bientôt.

— Tonton Cimron, fit l'enfant d'une voix timide, est-ce que tu as quelque chose pour dessiner ?

Dissimulant mal son impatience, Cimarron fouilla dans un tiroir à la recherche d'un crayon et d'un bloc de papier qu'il lui tendit. Une fois que Wyatt se fut installé et qu'il dessina tranquillement, Cimarron tenta de mettre un peu d'ordre dans ses pensées. Où en était-il donc ?

Il étudia le livre de comptes. Les travaux étaient presque terminés sans que le budget ait été dépassé et, qui plus est, dans les temps. D'ici à quelques semaines, il pourrait mettre la maison en vente pour un bon prix et aurait ainsi réalisé un joli bénéfice. Ensuite, il prendrait quelques vacances avant d'acheter un autre bâtiment qu'il restaurerait, afin de le revendre à son tour.

Il travailla sans interruption pendant que Wyatt s'occupait tranquillement dans son coin. De temps en temps, il l'observait brièvement, étonné qu'il soit si sage. Lorsqu'il referma le livre de comptes d'un coup sec, Wyatt sursauta et lui jeta un rapide coup d'œil, avant de reprendre son activité.

Un tapage soudain attira son attention, puis des cris provenant du chantier. Il se leva brusquement. Ouvrant la porte de la cabine, il aperçut son contremaître, Ron Gibbs, qui accourait vers lui. Plus loin, derrière Ron, deux ouvriers se précipitaient dans la grande maison.

— Que se passe-t-il?

— Un accident! cria Ron, hors d'haleine. Appelez une ambulance, vite!

Une poussée d'adrénaline le fit se ruer sur le téléphone, puis il se précipita vers la porte. Une fois dehors, il s'arrêta net et passa la tête dans l'embrasure de la porte.

— Wyatt, tu restes là, ne bouge surtout pas. Je reviens tout de suite. Tu as compris?

Sans lever les yeux de son dessin, l'enfant hocha la tête.

— Que s'est-il passé? lança-t-il à Ron.

— Quelqu'un a fait une chute.

— Qui?

— Je ne sais pas. Un des ouvriers est venu me prévenir. J'ai accouru aussitôt vous le dire.

Tout en se hâtant avec Ron vers les lieux du drame, Cimarron fournit le plus de détails possible aux services d'urgence et conserva la ligne. A grandes enjambées, les deux hommes traversèrent le hall majestueux puis la porte voûtée qui ouvrait sur l'immense salle à manger. Le soleil entrait à flots par les grandes baies vitrées courant du sol au plafond, faisant briller la peinture encore fraîche qui recouvrait les moulures.

Un groupe d'ouvriers était agglutiné au pied de l'échafaudage que l'on avait monté pour pouvoir atteindre le plafond situé à plus de sept mètres de haut, dissimulant le corps du blessé. Cimarron tendit le téléphone à Ron. Jouant des coudes, il se précipita.

— Oh! Mon Dieu! souffla-t-il, horrifié.

R.J., parfaitement immobile, était étendu sur le dos, les yeux mi-clos.

S'agenouillant près de lui, il lui palpa le cou à la recherche d'un signe de vie, qu'il trouva, très faible, à peine perceptible.

— R.J., est-ce que tu m'entends? R.J.!

Il se tourna vers les hommes qui le contemplaient, aussi anxieux qu'impuissants.

— L'un de vous a-t-il vu ce qui s'est passé?

Un jeune ouvrier prit la parole :

— On venait de finir. J'étais en train de rassembler les pinceaux et les seaux, et il descendait pour que je les lui fasse passer. Je l'ai entendu crier et je l'ai vu tomber. Je ne sais pas ce qui est arrivé. Hier, il s'était plaint des émanations, il disait que ça lui faisait tourner la tête. Il a dit aussi que le climat de la Louisiane ne lui convenait pas, qu'il avait des problèmes de sinus ou quelque chose comme ça. Mais il n'avait rien dit aujourd'hui, je crois qu'il voulait juste qu'on termine le plus vite possible.

R.J. entrouvrit les paupières.

— J'ai dû rater une marche, murmura-t-il avec un petit sourire penaud.

— Chut, ne bouge pas, lui ordonna doucement Cimarron, le cœur serré. Tout va bien aller, les secours arrivent.

— Frérot… tu vas prendre soin de Wyatt, hein?

— Allons, R.J., arrête de dire des bêtises, c'est toi qui vas t'en occuper.

— Je… je ne… crois pas. J'ai fait… un testament… Je voulais t'en parler. Je t'ai nommé tuteur légal de Wyatt…

R.J. voulut sourire. Sans succès.

— Quoi?

— Je m'étais dit… si jamais il m'arrivait quelque chose… Il n'y a que toi en qui j'ai confiance. Fais-le… pour moi, frérot… protège-le. Tu es…

— R.J.!

Affolé, Cimarron chercha son pouls. Mais il ne le trouva pas.

— R.J.! Ne fais pas ça! Ne meurs pas, bon sang! R.J.!

Aussitôt, il se mit à pratiquer un massage cardiaque. Que pouvait-il faire d'autre? Il était en plein cauchemar.

Les mains placées sur le thorax de son frère, il fit des compressions, une, deux, trois… jusqu'à trente, puis, sans attendre, lui insuffla de l'air, une fois, deux fois, puis de nouveau trente compressions et de l'air. Sans s'arrêter un seul instant, sans se préoccuper de sa fatigue, de sa panique croissante.

R.J., le regard fixe, ressemblait tout à fait à leur mère lorsque Cimarron l'avait trouvée en rentrant, un soir, des années auparavant. Il arrêta le massage cardiaque. C'était fini.

Le corps baigné de sueur, l'angoisse lui étreignant le cœur, il pensa soudain au petit garçon qui attendait sagement dans la cabine de chantier que son papa vienne le chercher.

— R.J., non ! Ne meurs pas ! Ne me laisse pas avec cet enfant !

Chapitre 2

— Qu'est-ce que j'ai fait pour mériter ça ?

Pourtant, elle avait bien réglé la plaque sur « moyen ». Alors pourquoi donc sa première crêpe était-elle à moitié brûlée d'un côté et, de l'autre, encore toute molle ? se demanda Sarah James en inspectant une fois de plus les boutons de la grosse cuisinière industrielle.

Grommelant entre ses dents, elle éteignit l'un des boutons et tourna l'autre au maximum. Peut-être un miracle allait-il se produire ?

Sous le regard impatient de l'un de ses clients qui tapotait nerveusement le comptoir avec son menu, elle racla ce qui restait de la crêpe irrécupérable et jeta le tout dans la poubelle réservée à la porcherie du coin.

Repoussant de son front humide de sueur une mèche de cheveux, elle se tourna vers le client pressé et lui sourit.

— Je suis à vous tout de suite.

Pourquoi fallait-il que son assistant, Aaron Dawson, choisisse précisément une matinée comme celle-là, le café plein à craquer, pour lui faire faux bond ? Lui au moins savait faire fonctionner la vieille cuisinière récalcitrante, tandis qu'elle, elle en était parfaitement incapable. Pas question de partir à sa recherche où qu'il se trouve, elle n'en avait pas le temps. En tout cas, il allait l'entendre quand il arriverait ! Surtout que, toute seule, elle ne pouvait pas faire à la fois la cuisine et le service ; quand il y avait tant de monde, c'était matériellement impossible.

— Je n'ai pas toute la journée, ma jolie, s'impatienta Big Bug Flannigan.

Buck était routier. Il travaillait pour un producteur d'aliments pour le bétail, livrant tous les magasins de bricolage et autres quincailleries de la région. C'était un colosse avec un cou de taureau, une face labourée, ravinée par la vie, des bras énormes et, pour compléter le tableau, il portait un de ces gigantesques chapeaux de cow-boy surnommés *ten-gallon hat* perché haut sur le dessus du crâne. Il s'arrêtait au café régulièrement, chaque fois qu'il passait le col en venant de Bozeman.

— Je sais, s'excusa Sarah. Je suis vraiment désolée. J'ai des problèmes avec ma plaque de cuisson.

— Je ne vais pas pouvoir attendre cent sept ans, ma jolie, je dois reprendre la route. Donnez-moi donc deux œufs frits retournés, pas trop cuits, avec des saucisses, une galette de pomme de terre bien grillée sur le dessus et moelleuse à l'intérieur, un biscuit, le tout arrosé de *gravy*, vite fait bien fait. Ah, et un verre de jus d'orange. Ce n'est pas le bout du monde ce que je vous demande.

Certes non. Encore fallait-il avoir le temps de préparer tout cela, et avec du matériel qui fonctionnait. Ce petit déjeuner était typique de la région, surtout les biscuits arrosés de *gravy*. Faits à partir de farine, de beurre, de lait et de levure, ils ressemblaient plus à de grosses crêpes épaisses qu'à ce que l'on nomme généralement « biscuits ». La sauce qui les accompagnait, appelée *gravy*, était faite de chair à saucisse, que l'on faisait frire avec des oignons, du poivron, du piment, de l'ail, de la farine pour l'épaissir, du lait jusqu'à obtenir la consistance désirée, et que l'on assaisonnait de sel, de poivre et d'un mélange d'herbes.

Sarah prit note de la commande. Comment allait-elle préparer un petit déjeuner aussi complet avec cette maudite plaque qui n'en faisait qu'à sa tête ? Si seulement elle avait accepté d'embaucher le petit jeune qui cherchait un travail à mi-temps, la semaine précédente, au lieu de songer à faire des économies !

La porte s'ouvrit en tintinnabulant. Un homme qu'elle n'avait jamais vu entra, accompagné d'un petit garçon. Il chercha des yeux une table libre, et se dirigea vers le seul box encore vide à l'autre bout de la salle. Il souleva l'enfant, qu'il assit sur la banquette, avant de s'installer en face de lui.

— Bonjour ! Je m'occupe de vous tout de suite ! leur lança-t-elle d'une voix accueillante, espérant parvenir à dissimuler sa frustration croissante.

Ils se ressemblaient, tous les deux, nota-t-elle. Les mêmes cheveux bruns et bouclés, les mêmes admirables yeux noisette. Toutefois, avant qu'elle n'ait le temps de prendre leur commande, elle croisa le regard d'Harry Upshaw. Il était arrivé en premier et avait commandé des œufs frits retournés, pas trop cuits, ce qui n'avait pas posé de problème particulier, puisque c'était avant que la plaque ne commence à faire des siennes. Maintenant, Sarah n'avait d'autre alternative que d'en utiliser un côté seulement, ce qui limitait considérablement sa zone d'action, vu la quantité de plats chauds à servir. Elle pouvait, bien sûr, préparer les repas derrière, en cuisine, ce qui n'était toutefois pas vraiment envisageable car elle serait alors forcée de laisser le comptoir et la caisse sans surveillance.

Harry Upshaw sauça son assiette avec un morceau de pain piqué au bout de sa fourchette.

— Ecoutez, miss Sarah, j'aimerais que vous me donniez rapidement votre réponse. Vous n'êtes pas la seule, figurez-vous, j'ai plusieurs chantiers qui attendent. Voulez-vous que je m'occupe de vos travaux, oui ou non ?

Sarah soupira. Le moment était plutôt mal choisi pour une telle conversation, surtout qu'elle n'avait pas encore pris sa décision.

— Oui, je veux bien, seulement ce n'est pas si simple que ça, Harry. J'aurais aimé discuter avec vous de certains détails, d'idées que j'ai l'intention de développer.

— Des détails. Pftt ! Tout ce qui compte, ma petite demoiselle, c'est que le boulot soit fait, non ? Vous savez que vous pouvez me faire confiance.

Il accompagna ses paroles d'un sourire éloquent.

Le visage cuivré et buriné par de longues heures passées à travailler au soleil dans le bâtiment ou à gérer sa petite entreprise de bétail à la sortie de la ville, il aimait bien manger, comme en témoignait son ventre rebondi. Il venait prendre ses repas au café plusieurs fois par semaine, et Sarah avait pensé à lui pour les rénovations qu'elle voulait effectuer.

— Je n'en doute pas un instant, dit-elle. Je veux simplement m'assurer que nous sommes sur la même longueur d'onde. J'ai des idées précises de ce que je veux réaliser, j'ai fait des plans et je…

— Je n'ai pas besoin de plans. Vous me dites ce que vous voulez et bingo !

— Je prendrai le pain, les biscuits et le *gravy* en attendant la suite, les interrompit Buck. Je vais finir par mourir de faim à ce rythme !

— Excusez-moi ! Ecoutez, Harry, attendez deux secondes, je reviens.

Au moins, elle pouvait toujours apporter une corbeille de petits pains frais et de biscuits. Tôt chaque matin, elle en cuisait plusieurs fournées en arrivant, et préparait aussi plusieurs litres de son mélange spécial de café, qui était vite devenu sa marque de fabrique à Little Lobo.

Si l'on venait dans cette petite ville du Montana située au nord du col de Bozeman, ce n'était pas pour sa vie nocturne attrayante ni ses divertissements. Pas de centres commerciaux ni de boîtes de nuit, ici. En revanche, des paysages à vous couper le souffle, une toute petite école, quelques magasins offrant l'essentiel pour survivre et, surtout, le café Chez Sarah. La jeune femme s'était vite bâti une solide réputation grâce à ses délicieuses tartes aux fruits et ses cafés plus ou moins exotiques et fraîchement moulus que l'on venait déguster d'aussi loin que Big Sky et Helena.

Après avoir servi Buck, elle apporta une carafe d'eau et le menu à l'étranger et à son petit garçon. Il la remercia d'un hochement de tête.

De près, elle constata qu'il était encore plus bel homme qu'elle ne l'avait pensé en le voyant entrer. Ses yeux surtout la frappèrent. Bordés de longs cils soyeux, ils étaient aussi sombres et profonds que le merveilleux café créole qu'elle servait. Son visage aux traits réguliers était encadré d'épaisses boucles châtain foncé, ce qui lui conférait un air décontracté, presque désinvolte, qui allait bien avec son jean délavé et sa chemise de lin usé.

— Je vous laisse le temps de réfléchir.

« Et surtout, surtout, prenez votre temps ! » se garda-t-elle d'ajouter.

A son sourire et à sa façon d'embrasser la salle d'un regard circulaire, il était évident qu'il n'était pas dupe. Il ouvrit le menu et se mit à l'étudier sans montrer aucune hâte.

— D'accord. Apportez-nous deux jus d'orange quand vous aurez une minute.

— Entendu.

Elle s'exécuta puis fit un tour rapide de la salle, remplissant les tasses de café et prenant les commandes de ceux qui attendaient depuis suffisamment longtemps.

En temps normal, avec Aaron aux fourneaux, cette affluence l'aurait ravie. En l'occurrence, le brouhaha qui lui parvenait ressemblait plus à un grondement de mécontentement général qu'à des conversations détendues. Chaque regard qu'elle croisait n'était que reproche. Ou tout au moins le vivait-elle ainsi. Mais que pouvait-elle faire d'autre, sinon sourire et se débrouiller au mieux, dans la limite de ses moyens, pour qu'aucun de ses clients ne tombe d'inanition ni ne se mette franchement en colère ?

Tout en s'efforçant de préparer des dizaines de plats variés sur sa moitié de plaque, elle se tourna vers Harry Upshaw.

— Je tiens en outre à demander à Nolan d'établir un contrat en bonne et due forme. Et puis, j'attends toujours le devis que je vous avais demandé.

Harry balaya l'air d'un geste impatient, avala d'un coup sa dernière gorgée de café, essuya ses grosses lèvres grasses avec la serviette en papier rose, et éructa bruyamment.

— Pftt! Qui a besoin de toutes ces foutaises? Pardonnez mon langage, ma petite demoiselle. Vous en avez un, de contrat avec votre frère, pour lui acheter cette vieille bicoque, hein?

Elle secoua la tête.

— Pas encore. Nous nous sommes juste entendus verbalement. Mais j'ai bien l'intention de m'en occuper dès que je serai parvenue à mettre la main sur lui.

— C'est bien ce que je pensais. Je n'ai jamais compris pourquoi votre oncle, le vieux Eual, avait divisé son domaine et laissé la maison à Bobby. Il aurait mieux fait de vous donner tous ses biens et de verser à Bobby un peu d'argent, sachant qu'il le dépenserait en cinq minutes! Qui passait tous ses étés à l'aider? Pas lui en tout cas! C'est bien vous, pas vrai? Vous avez déjà vu Bobby lever le petit doigt une seule fois pour donner un coup de main au Café ou au *lodge*? Moi pas!

— En donnant la responsabilité de la maison à Bobby, je crois qu'il espérait que mon frère finirait par s'assagir. Mais il s'ennuie à Little Lobo, c'est beaucoup trop calme ici pour lui. Il pense qu'il n'y a rien à tirer de la maison, et pour lui cela ne vaut pas la peine de la restaurer, ce n'est qu'un tas de pierres sans intérêt.

— Il n'a pas franchement tort là-dessus, je dois le reconnaître. Cela dit, si vous y tenez, je suis votre homme! Et pour ça, vous n'avez pas non plus besoin de contrat avec moi, ce n'est pas comme ça qu'on règle les affaires par ici. Vous n'avez qu'à me donner le feu vert et ça roule! En deux coups de cuillère à pot, vous aurez vos jolies petites chambres d'hôtes, c'est moi qui vous le dis.

Sur ces mots, Harry joua du cure-dents sans pudeur

avec une satisfaction évidente. Puis il posa sur Sarah ses yeux porcins.

— Bien entendu, il me faudra de l'argent avant le début des travaux, pour les matériaux.

Sans attendre de réponse, il jeta un billet de dix dollars sur le comptoir, se leva et se dirigea vers la porte, s'arrêtant en chemin pour parler à une ou deux personnes qu'il connaissait.

— « Bien entendu. » Il faut payer, toujours payer avant tout, grommela Sarah entre ses dents tout en retournant saucisses et biscuits sur la plaque d'un geste plus qu'énergique.

Derrière elle, les conversations reprirent de plus belle. Cette fois-ci, on aurait dit un essaim de frelons.

Elle pensa soudain à l'étranger et lui jeta un coup d'œil, croisant son regard posé sur elle. L'enfant, lui, était occupé à dessiner sur un set de table avec un des crayons de couleur qu'elle mettait à disposition sur chaque table dans un petit verre.

Seigneur! Elle les avait complètement oubliés!

— J'arrive!

Elle se précipita vers eux, son carnet à la main.

— Je suis désolée de vous avoir fait attendre. Ce n'est pas toujours comme ça, le matin. Aujourd'hui, j'ai pas mal de problèmes.

— Ne vous tracassez pas. Pour lui, ce sera des céréales avec du lait; et moi, je prendrai un biscuit avec du *gravy*.

— Pas de problème.

Il jeta un œil vers le comptoir.

— Vos œufs sont en train de brûler.

— Oh! Non! Je reviens tout de suite.

Elle se précipita vers la plaque récalcitrante, résistant à l'envie de lui assener un vigoureux coup de pied, ce qui n'aurait eu pour seul effet que de risquer de lui casser un orteil. Puis elle apporta sans attendre la commande à l'homme et à son fils en y joignant l'addition, avant de retourner s'occuper des autres clients. Lorsqu'elle regarda dans la direction du box quelques minutes plus tard, il était vide. L'argent du repas reposait dans la coupelle.

Wyatt sur les talons, Cimarron se fraya un chemin dans le parking encombré, que le Café partageait avec une clinique vétérinaire, pour rejoindre son camion. Depuis un mois, l'enfant le suivait comme son ombre, comme si R.J. cherchait à lui rappeler, à travers son sosie miniature, combien il était doué pour se mettre dans des situations impossibles. Cette fois-ci, il avait battu tous les records.

Il fit grimper le petit garçon dans le véhicule et l'assit sur le siège.

— Attends-moi ici et ne bouge pas, je reviens tout de suite.

L'enfant ouvrit de grands yeux inquiets.

— Tu vas où ?

— Je vais jeter un coup d'œil dans la maison, là. Je n'en ai pas pour longtemps. Reste ici et ne touche à rien.

Il était venu avec l'intention de parler à Sarah James, mais, de toute évidence, le moment était mal choisi. Cela ne l'empêchait pas d'inspecter la vieille maison délabrée perchée sur la colline juste derrière le Café. C'était une grande bâtisse carrée à trois étages, avec un toit couvert d'ardoises et percé de lucarnes, d'où s'élevaient de hautes cheminées. Au cours des ans, on avait remanié le bâtiment d'origine, détruisant, hélas, l'harmonie des lignes en y accolant des annexes sur le côté ainsi qu'un affreux porche, utile sans doute mais peu esthétique, qui dissimulait les moulures au-dessus de l'entrée. La porte était entrebâillée, invitant Cimarron à entrer.

Ce coin était plutôt tranquille. De temps à autre, une voiture passait, le chuintement des pneus sur l'asphalte s'amplifiant avant de décroître puis disparaître tout à fait derrière le virage.

Wyatt le supplia du regard.

— Je veux venir avec toi.

La main posée sur la poignée de la portière, Cimarron hésita. Il soupira, puis posa l'enfant par terre.

— Tout ce que je te demande, c'est de ne pas te mettre dans mes pattes, compris ?

— O.K.

C'était son mot préféré. Du moment que son oncle ne disparaissait pas de sa vue plus de deux secondes, il était toujours « O.K. ».

Secouant la tête, Cimarron se dirigea vers la maison, Wyatt sur les talons tel un petit chien fidèle.

Lorsqu'il poussa la porte d'entrée et pénétra dans le salon, il fut assailli par une forte odeur de moisi avec son flot d'impressions et d'images, comme s'il venait d'ouvrir une boîte de vieilles photos oubliées, aux coins racornis, certaines presque effacées, racontant l'histoire de cet ancien pavillon de pêche. On pouvait encore entendre résonner les gros rires des pêcheurs tandis qu'ils se racontaient leurs exploits, assis autour d'un bon feu, un verre de whisky à la main.

Derrière l'impression générale de délabrement dû aux années de négligence, il régnait dans la pièce une impression de luxe feutré. Il fut aisé pour un œil aussi averti que celui de Cimarron d'établir un état des lieux aussi rapide que précis. A première vue, les rebords des hautes fenêtres donnant sur les montagnes étaient complètement pourris, le plancher fatigué grinçait et s'enfonçait sous les pas, lui aussi bon à refaire. Malgré tout, les problèmes n'étaient que superficiels, et le gros du bâti paraissait sain. Le manteau encadrant la cheminée était de bois sculpté. Cimarron en apprécia les détails en le caressant de la main, avant de monter l'élégant escalier pour inspecter les six chambres et le reste des pièces, Wyatt toujours sur les talons. Ce gamin finissait par l'énerver à la longue. Il ne pouvait pas rester cinq minutes tout seul. Mais peut-être que tous les enfants de cet âge étaient comme ça. Qu'en savait-il?

Une fois revenu au rez-de-chaussée, il tira de sa poche un petit carnet et un stylo, et prit quelques notes. Le soleil matinal inondait la pièce, lui chauffant le dos. Il n'était pas pressé. Rien ni personne ne l'attendait. Et cette vieille bâtisse avait quelque chose d'extrêmement attachant.

C'est avec soulagement que Sarah vit enfin partir les derniers clients, un couple de touristes avec deux enfants qui semblaient s'être donné le mot pour la pousser à bout. Malgré tout, elle avait réussi à conserver son calme. N'utilisant que le côté de la plaque qui fonctionnait, elle avait pu tout faire cuire, même si cela lui avait pris deux fois plus de temps. Les habitués avaient bien compris et avaient su être patients. Pour les remercier, elle leur avait fait une ristourne sur leur addition, ce qui n'était pas pour l'arranger car elle avait besoin de chaque centime. Dès que la porte se ferma enfin, elle s'empara du téléphone et appela Aaron sur son téléphone portable. Pas de réponse. Furieuse, elle fit le numéro de son téléphone fixe et fut étonnée d'entendre une voix féminine.

— Allô? J'essaie de joindre Aaron. Il n'est pas venu travailler ce matin.

— Je sais, mademoiselle Sarah. Je suis sa maman. J'allais vous téléphoner. Aaron est au fond de son lit. Il est tellement malade que c'est à peine s'il peut soulever la tête. Il a tout juste pu m'appeler, il y a de cela quelques minutes.

Visiblement, elle paraissait inquiète. La colère de Sarah s'évanouit aussitôt.

— Je vois. A-t-il besoin d'un médecin?

— Je pense que c'est juste une infection intestinale. S'il ne va pas mieux demain, j'ai bien peur qu'il ne puisse pas aller travailler.

— Je comprends, madame Dawson. Dites-lui quand même de me tenir au courant, que je puisse prendre mes dispositions.

— Bien sûr, je n'y manquerai pas. Vous savez, il aime beaucoup son travail. Dès qu'il sera sur pied, il sera là, vous pouvez compter sur lui.

Il ne manquait plus que ça…

Epuisée, Sarah reposa le combiné et s'adossa au comptoir un instant avant de s'attaquer au rangement. Lorsqu'elle sortit le sac d'ordures pour le mettre dans la poubelle à l'arrière, elle aperçut du mouvement dans la vieille maison de son oncle. Fronçant les sourcils, elle scruta l'une des fenêtres en se protégeant les yeux du soleil. Il y avait quelqu'un, assis sur le rebord, cela ne faisait aucun doute. Qui pouvait bien avoir pénétré chez elle, et pour quelle raison?

La plupart des véhicules garés dans le parking l'étaient

du côté de la clinique vétérinaire de son amie Kaycee. Près du Café, il n'en restait plus qu'un, un pick-up noir qui ressemblait un peu à un camping-car. Sur le côté, elle vit un sigle représentant un *C* rouge dans lequel étaient entrelacées les lettres *VRR*. En dessous, était écrit « Restauration et Rénovation », suivi d'un numéro de téléphone qui n'était pas du coin.

Qui cela pouvait-il bien être ? Harry aurait-il demandé à un expert de venir lui donner son avis ? Il ne lui avait pourtant pas mentionné son intention de sous-traiter avec qui que ce soit. Voulant en avoir le cœur net, elle grimpa la petite route qui menait à la vieille maison, apercevant dans le corral Kaycee et un de ses assistants en train de s'occuper d'un cheval qui boitait.

La prochaine fois, elle fermerait la porte à clé, songea-t-elle en entrant.

Une fois dans le hall, elle aperçut à travers l'ouverture en arche qui donnait sur le salon l'homme qui était venu ce matin même au Café avec son petit garçon. Il était assis sur le rebord de la grande fenêtre, occupé à prendre des notes sur un carnet posé sur ses genoux.

Elle se racla la gorge.

— Excusez-moi.

Il releva la tête et la gratifia d'un sourire à faire fondre un iceberg.

— Je suis heureux de voir que vous avez survécu au coup de feu de ce matin.

— Que faites-vous ici ?

Il se leva et fit quelques pas vers elle.

— C'est une maison intéressante.

31

— C'est une maison *privée*. Est-ce que vous travaillez avec Harry Upshaw?

Le petit garçon cessa de jouer, la fixant de ses grands yeux craintifs. Il vint se glisser derrière son père, sans toutefois la quitter du regard.

— Vous voulez parler de l'entrepreneur avec qui vous parliez ce matin? voulut savoir l'homme.

— Oui. Il doit commencer les travaux la semaine prochaine.

— Non, je ne travaille ni avec lui ni avec personne.

— Alors, expliquez-moi ce que vous faites ici et dites-moi pourquoi il ne vous est pas venu à l'idée de me demander l'autorisation d'entrer?

— Il me semble que, ce matin, le moment n'était pas très bien choisi.

Il rangea son carnet et son crayon dans sa poche.

— Cette vieille maison a beaucoup de charme, ajouta-t-il.

Elle le contempla avec étonnement.

— Vous êtes bien la première personne à le penser, dit-elle.

— Elle est bien construite. Bon, elle a l'air un peu délabrée à première vue, mais elle a surtout besoin d'être rafraîchie, rien de grave.

— C'est plutôt agréable à entendre, merci. Je vais tout remanier. J'ai l'intention d'y faire des chambres d'hôtes.

— Tout remanier? Cette maison mérite d'être restaurée à l'identique.

— Ce serait l'idéal, malheureusement je n'en ai pas les moyens.

Il eut l'air contrarié.

— C'est vraiment dommage.

— Pourquoi?

— Elle a déjà été assez abîmée comme ça, cela me ferait beaucoup de peine qu'on lui ôte tout le caractère qui lui reste.

— En quoi cela vous concerne-t-il?

Il laissa échapper un long soupir, et se frotta la nuque d'un air gêné.

— Elle m'appartient. Je l'ai achetée à votre frère, Bobby.

Chapitre 3

Sarah James resta sans voix quelques instants. Les poings sur les hanches, elle le foudroya d'un regard noir.

« Pourvu qu'elle ne soit pas du genre à s'évanouir », songea Cimarron, inquiet. Il fut vite rassuré.

— Vous mentez ! s'écria-t-elle.

Son menton tremblait imperceptiblement, trahissant une faiblesse qui la rendait touchante. Avec ses taches de rousseur émaillant ses joues devenues brusquement aussi pâles que celles d'une poupée de porcelaine, ses beaux yeux turquoise lançant des éclairs, elle était si jolie qu'il dut réprimer un sourire. Ce n'était pas le moment.

— Non, je ne mens pas, dit-il d'une voix calme. J'ai les papiers dans mon véhicule pour le prouver, si vous voulez y jeter…

Elle ne le laissa pas finir sa phrase, secouant la tête avec tant de colère que quelques mèches flamboyantes s'échappèrent nson chignon. Elle les remit aussitôt en place d'un geste impatient.

— Vous pouvez garder vos documents, ils ne m'intéressent pas ! Bobby n'a aucun droit de vous vendre cette propriété.

— Et pourquoi?

— Parce que c'est moi qui l'achète.

La conversation qu'elle avait échangée le matin même avec l'entrepreneur lui revint à la mémoire.

— Avez-vous signé une promesse de vente à cet effet? demanda-t-il.

Wyatt, sentant la tension monter, agrippa une de ses jambes et la serra de toutes ses forces. Exaspéré, Cimarron dut se retenir pour ne pas se dégager brusquement. Il n'avait pas besoin de ça, la situation était déjà assez difficile en soi.

Sarah hésita une seconde, l'air tendu.

— Non, pas précisément, reconnut-elle.

— Qu'entendez-vous par là?

— Nous avons un accord verbal. Il a toujours été entendu qu'il me vendrait la maison.

— Un accord verbal n'a aucune valeur face à un contrat de vente.

Si les yeux de Sarah avaient été des revolvers, il y a longtemps qu'il serait mort.

— Je m'en moque! Je vous assure qu'ici un accord verbal a tout autant de valeur que n'importe quel contrat! Vos papiers ne valent rien! Bobby n'aura qu'à vous rendre l'argent, le contrat sera résilié de fait.

« Qu'est-ce que c'est que cette histoire? », se demanda Cimarron, perplexe. Bobby James n'avait jamais mentionné que sa sœur était intéressée par cette maison. D'après ce que Cimarron avait compris, la maison lui appartenait et rien ne l'empêchait de la lui vendre.

— Ce n'est pas si simple que cela, avança-t-il.

— Et pourquoi donc?

— Pour plusieurs raisons. La première étant que je n'ai

pas du tout l'intention de résilier ce contrat. J'ai des idées très précises de ce que je veux faire ici.

Elle plissa les yeux.

— Des idées très précises de ce que vous… ? Mais d'abord, qui êtes-vous ? Comment connaissez-vous mon frère, et de quel droit voulez-vous me prendre ma maison ?

— Je m'appelle Cimarron Cole. J'ai rencontré votre frère l'année dernière à La Nouvelle-Orléans où il m'a parlé de la maison. J'ai demandé à un ami de venir voir de quoi il retournait, et je lui ai fait une offre. Il l'a d'abord refusée, avant de me rappeler, il y a de cela quelques semaines, pour savoir si j'étais toujours intéressé. Je m'étais dit que ce serait un bon placement, jusqu'à aujourd'hui…

— Comment a-t-il pu me faire ça ? lâcha-t-elle, plus surprise qu'autre chose.

Bientôt, cependant, la stupéfaction laissa place en elle à la fureur. Elle se redressa et lui fit face, les dents serrées, le menton en avant.

— J'aimerais aussi que l'on m'explique comment quelqu'un a eu le culot de venir inspecter *ma* maison sans ma permission ? lança-t-elle d'une voix blanche.

— Je suppose qu'il n'a pas pensé une seconde qu'il en aurait besoin. Bobby a affirmé que la maison lui appartenait, et je n'ai pas pensé une seule seconde qu'il mentait.

— De toute façon, cela n'a aucune importance ! Bobby et moi, nous avions un accord verbal. Je veux que l'on me rende ma maison. Attendez que je le retrouve et que je l'oblige à vous rendre votre argent.

— Je vous souhaite bon courage.

— Que voulez-vous dire ?

Cimarron se dégagea doucement de l'étreinte de Wyatt.

— Va jouer là-bas, s'il te plaît.

L'enfant hésita, apeuré.

— Va, je te dis!

Il le poussa légèrement. Obéissant à contrecœur, Wyatt alla s'installer devant la cheminée comme un petit animal craintif, prêt à s'enfuir à la moindre alerte.

Cimarron s'adossa à la fenêtre, les bras croisés, et plongea son regard dans celui de la jeune femme, cherchant les mots appropriés qui ne déclencheraient pas une nouvelle crise d'hystérie.

— La dernière fois que j'ai vu votre frère, tout juste après la signature du contrat, les feux arrière de son Coachman RV tout neuf disparaissaient dans un virage, et la jolie fille qu'il venait d'épouser me faisait un petit signe d'adieu par la fenêtre. La bague qu'elle portait au doigt devait bien valoir quinze mille dollars.

— Quoi? Il s'est marié? Encore une fois?

Sa voix monta dans les aigus.

— Un Coachman RV? C'est un de ces gigantesques camping-cars?

— C'est bien cela, oui, confirma-t-il. Le sien doit valoir autour d'une centaine de milliers de dollars.

Pendant quelques secondes, il craignit qu'elle ne s'évanouisse, pour de bon cette fois. Elle porta la main à la gorge, comme si elle suffoquait et le contempla, bouche bée.

— Combien avez-vous payé? demanda-t-elle d'une voix blanche.

— Beaucoup trop, vu la situation. Malheureusement, je l'ignorais. En tout état de cause, je crains fort que votre frère n'ait déjà pratiquement tout dépensé. Il va sans doute garder profil bas pendant quelque temps, j'en ai bien peur.

Elle s'effondra, vaincue.

— Je n'aurai sûrement pas assez d'argent, murmura-t-elle dans un souffle.

— De toute façon, je ne veux pas de votre argent. Ce que je veux, c'est la maison. Bobby ne m'a jamais dit que vous étiez intéressée.

— Quand je pense que c'est mon frère. Franchement, il me dégoûte.

Sur ce point, elle avait raison, songea Cimarron, préférant néanmoins garder ses pensées pour lui.

— Cette propriété est dans notre famille depuis des générations, poursuivit-elle. Elle est revenue à Bobby, qui avait promis de me vendre sa part.

— Bobby a fait son choix : l'argent plutôt que la loyauté à la famille. Si je ne l'avais pas achetée, il l'aurait laissée au plus offrant.

Surpris, Cimarron l'entendit murmurer :

— Quel salaud !

Puis elle tourna vers lui un regard déterminé.

— Je trouverai l'argent pour la racheter. Je vais faire un emprunt.

— Vous ne trouverez aucune banque pour vous prêter le montant que j'ai payé, surtout dans l'état où elle est.

— Je croyais que vous aviez dit qu'elle n'était pas en si mauvais état que ça ?

— C'est vrai, mais il faut être du métier pour le voir.

— Je ferai venir un expert.

— Il ne pourra jamais l'évaluer pour le prix que j'ai l'intention d'en tirer. En outre, vous risquez de vous mettre des dettes sur le dos pour le restant de votre vie, même en supposant que vous fassiez vos chambres d'hôtes.

— Cela m'est complètement égal!

Elle se planta devant lui et le fusilla du regard.

— Vous ne l'aurez pas, monsieur Cole. Je vous traînerai au tribunal.

— A quoi cela vous avancera-t-il? Vous n'avez aucune chance de gagner, j'ai signé un contrat en bonne et due forme. Vous allez dépenser une fortune, et pour quoi?

— Cela me regarde.

— C'est vrai. Mais vous allez me faire perdre mon temps et vous, vous y laisserez des plumes, c'est certain. Pouvez-vous vous permettre de jeter de l'argent par les fenêtres comme ça?

Le regard noir qu'elle lui jeta valait sûrement mieux que les mots qu'elle aurait pu lui lancer à la figure.

Cimarron ne s'était pas attendu à devoir affronter ce genre d'obstacle lorsqu'il avait acheté la vieille maison. Ce dont il était sûr, c'était que Sarah James ne pourrait jamais la racheter le prix qu'il l'avait payée. Quant à lui, il n'était pas prêt à perdre de l'argent sur cette affaire.

— C'est la vie, conclut-il, philosophe. Je gagnerai et vous le savez.

— C'est ce que nous verrons!

Sur ce, elle se dirigea d'un pas décidé vers la porte, avant de se retourner et de lui faire face.

— Si vous voulez bien sortir maintenant, vous et votre fils. Je vais fermer à clé.

— Entendu.

Il fit un signe à Wyatt, qui fut à ses côtés en un clin d'œil, comme un petit chien obéissant. Ce qu'il omit de signaler à

Sarah, c'était que Bobby lui avait remis un trousseau de clés de la maison. A quoi bon la provoquer davantage ?

Lorsqu'ils furent devant le camion, Wyatt grimpa sur le siège arrière tandis que Cimarron s'installa au volant. Un pied posé sur le tableau de bord, la portière restée ouverte, il réfléchit aux options qui s'offraient à lui. Inutile de se faire d'illusion, Bobby James ne lui rendrait jamais son argent. A supposer que Sarah risque tout ce qu'elle possédait dans l'espoir de récupérer la maison, ce n'était pas une solution qu'il aimait envisager. Cela ne ferait qu'alourdir ce sentiment de culpabilité qui commençait à le tenailler après sa discussion animée avec la jeune femme. Cela dit, il ne pouvait pas non plus jeter son argent par les fenêtres. Son plan avait été de commencer les travaux sans attendre, tout en réfléchissant à ce qu'il allait faire de Wyatt.

Chaque journée perdue entraînait avec elle une perte financière, et les affaires, c'était son rayon. Mieux valait essayer d'arrondir les angles, car avoir Sarah James comme ennemie n'apporterait rien de bon et ne ferait que compliquer une situation déjà bien assez compliquée comme ça. Alors, pourquoi ne pas faire le premier pas ?

Repensant à la jeune femme, complètement débordée ce matin, il se rappela que sa plaque de cuisson ne fonctionnait pas bien.

Lorsqu'il entra dans le restaurant, la jeune femme était occupée à inscrire le menu du déjeuner et du dîner sur une grande ardoise accrochée derrière le comptoir. Elle l'ignora superbement. Heureusement pour elle, il y avait généralement peu de clients le samedi. Les gens qui travaillaient allaient faire leurs courses à Livingstone ou à Bozeman, quant aux fermiers et propriétaires de ranchs, ils étaient pris par leur travail. En général, après la bousculade du petit déjeuner, pas plus d'une douzaine de personnes s'arrêtaient au Café. Elle n'aurait qu'à proposer des sandwichs et de la soupe. Même seule, elle devrait pouvoir y arriver.

Cimarron attendit qu'elle ait fini sans dire un mot. Elle reposa ses craies de couleur sur le rebord du tableau et se tourna vers lui.

— Qu'est-ce que vous voulez encore ? Vous n'avez pas assez mangé, ce matin ?

— Votre plaque, elle fonctionne maintenant ?

— Non.

— Je pourrais peut-être vous la réparer ?

— Alors comme ça, vous êtes un homme à tout faire ? lança-t-elle d'un ton sec. Je ne vous ai rien demandé.

— C'est moi qui vous le propose.

— Non, merci.

Vexé, il parvint à dissimuler son dépit.

— Je n'avais pas l'intention de vous mettre des bâtons dans les roues en venant ici, mademoiselle James.

— Ah ! Vraiment ?

— Pourquoi êtes-vous en colère contre moi ? Je n'y suis pour rien. C'est votre frère qui nous a mis dans ce pétrin.

— Mais faites-moi confiance, je suis en colère contre lui ! Malheureusement, je ne peux pas mettre la main sur lui à ce moment précis. Mais il ne perd rien pour attendre !

— Cela ne présage rien de bon pour moi.

Sur ces mots, il la gratifia de son plus beau sourire, et mit dans son regard toute la chaleur dont il était capable, espérant qu'elle allait se laisser amadouer. Elle faillit seulement.

— Non, vous avez raison, laissa-t-elle sèchement tomber. Vous feriez mieux de partir.

— Ecoutez, nous n'allons jamais trouver de solution si vous refusez toute discussion.

— Il n'y a pas de solution : Bobby et vous, vous m'avez volé ma maison. Je vais remettre les pendules à l'heure, un point c'est tout.

— Non. Moi, je ne vous ai rien volé. Je ne connaissais même pas votre existence. Ecoutez, c'est très simple : je ne peux pas me permettre de perdre tout cet argent, et vous, vous n'êtes pas dans la position de me le donner. Donc, nous allons bien devoir trouver un terrain d'entente. En attendant, laissez-moi jeter un coup d'œil à votre plaque de cuisson avant que les premiers clients arrivent pour le déjeuner.

— Je peux m'en passer pour le déjeuner.

Elle hésita un instant.

— Oh ! Et puis allez-y ! marmonna-t-elle enfin à contrecœur.

Elle se poussa pour lui laisser la place tandis qu'il passait derrière le comptoir. Après avoir vérifié les boutons, il tira la grosse cuisinière pour accéder derrière.

— Où est votre petit garçon ? demanda-t-elle.

— Wyatt ?

Il regarda son genou.

— Quoi ? Il n'est pas attaché à ma jambe ? C'est bizarre.

Elle haussa les épaules et jeta un coup d'œil dans la salle. Elle finit par apercevoir un petit pied qui émergeait de l'un des box.

— Wyatt, tu veux boire quelque chose ? lui lança-t-elle.

— Il n'a besoin de rien, répondit Cimarron tandis que le petit garçon se redressait et la contemplait de ses grands yeux sérieux avant de se recoucher sur la banquette sans un mot.

Surprise, Sarah fronça les sourcils.

— Je peux lui donner…

— Est-ce que vous avez des outils ? Sinon, je peux aller chercher les miens dans mon camion.

Après tout, cela ne la regardait pas, songea-t-elle avec un pincement au cœur.

Elle sortit un vieux sac de cuir de dessous le comptoir.

Cimarron en tira un tournevis, puis ôta la plaque de derrière la cuisinière.

— Voilà le problème, l'un des brûleurs est fichu.

— Donc, vous ne pouvez pas le réparer ?

— Non. Il faut le changer. Où se trouve le magasin de pièces détachées le plus proche d'ici ?

— A Bozeman.

— Très bien. Je vais donc faire un saut à Bozeman pour trouver un nouveau brûleur.

— Non, c'est trop de dérangement.

— Vous avez une autre idée ?

Elle se mit à réfléchir, hésita.

— Pas vraiment, reconnut-elle. J'ai appelé le réparateur du coin, on m'a dit qu'il s'était absenté pour plusieurs jours. Si je demande un dépanneur de Bozeman, il va prendre une fortune pour venir jusqu'ici, à supposer qu'il accepte de se déplacer le week-end.

— Dans ce cas, je vais y aller et revenir le plus vite possible.

— J'aimerais mieux pas. Vous… vous me mettez dans une situation embarrassante. Je ne tiens pas à vous être redevable de quoi que ce soit.

— Tout ce que je vous demande en retour, c'est que vous cessiez de me crucifier pour quelque chose dont votre frère, et lui seul, est responsable. Attendons de voir comment ça se présente demain. La nuit porte conseil. Vous croyez pouvoir y arriver ?

Encore sous le choc, Sarah n'était guère d'humeur à capituler. Toutefois, avec deux repas encore à servir avant de pouvoir enfin se reposer, si cet homme insistait pour réparer sa plaque de cuisson, elle n'allait pas l'en empêcher.

— Alors j'insiste pour vous payer la réparation, dit-elle sans enthousiasme. En ce qui concerne ma maison, vous me l'avez volée, un point c'est tout. Je ne vois pas du tout en quoi la situation sera différente demain matin.

Chapitre 4

Cimarron roulait vitre baissée, afin de profiter de l'air pur et frais. Le vent soufflait sans relâche en haut du col de Bozeman, et le panorama qui s'étendait sous ses yeux était d'une splendeur à nulle autre pareille. Il se sentait bien dans cette région du Montana, mieux encore que dans l'Idaho où il était pourtant né.

Il y avait tant de mauvais souvenirs là-bas. Souvenirs de maladie, de souffrance, impuissance et désespoir face à la mort lente et douloureuse de sa mère, tandis que son père sombrait dans le tourbillon infernal de sa dépendance à l'alcool, jusqu'à en oublier ses responsabilités de chef de famille et à s'enfuir dans un mot un beau matin. Pourquoi retourner vivre dans un endroit où ses seules racines se trouvaient désormais dans le cimetière où son frère reposait près de leur mère ? Tout ce qui lui restait comme famille pesait à peine quelques kilos et se trouvait assis sur le siège arrière de son camion.

Aussi, la détermination farouche dont avait fait preuve Sarah James pour sauver l'héritage familial l'avait surpris. Néanmoins, comme il y avait de grandes chances que la jeune femme n'ait pas les moyens financiers de soutenir une bataille prolongée, il ne lui restait plus qu'à insister assez longtemps jusqu'à ce qu'elle lâche prise et que le problème soit enfin résolu.

Ce qui n'était pas pour lui déplaire, songea-t-il en souriant. Même lorsqu'elle était au comble de la fureur, elle était tout à fait ravissante avec ses taches de rousseur qui lui donnaient un petit air mutin, ses cheveux flamboyants, ses joues roses et ses yeux d'un vert pâle et profond comme un lac de montagne.

Tout finirait sans doute par s'arranger, c'est ce qu'il fallait espérer, sauf, bien sûr, s'il lui prenait l'idée de détruire la vieille maison pendant son absence, ce dont elle était tout à fait capable. Rien que d'y penser, il frissonna. Après tout, que savait-il d'elle? Pas grand-chose et, à en juger par le caractère de son frère, on pouvait s'attendre à tout. Elle pouvait très bien mettre le feu à la vieille demeure. Machinalement, il accéléra.

— Tonton Cimron? Est-ce qu'on va habiter dans cette maison?

Cimarron jeta un coup d'œil à Wyatt dans le rétroviseur, avant de se concentrer de nouveau sur la route. Bien amarré dans son siège, Wyatt faisait semblant d'examiner attentivement la petite voiture qu'il tenait dans la main.

— Peut-être pendant un petit moment. Pourquoi?

— Elle est pas très belle.

— Justement, je vais l'arranger.

— Ah… Tu as une maison ailleurs où on peut habiter?

— Non, je n'ai pas de maison, Wyatt. Ma maison, c'est ce camion. Quelquefois, quand je travaille sur un chantier, j'habite dans une caravane.

— On peut vivre dans une caravane pendant que tu travailles?

— Ce serait plus drôle de vivre dans la maison, on pourrait jouer à camper.

— La dame veut pas.

— Ce n'est pas la dame qui décide.

— Elle me fait peur, cette maison. Elle est vieille…

— Tu as peur?

Dans le rétroviseur, Cimarron observa Wyatt plus attentivement. Le petit garçon en effet avait l'air terrifié et sa lèvre tremblait.

— Allez! Ne me dis pas que tu as peur, tu es un grand garçon. Et puis, de quoi as-tu peur? C'est juste une vieille maison, c'est tout. Il n'y a rien d'inquiétant. De toute façon, nous n'y resterons pas longtemps.

Wyatt parut soulagé.

— O.K.

— Ecoute, Wyatt…

Cimarron hésita.

— Je voudrais te demander quelque chose.

— O.K.

— Tu ne préférerais pas vivre avec quelqu'un d'autre que moi? Tu sais, je suis toujours sur la route et…

— Avec mon papa, murmura Wyatt. Juste avec mon papa.

— Oui, je comprends. Mais, tu sais ce que c'est, alors je me demandais…

Il ne termina pas sa phrase. Les mains moites, il serra un peu plus le volant. Un jour ou l'autre, il allait bien falloir qu'il parle de ses plans à Wyatt. En attendant, il ne cessait de repousser l'échéance. De quel droit se permettait-il de gronder l'enfant parce qu'il avait peur d'une vieille maison sinistre, lui qu'un gamin de cinq ans épouvantait littéralement, presque autant que le fantôme de son frère ?

— Je veux vivre avec personne d'autre, décréta Wyatt.

Cimarron se gara sur le parking d'un grand magasin de bricolage, soulagé de pouvoir passer à autre chose.

Ce n'est que trois magasins plus tard qu'il mit enfin la main sur le brûleur correspondant. Il reprit aussitôt la route vers Little Lobo. En arrivant en vue de la maison, il poussa un soupir de soulagement : elle était toujours là !

A l'arrière du Café, la porte était ouverte. Il entra et signala sa présence. Mais Sarah n'était pas là. Tout était propre et bien rangé, ce qui laissait supposer que le déjeuner s'était bien passé. Après avoir installé Wyatt dans un box avec son petit sac à dos plein de jouets, il s'attela à la tâche.

Quelques instants plus tard, Sarah revint. Sans un mot, sans lui jeter le moindre regard, elle se rendit dans la cuisine.

Lorsqu'il eut terminé, il l'y rejoignit pour se laver les mains.

Près du double évier, Sarah, le regard farouche, coupait des oignons avec détermination, comme si elle cherchait à passer sa colère sur les pauvres légumes. Elle ne leva pas les yeux à son entrée. Dans la pièce, la tension était palpable, accentuée par la vue que l'on avait de la maison convoitée, qui se dressait innocemment sur la colline juste en face.

— Votre plaque est réparée.

Silence.

A côté de la surface de travail, était accrochée une liste de tout ce qu'il y avait à faire :

Emincer oignons
Préparer base pour soupe

Faire griller bacon
Couper tomates
Eplucher œufs durs
Glaçons
Trancher viande
Préparer café

Après l'avoir examinée, Cimarron prit un grand poêlon en fonte et le mit à chauffer. Il fouilla dans le réfrigérateur, en sortit le bacon, arrangea les tranches l'une à côté de l'autre jusqu'à ce que le poêlon soit rempli. Dans la cuisine, il n'y avait aucun bruit à part le grésillement de la viande qui commençait à cuire et le claquement sec du couteau de Sarah sur la planche à découper. Au bout de quelques instants, la jeune femme lui glissa un regard en coin.

— Je n'ai pas besoin de votre aide.

— Je sais, mais vous n'avez pas le choix.

Sans hésitation, il prit des pinces en métal accrochées parmi tout un attirail d'ustensiles de cuisine et retourna les tranches.

Pendant que le bacon continuait à cuire, il s'attaqua aux œufs qu'il trouva dans un bol et les éplucha l'un après l'autre.

Sarah versa les oignons dans un récipient, mit un couvercle dessus et coupa en rondelles les tomates qui attendaient dans un égouttoir posé dans l'évier.

Une délicieuse odeur de bacon grillé avait empli la pièce, donnant une impression de convivialité, troublée néanmoins par la colère perceptible de la jeune femme.

— Merci…, murmura-t-elle enfin dans un souffle. Merci pour la plaque et… aussi pour ça.

— Je ne sais pas comment vous faites pour y arriver toute seule.

— Normalement j'ai de l'aide. C'est juste qu'aujourd'hui mon assistant est malade.

— Vous êtes seulement deux?

Elle arrangea les tomates dans une boîte en plastique et coupa le reste en morceaux.

— Oui. Au début, Bobby venait donner un coup de main et puis… On dirait que vous avez fait ça toute votre vie.

— J'ai pas mal pratiqué quand j'étais plus jeune.

— Comment ça?

Cimarron transvasa le bacon sur une assiette recouverte de papier absorbant.

— Vous voulez que je laisse les tranches entières ou que je les émince pour mettre dans la salade? demanda-t-il.

— J'en garde environ un tiers en tranches. Le reste, c'est pour la salade.

Tout en s'essuyant les mains sur un torchon, elle s'appuya sur la table et l'examina attentivement.

— Vous n'allez pas me répondre, n'est-ce pas?

Il la regarda droit dans les yeux.

— Non.

— Pourquoi est-ce que vous m'aidez? Vous essayez de m'amadouer?

— Non, je n'utilise pas ce genre de méthodes.

— Quel genre de méthodes utilisez-vous, monsieur Cole? Je peux le savoir? Comment vous y êtes-vous pris pour que mon frère accepte de vous vendre la propriété sans m'en toucher le moindre mot?

Il faillit lui dire la vérité mais préféra n'en rien faire. Pourquoi lui expliquerait-il en long et en large que son frère n'était en réalité qu'un misérable ? Elle l'aimait probablement, même si, à ce moment précis, elle ne l'aurait sans doute pas admis. Il secoua la tête et retourna s'occuper du bacon.

— Dites-moi ! insista-t-elle. Vous l'avez soûlé ? Ou bien vous avez fait monter les enchères jusqu'à ce qu'il accepte votre offre ? C'est cela, n'est-ce pas ? Vous l'avez tellement harcelé qu'il n'a pas pu faire autrement que de céder ?

Sa voix était devenue glaciale, et il sentait la colère monter peu à peu en elle.

Elle versa du bouillon dans un grand faitout, y jeta des légumes coupés, assaisonna le tout et posa un couvercle.

— Vous êtes malin.

— Je n'ai rien fait pour manipuler votre frère. Avez-vous découvert où il se cache ?

— Non.

— Il y a peu de chances que vous y parveniez, grommela-t-il entre ses dents.

Sarah protesta pour la forme, sans grande conviction.

— Où est votre petit garçon ?

— Il joue dans un box à côté.

— Il ne fait pas beaucoup de bruit, c'est rare pour un enfant de son âge.

— Ne vous faites pas de souci pour lui, il va très bien.

La clochette de la porte d'entrée retentit, et Sarah jeta le torchon sur le côté, puis s'arrangea vite les cheveux.

— Merci pour votre aide. Vous voulez que je fasse manger Wyatt avant que vous partiez ?

— Je ne vais pas partir.

— Non, je vous assure, je me débrouillerai très bien ce soir. Il est inutile que vous restiez. Laissez-moi vos coordonnées, je les transmettrai à mon avocat qui prendra contact avec vous pour régler cette affaire.

Cimarron la regarda attentivement, réprimant un sourire. Elle ne plaisantait pas ; elle n'avait pas la moindre intention de lâcher l'affaire. Pour être têtue, elle était têtue !

— Vous n'aurez aucune difficulté à me joindre, nous allons dormir dans la maison, dit-il d'une voix ferme.

— Quoi ? C'est hors de question ! Je vous l'interdis !

Plongeant la main dans sa poche, il en tira le trousseau de clés, qu'il agita devant ses yeux.

— Vous ne pensez tout de même pas que j'allais acheter une maison et ne pas en demander les clés ?

Pétrifiée, elle les fixa d'un œil mauvais.

— Oh ! Je crois que je vais tuer Bobby !

— Dans ce cas je vais vite aller chercher Wyatt, pour qu'il ne se trouve pas sur votre chemin.

— Ce n'est pas Wyatt qui se trouve sur mon chemin à cet instant précis, monsieur Cole. Nous réglerons tout cela plus tard.

Tandis qu'elle allait accueillir ses premiers clients, il la suivit et fit signe à Wyatt de le rejoindre dans la cuisine. L'enfant obéit sans un mot.

En fouillant dans les placards et dans le réfrigérateur, Cimarron trouva du pain et de la dinde froide. Il fit un sandwich pour Wyatt et lui demanda de se mettre dans un coin éloigné de la cuisinière, où il pourrait jouer en toute tranquillité.

— Je suis désolé, mon vieux, tu vas devoir te débrouiller tout seul ce soir.

Wyatt s'installa, son sac à dos près de lui, et prit le sandwich et le verre de lait que lui tendait Cimarron.

— O.K.

Cimarron soupira. Ces « O.K. » commençaient à lui sortir par les oreilles ! Quand ce gamin allait-il enfin parler correctement ?

Suivant les instructions succinctes de Sarah, données avec une mauvaise humeur évidente, il continua à travailler dans la cuisine tandis qu'elle servait les clients, trois longues heures durant, sans une seconde de répit.

Chacun ruminait une colère sourde. Sarah surtout, qui bouillait littéralement, semblait, par sa fureur contenue, faire monter à elle seule de plusieurs degrés la chaleur intenable qui régnait déjà dans la cuisine. La sueur coulait sur le front de Cimarron, lui ruisselait dans le dos. Au prix d'un énorme effort, il parvint cependant à conserver son calme. Inutile de se mettre à hurler devant les clients, ce n'était jamais bon pour la renommée d'un établissement. Et les clients ne manqueraient pas de sauter sur l'occasion pour alimenter les ragots. Si ses souvenirs étaient bons, les ragots faisaient partie intégrante de la vie des petites villes de province.

Quand le calme fut revenu, que le dernier client fut parti, Cimarron poussa un énorme soupir de soulagement en entendant Sarah fermer enfin la porte à clé. Il était vidé, complètement épuisé. Cela n'avait rien à voir avec la bonne fatigue physique qu'il ressentait après avoir travaillé toute une journée sur un chantier, loin de là. C'était un épuisement qu'il connaissait bien depuis la mort de son frère, une tension nerveuse qu'il ressentait à la fin de chaque longue journée. Après tout, rien ne l'obligeait à rester plus longtemps ici, il pouvait partir et laisser Sarah terminer toute seule. Il n'en eut pas le cœur. S'il s'en allait maintenant, elle en aurait pour des heures à tout ranger. Alors il s'attaqua aux casseroles.

Sarah avait beau faire, elle ne parvenait pas à réprimer sa colère contre Cimarron. Pourtant, non content d'avoir travaillé dur ce soir, il nettoyait la cuisine de fond en comble. Elle s'arrêta un instant de faire le ménage dans la salle pour jeter un coup d'œil en cuisine. Cimarron sifflotait, nullement impressionné par le nombre de gamelles et d'ustensiles en tout genre à laver et ranger; on aurait même cru qu'il y prenait un certain plaisir. Pourquoi se montrait-il si gentil avec elle? Cela la mettait dans une situation inconfortable, et elle se sentait d'autant plus coupable de le traiter ainsi.

Elle était injuste, elle le reconnaissait; elle en voulait à Bobby et s'en prenait à Cimarron, mais elle n'y pouvait rien. A cause de la trahison de son frère, tous ses rêves s'étaient brisés d'un seul coup. Elle avait espéré mieux gagner sa vie, et voilà que ses espoirs se trouvaient réduits à néant. Même si Cimarron avait l'air plutôt gentil, cela ne changeait rien à l'affaire : il aurait pu être un saint, quelle différence cela ferait-il? Tout ce qu'elle voulait, c'était qu'on lui rende sa maison!

Elle rangea le seau et la serpillière d'un geste un peu plus brusque qu'elle ne l'aurait voulu.

— Vous pouvez y aller maintenant, je finirai.

— C'est pratiquement terminé.

Tous les plats de cuisson, toutes les casseroles étaient lavés et reposaient sur l'égouttoir, les surfaces de travail resplendissaient. Les torchons mouillés avaient été mis dans le panier à linge. Les restes de nourriture, emballés et rangés. Il ne restait plus à Sarah qu'à mettre les assiettes et les couverts dans le lave-vaisselle et à lancer une machine pour le linge.

— Eh bien, merci, dit-elle du bout des lèvres. Pour le petit déjeuner, je pourrai me débrouiller.

— Entendu.

— Il y a un petit motel, à quelques kilomètres d'ici.

— Je sais, je l'ai vu en allant à Bozeman.

— Alors, vous pouvez y passer la nuit.

— Non, ce n'est pas la peine. Pourquoi dépenser de l'argent inutilement ? Cela ne me coûte rien de dormir chez moi.

Chez lui ! Elle sentit sa colère revenir, et fit un effort pour se contrôler.

— Profitez-en, cela ne durera pas longtemps, laissa-t-elle tomber.

Elle ouvrit la porte du lave-vaisselle d'un mouvement brusque puis se redressa.

— Où est Wyatt ?

Cimarron jeta un coup d'œil dans le coin de la cuisine où il avait installé l'enfant quelques heures auparavant, et devint soudain tout pâle. Wyatt avait disparu.

— Bon sang ! Il était là il y a une seconde !

— Il est peut-être sorti par la porte de derrière ? suggéra-t-elle.

— Je l'aurais entendu. Il est forcément là, quelque part. Wyatt ?

Apercevant les jouets éparpillés sous un des comptoirs, il s'accroupit.

— Ah ! Le voilà.

Il ramassa les jouets, les fourra dans le sac et fit glisser Wyatt doucement hors de sa cachette. Il passa une bretelle du sac sur une épaule, hissa le petit garçon endormi sur l'autre, et se releva.

Sarah les examina attentivement tous les deux. Quelque

chose clochait. Mais quoi? Elle n'arrivait pas à mettre le doigt dessus. C'était comme s'ils n'étaient pas totalement à l'aise ensemble. Un doute s'insinua alors dans son esprit. Ils avaient beau se ressembler comme père et fils, rien ne disait que Cimarron n'avait pas kidnappé l'enfant. Cela arrivait souvent; les journaux étaient pleins d'affaires de ce genre.

— Vous n'avez pas la fibre paternelle, il me semble! lança-t-elle.

— Je savais où il était.

— Mmm. J'ai bien vu que vous avez paniqué. Vous l'aviez complètement oublié, ne dites pas le contraire. Vous ne saviez même pas s'il était encore dans la pièce.

— Bon. Il est l'heure pour lui d'aller se coucher.

— Dans cette maison sale? s'étonna-t-elle.

— Pour cette nuit encore, nous dormirons dans le camion.

Wyatt se mit à gigoter dans son sommeil.

— Demain, mademoiselle James, nous allons discuter de cette maison, vous et moi.

Il sortit et la porte claqua derrière lui.

Sarah demeura seule, totalement découragée; il n'abandonnerait jamais.

Quand elle eut fini de tout ranger, elle fit un dernier tour d'inspection dans la salle, vérifia que les portes étaient bien fermées à clé et monta l'escalier qui menait à son appartement. C'était pratique d'habiter au-dessus, pratique et appréciable. Seulement, cela manquait d'espace et elle avait hâte d'emménager en face. Et voilà que ce projet alléchant tombait à l'eau, à cause de son traître de frère.

Elle ouvrit une fenêtre pour aérer et surtout pour laisser les bruits feutrés de la nuit l'apaiser.

Sur le parking, le camion de Cimarron attira son regard. Si seulement il pouvait ne plus être là le lendemain matin, songea-t-elle en se préparant à se coucher. Elle savait, hélas, que lorsque le soleil darderait ses premiers rayons, elle ne serait pas encore délivrée de ce cauchemar.

Chapitre 5

Cimarron avait fait recouvrir l'arrière de son camion d'une coque rigide pour pouvoir y dormir lors de ses nombreux déplacements. L'espace était néanmoins restreint et l'installation plutôt spartiate. Il y avait tout juste la place pour lui, alors une personne supplémentaire, même aussi petite que Wyatt, rendait l'habitacle terriblement étouffant.

Cimarron installa son neveu dans le sac de couchage qu'il lui avait acheté après la mort de R.J. Pour l'enfant, dormir dans de telles conditions avait tout d'une aventure, il adorait cela. Cimarron, en revanche, n'appréciait plus tellement. Depuis des semaines, il était obligé d'escalader des piles de jouets, de vêtements d'enfant, sans oublier Wyatt lui-même. Comment réfléchir dans de telles conditions ? Il en avait plus qu'assez. S'installer dans la maison lui aurait permis d'être plus à l'aise et d'envisager la situation plus sereinement. Mais l'attitude obstinée de Sarah James risquait de tout compromettre.

Dès qu'il fut assuré que Wyatt dormait à poings fermés, il sortit doucement pour prendre un peu l'air. La nuit était profonde, seule la lune dans son premier quartier éclairait l'espace de sa lueur laiteuse, l'autre source venant du lampadaire du parking. Cimarron marcha de long en large en réfléchissant, respirant à fond pour essayer de se détendre un peu.

Qu'allait-il faire de Wyatt? Comment pourrait-il assurer son éducation, lui apporter une vie décente? Il en était bien incapable. C'était une situation inextricable. Qui d'autre que lui pouvait le prendre en charge? Son père? Impossible. Il n'avait aucune idée de l'endroit où il pouvait se trouver à ce jour. Il ignorait même s'il était vivant. En tout état de cause, c'était bien la dernière personne à qui il confierait un enfant.

Quant à la mère naturelle de Wyatt, aucun espoir de ce côté-là non plus. Lorsque Cimarron avait contacté Joy à la mort de R.J., la jeune femme avait été très claire : elle ne voulait pas entendre parler de cet enfant. Peu de temps après sa naissance, elle avait choisi d'abandonner tout droit parental en faveur de R.J. Depuis, elle s'était remariée et n'avait jamais parlé à son nouvel époux de l'existence de Wyatt. Même si elle avait eu plusieurs amants à l'époque, la paternité de R.J. n'était pas à mettre en doute, ce qui laissait Cimarron, une fois de plus, responsable, bon gré mal gré, d'un membre de sa famille.

— Aucune issue, fulmina-t-il en donnant un grand coup de pied dans le lampadaire, ce qui s'avéra être une très mauvaise idée.

Ravalant un chapelet de jurons, il rejoignit le camion, boitant et pestant contre le lampadaire, contre sa bêtise, contre la vie qui le mettait dans une situation ingérable, contre l'avenir qui se présentait bien mal.

Pourquoi le sort s'acharnait-il sur lui? Il n'avait rien fait pour que cet enfant voie le jour. Pourquoi se trouvait-il de nouveau face à une telle responsabilité ? Il s'en était bien mal tiré la première fois, rien ne laissait pressentir qu'il ferait mieux avec Wyatt.

Il se laissa tomber sur le large pare-chocs du camion, la tête entre les mains, l'estomac noué par un sentiment de panique incontrôlable. Après la mort de sa mère, il avait mis de longues années à se bâtir une vie qui lui plaisait, à trouver enfin son équilibre. Et voilà que du jour au lendemain, tout était à refaire.

Le bruit d'un véhicule arrivant sur le parking le tira de ses sombres pensées. Il ouvrit les yeux et fut ébloui par la lumière crue d'un projecteur braqué sur lui. Des lumières tournantes bleues et rouges se reflétaient sur les bâtiments alentour.

— Qu'est-ce que c'est que ce truc ? grommela-t-il en se protégeant les yeux de son bras.

— Ne bougez pas ! Laissez vos mains où je peux les voir !

Un officier de police s'avança prudemment vers lui, une main sur son arme, prêt à dégainer à la moindre alerte, l'autre balayant l'espace avec une puissante lampe torche.

Cimarron leva les bras, tournant la tête sur le côté pour éviter d'être aveuglé par la lumière. Heureusement, le policier ne le menaçait pas de son arme, du moins pas encore. Il jeta un coup d'œil vers la fenêtre de Sarah au-dessus du Café, et aperçut sa silhouette derrière la vitre.

« Bon sang ! songea-t-il, furieux, aurait-elle appelé la police ? »

L'officier l'interpella, se positionnant sur le côté de façon que Cimarron puisse lui faire face sans être trop ébloui.

— Qu'est-ce que vous faites ici à une heure pareille ? lança-t-il. Le Café est fermé depuis des heures. Vos papiers !

— Je dors dans mon camion. Mlle James sait que je suis ici.

— Mais oui, bien sûr. Vous allez déguerpir d'ici au plus vite, sinon je vais vous proposer une autre option pour quelques nuits, vous pouvez me faire confiance.

— Ecoutez, monsieur le shérif adjoint, euh… Whitman, avança Cimarron après avoir vérifié le badge du policier. Je ne veux pas d'histoire. J'ai le droit d'être ici.

— Vos papiers, je vous dis !

— Ils sont dans mon portefeuille.

Il baissa lentement les bras et mit une main dans la poche arrière de son jean.

— Doucement ! Tout doucement !

Cimarron sortit son portefeuille et en tira son permis de conduire.

— J'ai acheté cette maison. J'ai parfaitement le droit d'être ici.

Le policier partit d'un gros éclat de rire.

— On ne me la fait pas ! Je sais à qui appartient ce terrain, monsieur. Certainement pas à vous !

— J'ai des documents pour le prouver. Si vous voulez, je peux vous les montrer.

— Où sont-ils ?

— Sur le siège avant.

L'officier avança vers l'avant du camion tout en surveillant Cimarron, qui ouvrit la portière et montra du doigt le dossier reposant sur la tablette du tableau de bord.

— Vérifiez. Je suis propriétaire de la maison et des terrains qui l'entourent.

Il tira l'acte de propriété et le tendit à l'adjoint du shérif.

Pointant sa lampe sur le document, ce dernier vérifia la signature qui se trouvait en bas de la page, perplexe.

— Je dois admettre que ça ressemble bien à la signature de Bobby, reconnut-il. Pour sûr que je la connais, je l'ai vue assez souvent à force de lui coller des amendes. Cela dit, cela peut très bien être un faux.

— Ce n'est pas un faux.

— Venez avec moi pendant que je vérifie tout ça.

Emportant le dossier et le permis de conduire de Cimarron, il retourna à sa voiture de patrouille pour téléphoner, tandis que Cimarron s'adossait au véhicule, les bras croisés, le regard tourné vers la fenêtre de Sarah. La jeune femme avait dû retourner se coucher, car elle n'était plus là. Avait-elle réellement appelé la police ? Si oui, la bataille allait s'avérer plus rude qu'il ne l'avait pensé. Quelques minutes plus tard, une lumière s'alluma au rez-de-chaussée.

— O.K., je n'ai rien contre vous, lui dit le policier. Mais je ne veux pas que vous traîniez dans les parages. Trouvez un autre endroit pour la nuit.

Exaspéré, Cimarron leva les yeux au ciel.

— Sarah James sait que je suis ici, je ne vois vraiment pas pourquoi je devrais partir. D'autant plus que...

— Hé ! Griff ! lança Sarah en s'avançant vers eux.

Vêtue d'un pyjama vert pâle et d'une robe de chambre qui lui arrivait jusqu'aux pieds, ses longs cheveux cascadant sur les épaules, le visage frais et sans aucun maquillage, elle était terriblement sexy.

— Salut, Sarah ! Désolé de te déranger, déclara le shérif adjoint.

— Non, pas de problème.

Elle fixa Cimarron d'un regard froid avant d'ajouter :

— C'est rassurant de savoir que tu es là pour me protéger.

Cimarron la gratifia d'un regard empreint d'ironie.

— Je ne sais pas ce que c'est que cette histoire, poursuivit le dénommé Griff. Il a des documents. Paraît qu'il aurait acheté la propriété de ton frère Bobby ?

Sarah jeta un œil sur les papiers et fronça les sourcils.

— Oui, je suis au courant. Je vais contacter mon avocat à la première heure lundi matin pour voir si c'est légal.

— C'est légal, confirma Cimarron.

Aucun des deux ne releva sa remarque.

— Tu veux que je l'embarque ?

— Hé là ! Attendez un peu…, se défendit Cimarron.

— Non. Je l'ai autorisé à passer la nuit ici, répondit Sarah du bout des lèvres. C'est encore une embrouille de Bobby. Il l'a roulé dans la farine en lui faisant croire qu'il lui avait vendu la maison. Je m'en occupe en début de semaine, tout va rentrer dans l'ordre.

Mais Griff Whitman n'avait pas l'air convaincu, et il rendit les documents à Cimarron sans enthousiasme.

— Tout cela ne me dit rien qui vaille, marmonna-t-il. Je ne pars pas d'ici avant d'être certain que tu es chez toi en sécurité.

— Franchement, Griff, ce n'est pas la peine. Je t'ai dit…

— C'est ça ou je l'embarque.

— Pour quelle raison ?

— Je trouverai bien quelque chose.

Ce policier faisait plus que son simple devoir, songea

Cimarron, intrigué. Aurait-il des vues sur la ravissante Sarah ? C'était plus que probable et cela se comprenait très bien, d'ailleurs. Ce n'était toutefois pas une raison suffisante pour l'arrêter.

Sarah leva la main en signe d'apaisement.

— Il ne faut pas exagérer. Tu n'as qu'à me raccompagner jusqu'à ma porte, si cela te fait plaisir, Griff.

— Vous avez intérêt à trouver un meilleur endroit pour camper à l'avenir, monsieur. Ne croyez pas que vous allez pouvoir vous en tirer à si bon compte.

Sur ces mots, Griff Whitman escorta Sarah jusqu'à la porte du Café.

Cimarron retourna vers son camion, curieux de savoir comment l'homme allait se comporter avec la jeune femme. Cette question resta sans réponse car elle ne lui laissa pas le temps de faire le moindre geste, refermant bien vite la porte sur elle.

Cimarron sourit et grimpa dans son camion.

Le lendemain matin, il se leva très tôt. La première chose qu'il fit fut de se garer derrière la grande maison, hors de vue de la route, car il ne tenait pas à avoir à affronter une nouvelle visite de ce policier un peu trop zélé à son goût. Comme Sarah lui avait dit clairement qu'elle n'avait pas besoin de son aide, il sortit son attirail de pêche, prépara un pique-nique pour Wyatt et lui, et réveilla son neveu. Cela lui ferait le plus grand bien d'aller pêcher ; il ne connaissait rien de tel pour se calmer et reprendre des forces. De toute façon, il préférait attendre que le Café ait fermé pour s'installer à l'intérieur de la maison. Avec un peu de chance, Sarah s'en irait cet après-midi, et il n'aurait pas à subir de nouvelle discussion animée avec elle. Même s'il adorait les flammes qui brûlaient dans ses yeux lorsqu'elle était en colère, ces affrontements commençaient à l'ennuyer.

Il trouva une carte détaillée de la campagne environnante et n'eut aucun mal à localiser la rivière qui, selon les dires de Bobby, regorgeait de truites. Non pas qu'il accordât beaucoup de crédit aux affirmations de Bobby. Qu'importait, après tout ? Le principal pour lui, c'était de se relaxer.

L'étendue de la propriété était clairement indiquée sur la carte, les quatre-vingt-dix hectares lui revenant rejoignant le terrain de Sarah, beaucoup plus grand, à mi-chemin entre la maison et le Café. Le terrain se rétrécissait jusqu'à devenir une bande de deux cent cinquante mètres environ le long de la route, ce qui suffisait amplement pour créer deux chemins d'accès aux deux bâtiments, puis il s'écartait en éventail dans la vallée jusqu'aux premiers contreforts de la montagne. Sur la carte, un affluent assez large de la rivière Little Lobo serpentait à travers les deux terrains, les traversant en diagonale.

Wyatt était un vaillant petit soldat, constata Cimarron, surpris. Avec ses vieilles bottes de cow-boy et le chapeau que son père lui avait donné, il marcha sans se plaindre une seule fois dans un terrain semé d'embûches. Il ne se plaignit même pas lorsque Cimarron dut le dégager d'un buisson plein de ronces dans lequel il était tombé.

Ils émergèrent enfin du sous-bois. Devant eux la rivière coulait, sauvage, éclaboussée de soleil. L'eau rebondissait en petits prismes scintillants sur de grosses pierres émergeant çà et là au milieu du courant. De larges étendues d'eau calme alternaient avec des zones plus rapides, où abondaient sans aucun doute les poissons.

Le soleil matinal dardait ses chauds rayons sur le visage de Cimarron qui se sentit soudain l'esprit plus léger. La senteur bien particulière des sapins emplissait l'air, le silence n'était troublé que par le doux murmure de l'eau. Un vrai paradis !

— Tonton Cimron ?

D'un coup, le charme fut rompu.

— Quoi ?

— On va pêcher maintenant ?

— *Je* vais pêcher. Toi, tu vas t'asseoir là et tu vas prendre ton petit déjeuner.

Joignant le geste à la parole, il sortit du sac un sandwich et une bouteille de jus d'orange qu'il tendit à Wyatt.

— Moi aussi, je peux pêcher, insista Wyatt.

— Je n'ai qu'une seule canne, tu n'auras qu'à regarder. Allez, assieds-toi là et ne fais pas de bruit, tu vas faire peur aux poissons.

Obéissant à contrecœur, Wyatt prit son sandwich et s'assit, tandis que Cimarron sortait deux autres sandwichs de son sac, les fourrait dans la poche de sa veste qu'il ôta et étendit sur un buisson. Puis il tira du sac des *waders*, sorte de combinaison imperméable et chaude que les pêcheurs portent pour se protéger de l'humidité et du froid, ainsi qu'une paire de bottes légères en caoutchouc.

D'un étui cylindrique, il tira une canne à lancer Winston qui portait son nom inscrit en lettres dorées sur le côté. Après un modeste chantier de restauration sur un cottage appartenant à l'un des directeurs de la société Winston, fabricant réputé de cannes à pêche haut de gamme, il avait demandé qu'une partie de son salaire soit versée en nature. La canne était si légère et si maniable qu'il ne cessait de s'en émerveiller.

Sous l'œil attentif de Wyatt, il prépara la ligne, puis fixa une mouche à l'hameçon. Ensuite, il resserra le nœud avec ses dents.

Pour l'appât, il s'était équipé la veille à Bozeman. Même s'il préférait la pêche à la mouche vivante, il avait choisi la solution de facilité, se procurant des mouches artificielles en allant chercher son permis de pêche.

Il s'avança doucement dans l'eau froide, lançant et relançant à plusieurs reprises d'un mouvement ferme et gracieux du poignet. La mouche se posa enfin près d'un rocher, là où l'eau était calme et profonde, un endroit où les truites se tiennent souvent.

Il retrouvait tout naturellement des gestes qu'il avait accomplis lorsqu'il allait pêcher, enfant, dans le ruisseau près de chez lui, afin d'échapper, ne serait-ce que quelques heures, aux fardeaux de sa vie quotidienne.

Comme le courant emportait la mouche, il ramena la canne légèrement en arrière, puis fouetta de nouveau vers l'avant. La mouche glissa de nouveau sur l'eau.

Parfois, R.J. l'accompagnait, mais c'était rare. Cimarron aimait par-dessus tout ces moments partagés avec son frère. Généralement, R.J. ramenait plus de poissons que lui, ce qui au bout du compte n'avait guère d'importance puisqu'ils se régalaient ensemble de belles et délicieuses truites grillées. Ces instants de camaraderie lui manquaient, aujourd'hui plus que jamais. Il avait le cœur lourd, comme si un poids énorme le tirait vers le bas, l'oppressait. Alors il tenta de chasser de son esprit l'image de son frère disparu et tous les soucis qu'il rencontrait ces derniers temps.

Une truite sauta, attirée par la mouche, sans mordre à l'hameçon. Tout en tenant la ligne du bout des doigts, il laissa l'appât dériver lentement vers l'aval, patiemment, observant les cercles concentriques qui troublaient la surface de l'eau, à l'infini, comme les répercussions aussi inattendues que durables provoquées par la mort de son frère. Une question le taraudait, qui revenait inlassablement, sans réponse : en se mettant en colère contre R.J. ce matin-là, avait-il, indirectement, provoqué l'accident ? Trop pressé, R.J. avait-il été moins prudent en descendant de l'échafaudage qu'il ne l'aurait fait en temps normal, ce qui avait provoqué sa chute ? Cimarron portait en lui tant de culpabilité déjà, qu'il n'était pas besoin d'ajouter à cette longue liste la mort de son frère ! Et puis, il y avait Wyatt.

Bon sang, comment parviendrait-il à trouver la paix ? Il poussa un long soupir qui remontait du plus profond de son être, leva les yeux vers l'infini bleu du ciel, cherchant une réponse aux questions qui lui déchiraient le cœur.

La pêche à la mouche exige une maîtrise parfaite de la part du pêcheur, et surtout beaucoup de concentration. Cimarron avait l'esprit bien trop occupé par ses tristes pensées pour gagner cette bataille. Une truite s'approcha, chatouilla l'hameçon. Timide, elle s'enfuit dans un éclair argenté. Il retint un juron. Si la truite était trop rapide, lui en revanche était trop lent. Il repositionna la ligne, essayant de mettre l'appât sur le chemin du poisson méfiant. Sans succès. Les pensées tournaient dans sa tête, comme un manège infernal.

Il n'était pas le père de cet enfant ! Pourquoi R.J. l'avait-il nommé tuteur ? Pourquoi lui avait-il imposé cette responsabilité, le condamnant à porter ce boulet toute sa vie ? Il existait bien d'autres solutions, bon sang ! Les familles d'accueil, l'adoption, n'importe quoi !

C'est alors qu'il ressentit l'impulsion tant attendue. La truite était revenue ! Cette fois-ci, elle avait mordu à l'hameçon. L'excitation de la bataille qui s'annonçait chassa d'un coup le nuage noir qui embrumait son esprit. Tout lui sembla soudain simple : il n'avait qu'à rester vivre ici, à Little Lobo, et pêcher jusqu'à la fin de ses jours. Quant à Sarah, elle n'avait qu'à bien se tenir. La mouche disparut de la surface de l'eau. C'est le moment où toute l'attention du pêcheur est requise. La canne plia, la ligne se tendit, le moulinet se déroula à toute vitesse. Excité, Cimarron joua avec le poisson, le ramenant peu à peu, doucement, sans l'effaroucher. Un éclair argenté scintilla dans l'eau limpide, le poisson s'agitant dans tous les sens en essayant de se libérer.

— Tu en as une, tonton Cimron ! Bravo ! s'écria Wyatt en sautant de joie et en tapant des mains. Tu en as une grosse !

Brusquement déconcentré, Cimarron relâcha la tension sur le moulinet. Aussitôt la truite, percevant l'hésitation, en profita pour se dégager de l'hameçon et s'échappa. Elle eut même le culot de faire un bond hors de l'eau quelques mètres plus bas, avant de disparaître. Cimarron jura. Il aurait parié qu'elle lui avait décoché un sourire narquois en plongeant.

— Qu'est-ce qui t'a pris de hurler comme ça ? vociféra-t-il en se retournant brusquement vers Wyatt. A cause de toi, le poisson est parti, c'est malin ! Tu peux être fier !

Wyatt se recroquevilla sur lui-même et recula, les larmes aux yeux, tremblant comme une feuille.

Seigneur! songea aussitôt Cimarron, horrifié. Qu'avait-il fait? Il venait de recréer précisément le genre de scène qu'il avait vécue auprès de son père. Seulement, cette fois-ci, c'était lui qui avait provoqué les larmes, c'était lui l'oppresseur. Il était en train de devenir l'homme que son père avait été.

Pataugeant dans l'eau, il rejoignit la terre ferme tant bien que mal.

— Attends, Wyatt! Je te demande pardon d'avoir crié comme ça, je suis vraiment désolé.

Mais le mal était fait. L'enfant s'était réfugié dans le petit coin où il avait mangé son sandwich; ramassé sur lui-même, il serrait ses genoux entre ses bras, se cachant le visage.

Cimarron s'accroupit à côté de lui.

— Wyatt, regarde-moi.

L'enfant secoua la tête.

— Je n'aurais pas dû crier, c'est juste que ce fichu poisson s'est échappé, et…

Et qu'est-ce que cela pouvait bien faire? se demanda-t-il, choqué par l'absurdité de la situation. Ce n'était qu'un poisson après tout et, de toute façon, il l'aurait remis à l'eau.

Il voulut passer un bras autour des épaules de Wyatt, mais s'en abstint au dernier moment.

Poussant un soupir, il se leva. Il ne savait décidément pas s'y prendre avec cet enfant. Lui, papa? Quelle blague!

Cette farce avait assez duré. Il lui fallait trouver une famille équilibrée pour prendre en charge son neveu. Une famille avec un père et une mère, deux parents qui savaient ce qu'ils faisaient.

Brusquement, Cimarron aperçut du coin de l'œil un

mouvement rapide dans l'herbe, à quelques mètres derrière lui.

— Surtout ne bouge pas, Wyatt, murmura-t-il.

L'enfant releva lentement la tête et le regarda, étonné.

— Ne bouge pas, surtout ne fais pas le moindre mouvement.

Chapitre 6

Sarah serra la visseuse de toutes ses forces, faisant pénétrer la vis dans la planchette de bois. Les batteries étaient presque vides, le ronflement du moteur ralentissait un peu plus à chaque tour.

— Allez ! Juste deux de plus, ne me lâche pas, murmura-t-elle entre ses dents.

Elle fit pénétrer une dernière vis jusqu'à ce qu'elle se trouve pratiquement au niveau du fermoir en métal. Après un dernier sursaut, la visseuse rendit l'âme.

— Pas mal, dit-elle en admirant son travail.

Elle avait installé trois loquets, c'était le dernier. Heureusement, Harry avait accepté de les lui apporter au Café pendant qu'elle finissait de tout ranger après le petit déjeuner. Elle ne lui avait pas dit pourquoi elle les voulait. D'une part, elle ne voulait pas lui demander de les fixer lui-même — elle n'avait pas du tout envie de crier sur les toits qu'elle avait des problèmes, donc il valait mieux qu'Harry n'en sache rien —, et d'autre part, il y avait des chances pour que ce ne soit pas légal d'empêcher Cimarron d'entrer dans la maison si elle lui appartenait vraiment. Et surtout… elle n'avait pas pu résister au plaisir d'effectuer ce petit travail elle-même. C'était un peu comme une sorte de vengeance personnelle : Cimarron lui avait volé sa maison, elle, elle lui en interdisait l'accès! Réaction puérile, certes, mais tellement réjouissante dans l'instant. Elle remit le tournevis dans sa boîte, glissa un gros cadenas dans la boucle du loquet et le referma, comme elle avait fait avec les deux autres. Le petit clic du mécanisme lui fut une douce musique.

— Et voilà! Peut-être cela va-t-il le retenir quelque temps, murmura-t-elle, se sentant soudain pleine de courage.

Elle s'attendait à ce qu'il rentre de la pêche d'un moment à l'autre et surveilla le chemin qui menait vers la vallée. Elle l'avait vu partir avec tout son équipement tôt ce matin, son adorable petit garçon trottant derrière lui. Cette espèce de distance qui existait entre eux, lui semblait vraiment étrange. Mais, après tout, cela ne la regardait pas. Sa relation avec Cimarron Cole était déjà bien assez compliquée comme ça.

Satisfaite de son travail, elle se dépêcha de rentrer chez elle, enfila un jean, des bottes et un pull, puis ressortit en fermant bien à clé. Elle sauta dans son 4x4 et s'engagea sur la route en direction du Rocking R Ranch. Elle avait besoin de sortir, de changer d'air, de prendre un peu de recul par rapport à ses problèmes, de s'épancher auprès de sa grande amie Kaycee. Leur amitié datait du jour où Kaycee avait ouvert sa clinique vétérinaire près du Café, deux ans auparavant, et s'était cimentée avec le temps. Sarah adorait rendre visite à Kaycee au ranch, surtout les dimanches après-midi où il se passait toujours quelque chose de distrayant. Sans compter qu'avec les enfants l'animation ne manquait pas.

Dès qu'elle s'approcha, deux gros bergers allemands se précipitèrent pour l'accueillir, accompagnés d'un corniaud répondant au nom de Sam, que Kaycee avait soigné… et gardé.

Quatre des sept enfants Rider jaillirent de la maison et la saluèrent à grands cris, avant de s'engouffrer dans la grange sans même s'arrêter.

Kaycee l'attendait dans le pré jouxtant l'espace réservé au parking, tenant en bride deux chevaux prêts à monter.

— Viens, les chevaux sont sellés, on va faire une balade.

— Bonne idée !

Elle escalada la barrière, enfourcha sa jument favorite et se prépara à suivre Kaycee. La jeune femme, ses cheveux châtain fauve retenus en queue-de-cheval et glissés dans l'ouverture d'une casquette de base-ball portée à l'envers, était grande, mince et très sportive. Pour elle, manœuvrer un jeune étalon ne posait pas de problème. Elle avait d'ailleurs su établir assez rapidement parmi les ranchers de la région sa réputation de vétérinaire spécialisée dans les grands animaux grâce à sa compétence indéniable, assortie d'un calme olympien en toutes circonstances.

Pour une femme, être vétérinaire dans un environnement dominé par les hommes demandait du cran, ce dont Kaycee ne manquait pas. Pourtant, Sarah l'avait vue plus d'une fois en larmes, déchirée entre sa carrière qu'elle avait bâtie à la force du poignet et l'homme qu'elle aimait. Ce n'était sans doute pas ses talents de vétérinaire qui avaient séduit Jon Rider, veuf et propriétaire de ranch, mais plutôt son sourire lumineux, ses yeux verts pétillants et son instinct maternel infaillible. Sans efforts particuliers de sa part, elle avait tout de suite fait bon ménage avec les sept enfants issus du premier mariage de Jon, dont le plus âgé avait tout juste douze ans.

Comment avait-elle pu, du jour au lendemain, se retrouver mère de sept enfants? Pour Sarah, cela restait un mystère. Elle, elle en aurait été bien incapable!

Depuis que Kaycee n'habitait plus à la clinique juste à côté de chez elle, elle lui manquait terriblement. Cependant, elle ne pouvait pas lui en vouloir d'être aussi heureuse. Depuis qu'elle avait rencontré Jon et en était tombée amoureuse, son amie rayonnait de bonheur.

Elles relâchèrent les rênes, et laissèrent les chevaux déambuler à leur gré le long du sentier montagneux. Le déhanchement lent et rythmique de l'animal berça peu à peu Sarah. Elle leva le visage vers le chaud soleil, s'imprégnant de la paix environnante.

Au bout de quelque temps, Kaycee se tourna vers elle et lui sourit.

— Dis-moi, ma belle, tu avais l'air contrariée ce matin quand tu m'as appelée. Tout va bien?

— Non, tout ne va pas bien.

Elle soupira.

— Oh! Kaycee! Tous mes plans pour mes chambres d'hôtes… C'est fichu! Tout est tombé à l'eau…

Un sanglot lui remonta du fond de la gorge, qu'elle réprima de son mieux. Cela ne servait à rien de pleurer, elle devait se montrer plus courageuse, prendre exemple sur Kaycee. Elle non plus ne laisserait jamais personne lui voler ses rêves!

— Que s'est-il passé? lui demanda son amie. Allez, raconte-moi.

— Un type a débarqué hier, je ne sais pas d'où, et il affirme que la maison lui appartient. Bobby la lui aurait vendue.

— Quoi? Mais c'est impossible! Bobby ne te ferait pas un coup pareil?

— Si, justement. Pour de l'argent, Bobby serait capable de tout.

— Tu as vérifié le document ? Tu as vu sa signature ?

— Non. J'étais tellement en colère que je n'ai rien regardé du tout. En revanche, Griff est passé hier soir. Il a vérifié tous ses papiers. Figure-toi que ce dingue avait décidé de passer la nuit sur le parking dans son camion, tu imagines que ce n'était pas du tout du goût de Griff ! Il m'a dit que la signature avait bien l'air d'être celle de Bobby. Apparemment, le type n'a pas de casier judiciaire. Il travaille dans la restauration de bâtiments, du moins c'est ce qui est écrit sur son véhicule. Dis-moi, pourquoi fallait-il qu'il choisisse de restaurer ma maison entre toutes ? Il doit y en avoir des centaines d'autres dans le pays !

— Tu lui as posé la question ?

— Non. Je n'avais pas du tout envie de lui parler.

— Il va bien falloir. Tu as l'intention de voir un avocat, j'espère ?

— Oui. Je vais appeler Nolan demain matin. J'espère qu'il pourra faire quelque chose.

Elles étaient arrivées en haut de la falaise. Un paysage grandiose s'étalait sous leurs yeux. En bas, la rivière serpentait au fond de la vallée qui s'étalait entre deux majestueuses chaînes de montagnes. Des tonalités de vers et de bleu semblaient flotter dans l'air pur, émaillées de myriades de fleurs multicolores. Dans ce décor magique, apaisant, tout changeait de proportion, à commencer par les soucis de Sarah. Elle parviendrait sûrement à trouver un compromis avec Cimarron Cole. Ou bien alors, il serait possible d'annuler ce contrat. Elle respira longuement, le regard perdu dans l'immensité du paysage, et tout sembla se mettre doucement en place. Soudain elle avait hâte de parler avec son avocat, d'étudier les différentes options qui s'offraient à elle.

Kaycee se pencha en avant et s'appuya contre l'encolure de sa monture, les yeux perdus dans le lointain.

— Tu m'as dit que son nom était inscrit sur son véhicule ? Il doit avoir un site internet. Si on regardait ? On apprendrait peut-être des choses intéressantes à son sujet ?

— Bonne idée. Cela ne m'avait même pas effleuré l'esprit tellement j'étais contrariée. Depuis hier, je suis complètement anéantie, incapable de quoi que ce soit. En plus, tu sais comment c'est, tout arrive en même temps. Aaron n'est pas venu travailler et, pour tout arranger, ma plaque de cuisson a fini par me lâcher, tu vois le tableau ? Là-dessus, ce type arrive et m'annonce ça ! Il m'a quand même réparé mon gril et m'a aidée pour le service, hier soir.

Kaycee posa sur elle un regard incrédule.

— Attends, tu me dis qu'il achète ta maison et toi, tu lui demandes de te donner un coup de main au Café ? Tu es sûre que tu vas bien ?

— Je sais, je sais, c'était idiot de ma part. Mais mets-toi à ma place, je ne pouvais pas m'en sortir toute seule. Des fois, on n'a pas le choix, c'est comme ça.

— Si tu le dis. Viens, rentrons. On va voir ce que l'on peut trouver sur ton homme sur internet. On ne sait jamais.

Arrivées au ranch, une fois les chevaux dessellés, elles les menèrent paître dans la prairie, puis elles s'installèrent dans le bureau de Kaycee, situé à l'arrière de la vaste et chaotique propriété. La jeune femme apporta un grand pot de café, et elles se lancèrent dans leurs recherches.

— Comment s'appelle sa société ?

Sarah lui donna le nom qu'elle avait vu sur le côté du véhicule.

— Lui, il s'appelle Cimarron Cole, précisa-t-elle.

— Cimarron? Intéressant comme prénom.

Kaycee cliqua sur la souris. En quelques secondes, les résultats s'affichèrent.

— Magnifique! murmura Sarah.

— Ça, tu peux le dire.

Son site Web se trouvait en tête de liste.

— Pas mal, pas mal du tout…

La page d'accueil à elle seule était impressionnante. Des photos flottaient, apparaissant et disparaissant, suivant toujours la même séquence. D'abord, des photos prises sous plusieurs angles d'une maison pratiquement en ruine, suivies d'un montage de scènes de travaux variés, avec, pour finir, l'ouvrage terminé, dans toute sa splendeur.

Kaycee glissa la souris vers Sarah.

— Choisis où tu veux aller.

Sarah explora différents projets réalisés par Cimarron. Les résultats étaient tous remarquables, sans exception. D'accord, songea-t-elle, impressionnée, il était capable de faire ce qu'il avait dit, et il pourrait redonner à sa maison encore plus de caractère qu'elle n'en avait jamais eu. Sa maison à lui. Pas la sienne. Sa gorge se serra brusquement, et des larmes perlèrent à ses paupières, lui piquant les yeux. Ce projet de chambres d'hôtes lui tenait tellement à cœur qu'elle en avait presque physiquement mal, comme si on cherchait à lui arracher une partie d'elle-même. Elle aurait tant voulu que tout ceci ne soit qu'un mauvais rêve, que tout redevienne comme avant!

Elle cliqua sur la biographie de Cimarron. Sa photo s'afficha, suivie d'informations concernant sa carrière professionnelle. Rien de privé ni de personnel.

— C'est lui? demanda Kaycee.

— Oui.

— Dis donc, il est plutôt beau mec!

Sarah ébaucha un sourire empreint d'ironie.

— Il est encore mieux en vrai. Mais pour ce que ça vaut…

— Pas de chance, Sarah. Dommage qu'il soit le méchant.

— Dommage, oui. Il a un adorable petit garçon avec lui, à peu près du même âge que les jumeaux.

— Tiens, tiens. Il a une femme?

— Pas que je sache. Mais ce qui est étrange, c'est que l'on a l'impression que cet enfant est plus un boulet qu'autre chose pour lui.

— En tout cas, on peut dire que tu ne fais pas les choses à moitié, toi, quand tu t'y mets.

— Pour tout t'avouer, j'en ai plus que ma dose.

Elle cliqua une nouvelle fois sur la liste des projets réalisés au cours des années. Visiblement, au début de sa carrière, il avait surtout effectué des chantiers pour les autres, restaurant des propriétés privées ou des monuments historiques qui en valaient la peine.

Puis il s'était peu à peu concentré sur des projets personnels. Pour chaque maison, il y avait des photos avant et après, avec une légende succincte donnant les dates de début et de fin des chantiers, incluant généralement un portrait des heureux acquéreurs. Une plantation récemment terminée en Louisiane était sur le marché pour la bagatelle de plusieurs millions de dollars. Il devait réaliser chaque fois un gigantesque profit, sinon pourquoi le ferait-il ? Il allait sûrement revendre la maison de Bobby dix fois le prix qu'il l'avait achetée.

Sarah sentit un grand vide se creuser en elle. Tout son optimisme s'évapora d'un coup, ses rêves se brisèrent comme une coquille de noix lancée sur les récifs par gros temps. Cimarron Cole n'était pas un petit joueur. Elle n'avait aucune chance contre lui.

Kaycee fit glisser son doigt lentement sur l'écran, suivant la liste des maisons et leur prix.

— Il saute d'une maison à l'autre. Il les achète, les retape et les revend.

— Oui, c'est ce qu'on dirait, murmura Sarah. Qu'est-ce que je vais devenir ?

— Ecoute, si tu as besoin d'un coup de pouce financier pour la lui racheter ou pour payer ton avocat, tu sais que Jon et moi, nous serons toujours là pour t'épauler. Nous ferons tout ce que nous pouvons dans la mesure de nos moyens.

Sarah posa sa main sur celle de Kaycee.

— Merci, je sais que je peux compter sur vous. Je vais réfléchir à ce que je vais faire. Je vois mieux maintenant pourquoi il est tellement décidé à restaurer la maison et à la revendre un bon prix. Enfin… On ne sait jamais. Le destin va peut-être s'en mêler.

Chapitre 7

Les yeux rivés dans la direction d'où venait le mouvement, Cimarron était totalement immobile. Un froissement de feuilles sèches. Puis plus rien. Quelque chose remua sous le buisson de l'autre côté de la clairière. Un ours? Un lynx?

— Ne bouge surtout pas, Wyatt, murmura-t-il.

Il retint sa respiration, attendit. Tout à coup, il aperçut un peu de fourrure brune près de l'endroit où il avait laissé sa veste.

— Hé!

— C'est un chien! s'écria Wyatt en sautant sur ses pieds.

— Reste ici! lui ordonna Cimarron d'un ton sans réplique.

Un grand chien aux oreilles pendantes les fixait, l'air étonné. Tout à coup, il prit dans sa gueule la veste de Cimarron qui contenait ses sandwichs, avant de disparaître dans les buissons.

— Bon sang! Reviens ici, espèce de voleur! Rends-moi ma veste!

Peine perdue, le chien avait bel et bien disparu. Cimarron

eut tout juste le temps d'attraper Wyatt par le col avant qu'il ne se lance à sa poursuite.

— Laisse ce chien tranquille, on ne le connaît pas. C'est sûrement un chien sauvage, il est peut-être enragé.

— Oh, soupira Wyatt, déçu. J'aimerais bien qu'il soit gentil.

— Il y a peu de chances que ce soit le cas, il vaut mieux le laisser. Allez, nous ferions mieux de rentrer, il se fait tard. Je t'avais dit de ne pas bouger, pourquoi est-ce que tu ne m'as pas obéi ?

Wyatt haussa les épaules et esquissa une espèce de grimace.

— J'avais envie de voir le chien.

— La prochaine fois, fais ce que je te dis. Quelle barbe ! J'y tenais, moi, à cette veste !

Furieux, il démonta sa canne à pêche et se mit à rassembler son équipement, puis ils reprirent le chemin de la maison, tout en surveillant les alentours chaque fois qu'ils entendaient du bruit dans les fourrés. Il aperçut à un moment un peu de fourrure brune qui ne lui était pas étrangère. Comme sa colère n'était pas encore retombée, il lui cria de déguerpir au plus vite. Et si c'était un chien sauvage ? songea-t-il, soudain pris d'inquiétude. Il fit monter Wyatt sur ses épaules, au cas où il lui prendrait l'idée de l'attaquer.

Le parking était désert, et la voiture de Sarah n'était pas non plus sous l'abri, derrière le bâtiment. Tant mieux. Il serait plus tranquille pour travailler cet après-midi. Il avait l'intention de mettre la maison hors d'eau avant de s'attaquer aux réparations majeures.

Quelle ne fut pas sa surprise en arrivant devant la porte principale, de trouver un loquet vissé dans le bois d'origine — qui devait bien avoir un siècle —, fermé par un cadenas. Qui avait bien pu faire ça ? se demanda-t-il, intrigué. Soit Melle Sarah James savait manier les outils beaucoup mieux qu'elle ne l'avait laissé entendre, soit l'officier de police était venu à sa rescousse. Ravalant un juron, il fit le tour de la maison, découvrant à chaque porte le même barrage. Furieux, il tenta d'arracher le verrou sur la porte de derrière.

Wyatt l'observait, intrigué.

— Tu peux pas entrer, tonton Cimron ?

— Oh si ! je vais pouvoir entrer, ne t'inquiète pas. Et pas plus tard que tout de suite.

Après tout, cela aurait pu être pire. Sarah aurait pu tout aussi bien demander à son policier personnel de venir remorquer son camion pour l'emmener à la fourrière, songea-t-il, amusé malgré tout. Il alla chercher un tournevis dans sa boîte à outils, dévissa le loquet et le retira complètement, au cas où il viendrait à l'idée de sa charmante voisine de l'enfermer à clé à l'intérieur. Puis, avec la clé que Bobby lui avait donnée, il ouvrit la porte de derrière et entra dans le vestibule, assez content de lui-même, du moins temporairement.

Les hautes fenêtres de la cuisine qui donnaient sur la montagne étaient noires de crasse, laissant filtrer la lumière avec difficulté. Bien que la cuisine ait été modernisée dans les années cinquante, la vieille cuisinière ne semblait pas en état de marche ; quant au réfrigérateur, il brillait par son absence. Les portes des placards étaient ouvertes. Certaines, qui ne tenaient plus que par une seule charnière, pendaient lamentablement.

Il passa dans le salon.

Etait-il concevable de camper dans cette pièce ? se

demanda-t-il en apercevant une cheminée dans un coin. Pas question cependant d'y allumer un feu, tant qu'il n'avait pas vérifié qu'il n'y avait ni trous ni fissures dans le mur et dans le conduit. Un épais manteau de poussière grise recouvrait chaque surface, de grandes toiles d'araignées flottaient dans les coins, tout en haut, comme de vieilles dentelles sales et déchirées, accrochées là pour on ne sait quelle raison. Le sol était jonché de débris de toutes sortes, et des fragments de verre cassé gisaient au pied des fenêtres. Plâtras, détritus, petits ossements, résidus de nourriture craquaient sous les pas. Il était facile d'imaginer que cet endroit avait pu servir de refuge à toute une diversité de bêtes sauvages. Un ou deux meubles recouverts de vieux draps sales avaient été poussés dans un coin de la pièce, sans doute pour les protéger.

Wyatt embrassa l'espace d'un regard désemparé.

— Je n'aime pas cet endroit, dit-il d'une petite voix.

— Tu ferais bien de t'y habituer, parce que c'est ici que nous allons vivre.

— On est obligés? Je préfère dormir dans le camion.

— C'est toi qui choisis. Moi en tout cas, je m'installe ici. Alors, si tu préfères dormir là-bas tout seul…

Wyatt fit une moue qui en disait long. Puis il inspecta la pièce une dernière fois d'un air critique.

— Bon, O.K., murmura-t-il, au bord des larmes.

Le cœur de Cimarron se serra. Comment pouvait-il expliquer à Wyatt qu'il tenait à marquer son territoire dans les plus brefs délais vis-à-vis de Sarah? Ceci, dans l'espoir qu'elle finirait par s'avouer vaincue et lâcherait prise. En outre, s'il avouait à l'enfant qu'ils ne resteraient pas longtemps entre ces murs, ce dernier voudrait savoir quelle serait leur prochaine destination, et, là, ça se compliquait, car Wyatt n'était pas prévu au programme de la prochaine étape. Cimarron attendait le bon moment pour lui annoncer la nouvelle, en espérant que le bon moment existait bien.

— Ce ne sera pas si mal, quand nous aurons fait un peu de ménage, dit-il d'une voix rassurante. Et on aura l'impression de camper.

Il retourna au camion pour y chercher une pelle pliante, un vieux balai qui avait vu de meilleurs jours, des gants en cuir pour gros travaux, ainsi qu'un rouleau de sacs-poubelle.

— Wyatt, tu prends le balai et tu fais un tas avec toutes ces cochonneries, moi je les ramasserai et je les porterai dehors. Tiens, prends aussi les gants, comme ça tu ne te mettras pas d'échardes. Allez hop! Au boulot! Je reviens tout de suite.

Il alla démonter les deux autres loquets qu'il rangea dans son camion bien à l'abri, afin que Sarah ne soit pas tentée de les réutiliser. Puis il retourna à l'intérieur s'occuper du nettoyage. Il s'arrêta un instant à la porte du salon pour observer Wyatt en train de balayer. Les gants, beaucoup trop grands, lui arrivaient pratiquement aux coudes, il avait du mal à tenir le manche avec les doigts qui s'écartaient dans toutes les directions, mais, malgré tout, il mettait tant d'ardeur à la tâche qu'il en était touchant. Les sourcils froncés, il s'activait avec une détermination farouche, même si le résultat n'était pas à la hauteur de son énergie. Cimarron sourit. Ce gamin avait du caractère finalement. Mais il se reprit bien vite. Il n'était pas question qu'il s'y attache, ni qu'il lui laisse croire qu'il allait vivre avec lui; ils allaient être obligés de se séparer, et cela ne ferait qu'aggraver la situation et la rendre plus douloureuse encore.

UNE PROMESSE

Il repoussa loin de lui ces émotions dont il n'avait que faire.

— Alors, mon vieux, tu y arrives?

Très fier, Wyatt hocha vigoureusement la tête et lui montra la zone qu'il avait balayée et qui devait faire environ un mètre carré.

— Très bien! Continue, il nous faut la place de mettre nos sacs de couchage.

Cimarron prit la pelle et la balayette, ramassa les bouts de verre et autres débris qu'il mit dans un grand sac-poubelle avant de le porter à l'extérieur.

Au bout d'un moment, Wyatt s'arrêta.

— Tonton Cimron, j'ai faim.

— Moi aussi. Finissons cette pièce, ensuite nous irons voir si nous pouvons trouver quelque chose à manger.

Il fallut remplir plusieurs sacs pour débarrasser l'espace de tous les déchets qui l'encombraient. Mais, même après cela, la pièce n'avait toujours rien de bien accueillant.

— Wyatt, si on changeait de job? A force de faire la même chose, on finit par avoir des courbatures.

Cimarron s'étira, imité aussitôt par Wyatt, qui lui tendit le balai.

— O.K.

— Je vais essayer d'enlever ces toiles d'araignées, elles sont trop hautes pour toi de toute façon.

Beaucoup l'étaient aussi pour lui, d'ailleurs, mais il parvint à en faire descendre quelques-unes, sous l'œil attentif de Wyatt.

— Il y a encore des araignées? demanda ce dernier.

— Non. Les toiles sont beaucoup trop poussiéreuses. Cela veut dire que les araignées sont parties depuis longtemps.

— J'avais une araignée, une fois, déclara Wyatt d'un air sérieux tout en raclant les toiles qui étaient tombées sur le plancher.

— Ah bon ? Où ça ?

— Elle habitait sous la fenêtre dans ma chambre, dans une de nos maisons. Elle ne sortait que la nuit, quand y avait plus de lumière.

— Alors comment savais-tu qu'elle était là ?

— Y avait des bouts d'insectes morts par terre. Papa m'a dit qu'elle les mangeait la nuit. Une fois, je l'ai vue quand je me suis levé pour aller faire pipi.

— Je suis sûr que tu n'as pas eu peur.

— Un peu, quand même. Mais mon papa m'a dit que « les petites bêtes ne mangent pas les grosses ».

Le cœur de Cimarron se serra. C'était ce que R.J. lui disait à lui aussi quand il était petit.

— Il n'avait pas tort. Tiens la pelle pendant que je balaie la poussière dessus. Il faut que l'on finisse avant d'aller manger.

Wyatt se concentra sur sa nouvelle tâche, tenant la pelle de ses petites mains avec beaucoup de concentration, tandis que Cimarron y poussait les toiles d'araignées, puis, ensemble, ils la vidèrent dans le sac-poubelle. Tout en sifflotant, Cimarron passait le balai un peu partout, de façon à nettoyer le plancher de façon plus efficace, sans que Wyatt ait l'impression qu'il repassait derrière lui. Quand tout fut terminé, il ferma le sac qu'il porta dehors avec l'aide de Wyatt.

L'après-midi était déjà bien avancé, les ombres commençaient à s'allonger sur la vallée. Cimarron n'avait pas vu le temps passer, et il se dit que les quelques magasins de Little Lobo devaient être fermés. Quant aux restaurants, il n'en avait pas vu un seul sur la route de Bozeman. De toute façon, un dimanche, rien ne serait ouvert.

Après vérification, il constata qu'il n'y avait pas d'eau courante, ce qui limitait considérablement les options pour faire un brin de toilette.

— Heureusement que nous sommes des gars !

— Pourquoi ?

Wyatt leva vers lui de grands yeux étonnés. Il avait les mêmes yeux noisette que R.J., bordés de longs cils noirs. Chaque fois qu'il le regardait, Cimarron voyait son frère, il entendait sa voix, et, chaque fois, il était un peu plus déchiré. Jamais il ne pourrait offrir à Wyatt la vie qu'il méritait. Pourtant, il savait au fond de lui que le fantôme de R.J. ne le laisserait jamais en paix et lui reprocherait toute sa vie d'avoir confié son fils à d'autres gens.

Cimarron renifla sous son bras d'une façon très théâtrale.

— Parce que nous allons sentir supermauvais ce soir, toi et moi. Pas moyen de prendre de douche !

— Oh ! Je m'en fiche !

— C'est bien ce que je pensais.

Il jeta un coup d'œil en direction du Café. Tout était éteint, même dans l'appartement au-dessus. Où Sarah pouvait-elle bien être ? Dès qu'elle aurait découvert que ses cadenas n'étaient plus en place, elle lui donnerait certainement de ses nouvelles. En attendant, il lui aurait volontiers acheté quelque chose à manger.

— Je ne sais pas ce que nous allons faire pour le dîner.

— Moi, j'aime bien manger, décréta Wyatt d'un air sérieux.

— Oui, moi aussi. Malheureusement, il n'y a plus rien

92

du tout. Allons faire un tour, voir ce que nous pourrions dénicher dans les parages.

Ils sautèrent dans le camion.

Wyatt regardait le paysage défiler sous ses yeux. Il aimait bien cet endroit, il l'aimait mieux que tous les autres où ils avaient vécu, sauf que son papa lui manquait terriblement. Pourquoi n'était-il jamais revenu le chercher dans le bureau de son oncle, ce jour-là ? Il avait entendu quelqu'un dire qu'il était tombé, qu'il avait fait une chute « fatale ». Qu'est-ce que ça voulait dire ? Quand il avait demandé à son oncle où était son papa, il lui avait répondu qu'il était probablement « au ciel ». C'était où ça, *au ciel* ? Il n'avait qu'à attendre que son papa vienne le chercher. Il viendrait, c'était sûr. Ou alors, peut-être qu'il ne viendrait pas. C'était possible. Alors il fallait qu'il soit gentil avec son oncle Cimron, il ne devait pas le mettre en colère, parce que, s'il décidait de ne pas le garder, il serait tout seul. Et ça, c'était plus terrifiant que tout.

Ils eurent vite fait le tour de Little Lobo, sans succès. Rien n'était ouvert et ils n'étaient pas plus avancés qu'avant.

— J'ai mon ventre qui gargouille, dit Wyatt.

— Il me reste quelques conserves dans le camion, des haricots et des saucisses de Francfort.

Wyatt fit la grimace.

— J'ai un problème avec les haricots, moi aussi, reconnut Cimarron en songeant aux effets secondaires. Mais il n'y a pas vraiment le choix.

— On va sentir encore plus mauvais.

Cimarron se mit à rire.

— Ça oui ! Mais à la guerre comme à la guerre !

Heureusement, nous ne serons pas forcés de dormir dans le camion, c'est toujours ça !

Wyatt l'aida à porter la glacière où il y avait de quoi boire, ainsi que leurs duvets qu'ils étalèrent dans le salon. Pour cette nuit, ce serait suffisant. Ils s'installeraient mieux le lendemain. Cimarron cloua sur les fenêtres une grosse toile épaisse afin d'empêcher les courants d'air. Lorsque tout fut prêt, ils s'installèrent sur les marches du perron avec leurs boîtes de conserve en guise de dîner. Le soleil se couchait derrière la montagne, illuminant la vallée de mille feux.

— C'est beau, ces couleurs, hein ?

— Oui, moi j'aime bien colorier, répondit Wyatt.

— Ah bon ?

— Mais je n'ai plus de livre de coloriage. Et presque plus de crayons.

— On l'a oublié ?

— Non, je l'ai fini.

— Si tu veux, nous irons bientôt en ville pour en acheter un autre.

— O.K. J'ai fini tous les haricots, ajouta-t-il en tendant sa boîte vide à Cimarron.

— Moi aussi.

Cimarron les posa sur le côté et s'appuya en arrière sur les coudes, en contemplant le Café.

— Je me demande où est passée Sarah, murmura-t-il, comme pour lui-même. J'aimerais bien manger quelque chose de chaud.

— Moi aussi, renchérit Wyatt en s'appuyant lui aussi sur les coudes. Raconte-moi une histoire, tonton Cimron.

— Je t'ai raconté toutes les histoires que je connaissais.

— Mon papa, lui, il connaît plein d'histoires.

— Il a eu plus de temps que moi pour les apprendre. Je ne suis pas très doué pour jouer au papa.

— Oh si!

— Je n'en suis pas si sûr, grommela Cimarron. Tu es fatigué? Tu es prêt à aller te coucher?

— Toi aussi, tu vas te coucher?

— J'ai encore du travail à faire sur mon ordinateur.

— Je peux jouer dans le camion pendant que tu travailles? S'il te plaît?

— Oui. Si tu veux.

Il installa Wyatt dans le camion, ouvrit la petite fenêtre qui communiquait avec l'avant, et s'assit à la place du conducteur. Il s'était organisé un véritable petit bureau mobile, avec ordinateur et même une imprimante. Il alluma son ordinateur portable, ouvrit un logiciel de dessin architectural. Puis il entra les dimensions approximatives de la maison et commença à travailler sur ses plans de restauration. Au bout de deux heures, il savait à peu près ce qu'il devrait effectuer comme travaux pour remettre le bâtiment en état. Le résultat serait extraordinaire, il en était sûr.

Sarah rentra aux environs de 23 heures. Elle marqua une pause devant chez elle, examina la maison d'un œil attentif sans toutefois aller jusqu'à y monter. Dommage, songea Cimarron, il aurait pu lui demander quelque chose à manger. Il la regarda entrer au Café, puis surveilla les lumières qui s'allumaient et s'éteignaient à mesure qu'elle progressait jusqu'à son appartement au premier étage. Quelques instants plus tard, tout était sombre. Etait-elle, comme lui, les yeux grands ouverts dans l'obscurité, l'esprit tourmenté, à ressasser les mêmes questions? Il se trouvait dans une situation délicate, n'ayant jamais eu l'intention de lui faire du tort ni de mettre son petit monde sens dessus dessous. En même temps, il ne pouvait pas se permettre non plus de perdre l'argent qu'il avait investi, d'autant plus qu'il n'avait pas encore vendu sa dernière réalisation, celle de Louisiane.

Il se tortilla sur son siège, cherchant une position plus confortable. Il faisait une bonne affaire ? Et après ? Pourquoi se culpabiliserait-il ? C'était son métier, après tout. En mettant des loquets partout, Sarah l'avait sérieusement poussé à bout ! Il lui avait fallu plus d'une demi-heure pour les enlever. Au bout du compte, il n'avait plus du tout envie de se montrer conciliant avec elle.

Il contempla l'écran de son ordinateur et poussa un gros soupir. Tout ce qui lui restait à faire, songea-t-il en étudiant ses notes et les croquis architecturaux qui s'affichaient, c'était de retaper cette bicoque et de la vendre. Plus vite ce serait fait, plus vite il pourrait être délivré du joli minois de Sarah James. Elle n'aurait qu'à se débrouiller avec les nouveaux propriétaires.

Evidemment, ce n'était pas très sympathique de sa part de contrecarrer ainsi ses plans, songea-t-il avec un pincement au cœur.

Il bâilla et referma son ordinateur.

Derrière, Wyatt s'était endormi, recroquevillé au milieu de ses jouets. Il le tira doucement sans le réveiller, brancha l'alarme du véhicule et, portant son léger fardeau, se dirigea vers la vieille bâtisse.

En se retournant dans son sac de couchage plusieurs heures plus tard, Cimarron sentit comme une boule dans son dos. Entrouvrant les yeux, il vit que des raies de lumière parvenaient à se glisser dans la pièce sur les côtés des tissus qui recouvraient les fenêtres. Il glissa une main prudente dans son dos pour savoir ce que c'était, et trouva Wyatt blotti tout contre lui. Le petit garçon avait dû se rapprocher au milieu de la nuit et dormait comme un loir. Cimarron ne bougea pas, de peur de le réveiller. Lorsque la faim prit le dessus, des images de café chaud et de bon petit déjeuner au Café s'imposèrent avec insistance dans son esprit, et il décida que le moment était venu de passer à l'action.

Après s'être extirpé de son duvet, il s'étira et alla jeter un coup d'œil par la porte. Quelle ne fut pas sa déception en découvrant que, du côté du Café, tout était tranquille. L'heure d'ouverture était largement dépassée, et pourtant il avait bel et bien l'air fermé. Il y avait un patio à l'arrière, avec une terrasse de bois surmontée d'un auvent, plusieurs tables de jardin ainsi qu'un barbecue. Sarah était assise à l'une des tables, en train de boire son café et de lire le journal. Elle se versa une autre tasse, sans avoir l'air du tout pressée de reprendre le travail.

— Qu'est-ce qu'elle attend pour ouvrir ? maugréa Cimarron.

Il mourait de faim et Wyatt aussi, sûrement.

Il n'avait donc plus d'autre option que d'enclencher le plan B : réveiller l'enfant et partir à la recherche d'un petit déjeuner convenable.

Aller jusqu'à Livingstone et revenir lui prendrait une heure au bas mot, ce qui n'était pas prévu au programme et risquait de le mettre de mauvaise humeur avant même qu'il ait commencé sa journée.

Il allait devoir parler à Sarah au sujet des cadenas. Allait-il le faire avant ou après avoir mangé ? Après serait sûrement mieux. Il serait probablement mieux disposé avec l'estomac plein, et Wyatt ne rechignerait pas à jouer tout seul.

— Wyatt, murmura-t-il en le secouant doucement. Réveille-toi, on y va.

— On va où ? fit une petite voix encore toute chiffonnée de sommeil.

— On va chercher à manger quelque part, le Café n'est pas ouvert.

Wyatt s'assit en se frottant les yeux. Il bâilla.

— Oooh… J'ai faim…

— Moi aussi, allez viens.

Ils sortirent par la porte de devant, qu'il referma à clé.

Sarah leva les yeux de son journal et, même à cette distance, Cimarron vit qu'elle avait l'air plutôt contrariée.

— Hum, il y a de l'orage dans l'air.

— Pourquoi ? s'étonna Wyatt, en regardant dans la même direction que son oncle. La dame est en colère ?

— Il semblerait. Allez, on y va.

Il installa le petit garçon dans le siège arrière, puis fit le tour et se glissa au volant.

— Elle te fait peur, tonton Cimron ?

Cimarron lui jeta un coup d'œil dans le rétroviseur.

— Peur ? Non ! Seulement je n'ai pas du tout envie de discuter pendant des heures avec elle. Et toi ? Je croyais que tu avais faim ?

— Oui !

— Parfait. Alors on y va !

Il tourna la clé pour démarrer. Il n'avait pas encore enclenché la marche arrière que Sarah était déjà près de la voiture, une main posée sur la poignée de sa portière. Il pouvait soit lui arracher le bras, soit baisser la fenêtre et lui parler.

Une petite voix lui parvint depuis le siège arrière.

— Oh, oh…

A travers la vitre, les yeux de Sarah lançaient des éclairs. La jeune femme était dans une telle colère qu'il l'imagina un instant soulever son camion à la seule force de ses bras et le projeter plusieurs mètres plus loin.

Il baissa sa vitre et sourit.

— Bonjour!

— Comment êtes-vous entré dans *ma* maison? lâcha-t-elle sans préambule.

— *Ma* maison, corrigea Cimarron sans cesser de sourire. C'est curieux d'ailleurs, quelqu'un s'est permis de mettre des cadenas sur toutes les portes. Je me demande si c'est bien légal.

Elle le fusilla du regard.

— Je fais ce que je veux. Jusqu'à nouvel ordre, cette maison m'appartient. J'ose espérer que vous partez pour de bon?

— Non, pas du tout. Nous allons juste chercher à manger. J'ai un petit garçon qui est à moitié mort de faim. C'est vrai quoi, on ne trouve rien dans ce pays, tout est fermé le dimanche!

— Si cela ne vous plaît pas, c'est le même prix, ici c'est comme ça. Encore une bonne raison pour que vous ne vous attardiez pas dans une ville aussi peu hospitalière.

— Oh! Je partirai, soyez tranquille. Quand le moment sera venu.

— C'est ça, oui! Quand vous aurez revendu la maison à des gens pleins aux as ou à une société quelconque.

— Ah, ah… Vous êtes allée prendre des renseignements sur moi?

Il en ressentait un certain plaisir. Pourquoi? Il n'aurait su le dire. Ou plutôt si, il y avait quelque chose d'excitant de penser qu'une femme aussi séduisante et sexy que Sarah avait fait des recherches sur lui.

— Oui, et je dois dire que je n'ai pas été très impressionnée.

— Ah bon? Vous m'en voyez navré. Je vais voir ce que je peux faire pour remédier à cela.

Elle fronça les sourcils et fit une moue qui donna à Cimarron une envie folle de l'embrasser. Toutefois, la raison lui dictait de n'en rien faire…

— Inutile de perdre votre temps, monsieur Cole.

— Cimarron. Appelez-moi « Cimarron ». Vous ne croyez pas que nous devrions nous appeler par nos prénoms, puisque…

— J'ai faim, geignit Wyatt. On peut y aller, maintenant?

— Encore une minute. Ecoutez, Sarah, j'espère que vous allez vous renseigner aujourd'hui sur la légalité de cette affaire. Je ne peux pas attendre pour attaquer les travaux.

Elle le considéra en plissant les yeux. On aurait dit un chat en train de se demander s'il devait continuer à torturer sa proie ou la tuer d'un coup de patte.

— Je ne sais pas si je vais avoir le temps, laissa-t-elle tomber. Je suis très occupée, mon avocat aussi.

— Je vois. Ecoutez, c'est très simple : la vente est tout ce qu'il y a de légal. Cela s'arrête là.

Il fouilla dans un tas de papiers éparpillés sur le siège à côté de lui, en tira un dossier, dont il sortit une grosse enveloppe marron qu'il lui tendit.

— Tenez, voici une copie de l'acte de vente. Demandez à

votre avocat de l'étudier et de la valider. Parce que, figurez-vous, je vais restaurer cette maison, que cela vous plaise ou non. Et je vais même commencer cette semaine. Cette affaire est tout ce qu'il y a de plus légal. Tenez-vous-le pour dit.

— Vous le prenez comme ça ?

Cimarron enclencha la marche arrière et la contempla d'un regard pénétrant.

— Je le prends comme ça.

Elle ôta la main de la portière et fit un pas en arrière en lui jetant un regard noir.

Il hésita.

— On y va ? insista Wyatt. J'ai vraiment trop faim.

Sarah pivota sur ses talons et redescendit la colline.

— Moi aussi, grommela Cimarron.

Il dépassa Sarah avant qu'elle n'ait rejoint le Café, et s'engagea sur la route en direction de la ville.

Chapitre 8

« Trop, c'est trop ! » Atterrée par l'égoïsme de son frère, Sarah fit le tour des tables, remplissant machinalement les salières et les poivrières. Elle était dans un état second, comme branchée sur pilotage automatique, les lèvres tremblantes d'indignation, les larmes prêtes à jaillir à tout instant. Comment était-il possible que sa vie ait basculé ainsi en si peu de temps ? Bobby n'avait pas le droit de lui faire ça ! Il n'avait pas le droit !

Heureusement, le Café n'ouvrait pas le lundi, ce qui lui laissait un peu de temps pour se retourner. Elle s'assit, les yeux perdus dans le vague. Heureusement aussi que Cimarron Cole était parti pour quelque temps. Elle ne se sentait pas la force de l'affronter à ce moment précis. Il ne lui avait pas fallu longtemps pour se débarrasser des cadenas et prendre possession de la maison. Pourquoi avait-il fallu qu'il jette son dévolu sur sa maison à elle ? Il devait bien y avoir d'autres maisons délabrées dans le Montana ? Alors, pourquoi la sienne ?

C'était vraiment injuste. De grosses larmes se mirent à rouler sur ses joues, qu'elle ne put retenir malgré ses efforts. Elle les essuya d'un geste rageur. L'enveloppe en papier kraft était posée sur la table à côté d'elle, la narguant. Elle en sortit les documents qu'elle étala devant elle, n'osant les lire. La dernière feuille était couverte de signatures, celle de Cimarron Cole, claire et nette, une autre, illisible, qui devait être celle du notaire, et le gribouillis inimitable de son frère.

Prenant sur elle, elle décida de lire le document du début à la fin. Chaque page confirmait ce qu'elle redoutait, chaque page augmentait son désarroi. C'est alors qu'elle découvrit la somme que Cimarron avait payée à son frère. Elle dut la relire plusieurs fois avant de bien comprendre. Evidemment, vu sous cet angle, son offre à elle était loin de faire le poids ! Pas étonnant que Bobby n'ait pas hésité à la trahir. Cependant, cela ne changeait rien à l'affaire ; non seulement ils avaient un accord, verbal, certes, mais ils étaient du même sang. Comment avait-il pu… ?

Bouillant d'indignation, elle s'empara du téléphone pour l'appeler. Il n'allait pas s'en tirer comme ça, elle le harcèlerait jusqu'à ce qu'il finisse par lui répondre !

Elle était sur le point de reposer le combiné quand, à sa grande surprise, il décrocha.

— Ça alors, je m'attendais à tout sauf à ce que tu répondes ! lança-t-elle. Cela fait deux jours que j'essaie de te joindre !

— Je me doutais bien que je ne pourrais pas t'éviter jusqu'à la fin de mes jours. Je suis désolé pour la maison.

— Désolé ? Tu es *désolé* ? Comment as-tu pu me faire un coup pareil ? lâcha-t-elle en essayant de dissimuler le tremblement dans sa voix. Nous avions un accord, toi et moi, tu sais combien je tenais à ce que la maison reste dans la famille.

— Je sais. Je n'avais pas le choix, j'étais coincé.

— Coincé? Tu étais coincé, Bobby? Tu as vendu la maison de l'oncle Eual, parce que tu étais *coincé*? Dis-moi que je rêve!

— Arrête de crier comme ça, sœurette, ça n'avance à rien. Je te jure que je n'avais pas le choix. J'ai beaucoup perdu au jeu. Il y a des gars qui n'étaient pas très contents, ils m'ont menacé de me faire sauter les rotules si je ne les payais pas vite fait. Cole voulait la maison et je savais qu'il avait l'argent, ce qui n'était pas ton cas.

Sarah n'en croyait pas ses oreilles. Ses doigts se crispèrent sur le combiné. Si son frère avait été en face d'elle, elle lui aurait… elle lui aurait tordu le cou!

— Nous nous étions engagés, Bobby! Les deux propriétés devaient rester soudées, c'était ce que voulait oncle Eual, et tu le savais très bien!

— Sauf qu'il ne l'a pas spécifié dans son testament. Et moi, j'avais besoin de fric.

— Tu as payé tes dettes au moins, ou bien est-ce que je dois m'attendre à une visite de tes *amis*?

— Je les ai payées.

— Ah oui et le reste, tu l'as gaspillé entre un camping-car de grand luxe et une bimbo!

— Attends, je ne te permets pas de parler comme ça de Sunni! C'est une fille très bien, nous sommes mariés.

— A ce qu'il paraît. Où es-tu, en ce moment?

— A Fort Lauderdale.

— Tu ne t'embêtes pas! En Floride avec Sunni. J'espère qu'elle va être bien bronzée.

— Pour ça, tu peux être tranquille.

Elle aurait voulu le gifler! De toute évidence, il se moquait d'elle. Il se moquait de tout, comme à son habitude. Son irresponsabilité était légendaire. Quant à ce mariage, le troisième, il ne durerait pas plus longtemps que les deux premiers.

— Tu aurais quand même pu me prévenir, reprit-elle. Mets-toi à ma place. Je vois ce type débarquer chez moi sans tambour ni trompette…

— Je savais bien que, si je t'en parlais, tu aurais piqué une crise et tu aurais tout fait pour m'en empêcher. Ça ne m'enchantait guère, crois-moi, seulement tu ne peux pas imaginer à quel point j'avais besoin de cet argent. Regarde le côté positif, sœurette. Cole est beau gosse et il est plein aux as ! C'est un expert en restauration de monuments historiques, il va arranger ces chambres d'hôtes comme ni toi ni moi n'aurions jamais pu le faire. Si tu joues bien tes cartes, tu t'en sortiras très bien.

— Qu'est-ce que tu veux dire par là ?

— Allez, allez, ne fais pas ton innocente ! Tu n'as qu'à le caresser dans le bon sens du poil, enfin tu vois ce que je veux dire. Il t'arrangera ça aux petits oignons ! De toute façon, il serait temps que tu te bouges, tu vas finir vieille fille si tu n'y prends pas garde. Marie-toi. En fin de compte, je te rends service.

Sarah en resta sans voix. Il avait l'air sérieux. Il dut comprendre qu'il venait sans doute de dépasser les bornes et, pour éviter toute retombée intempestive, il raccrocha sans demander son reste.

Presque aussitôt, le téléphone se mit à sonner. Pensant qu'il devait s'agir de son frère qui voulait essayer de se racheter, elle décrocha et lança, furieuse :

— Qu'est-ce que tu veux encore ?

— Sarah ? C'est Nolan Birchfield. Vous m'avez appelé

ce matin, je crois. J'étais au tribunal. Ma secrétaire m'a dit que c'était urgent. Je vous dérange ?

— Oh ! Nolan, je suis désolée. Je croyais que c'était mon frère. Merci de me rappeler. J'ai un très gros problème sur les bras.

Elle lui expliqua la situation en quelques mots, et Nolan lui fixa aussitôt rendez-vous dans son bureau à Livingstone dans l'heure qui suivait. Elle avait tout juste le temps de s'habiller et de sauter dans sa voiture.

Dès qu'elle arriva, l'avocat la pria de s'asseoir.

— Alors, votre frère a encore fait des siennes ?

Si elle avait encore un espoir, certes fragile, il disparut à tout jamais avec ses rêves, tandis que Nolan, incarnation même de la sagesse et de la légalité, lui expliquait de sa voix ferme et suave à la fois les tenants et les aboutissants de cette affaire. Elle avait beau avoir conclu un accord verbal avec Bobby, il n'avait aucune valeur face au contrat parfaitement ficelé qu'il avait signé avec Cimarron. Intenter un procès à Cimarron ne mènerait à rien, elle avait toutes les chances de le perdre. Par conséquent, elle se verrait dans l'obligation d'assumer les frais de tribunal qui pouvaient s'élever à des sommes considérables. Comment ferait-elle pour payer, sinon en vendant ce qu'elle avait de plus précieux, le Café ?

L'idée de perdre le Café fut la goutte d'eau qui fit déborder le vase. En sortant du bureau de Nolan, elle regagna sa voiture dans un état second, et s'effondra sur le volant. Toutefois, la colère l'emporta vite sur le désespoir, et son tempérament de battante reprit le dessus. Elle n'allait quand même pas laisser son bon à rien de frère et Cimarron lui voler son rêve ! Il n'en était pas question. Il lui fallait juste élaborer un plan d'attaque.

Elle respira bruyamment et se redressa, prête à se battre bec et ongles. Elle ne pouvait peut-être rien contre ce contrat et, à ce moment précis, elle n'avait pas les moyens de racheter la maison. Mais ce n'était pas une raison pour baisser les bras ni pour laisser Bobby s'en tirer à si bon compte. Les cadenas n'avaient pas fonctionné, très bien, elle trouverait autre chose pour décourager Cimarron. Elle lui rendrait la vie tellement impossible qu'il finirait par regretter de s'être mis dans un tel guêpier, et qu'il passerait le restant de ses jours à éviter le Montana !

Il y avait, hélas, un bémol contre lequel elle ne pouvait rien, et Bobby avait raison sur ce point. Kaycee aussi d'ailleurs lui avait fait la remarque : Cimarron était un très beau garçon, terriblement séduisant. En d'autres circonstances...

Elle se reprit très vite. Pas question de s'engager dans cette voie. Cimarron Cole représentait l'ennemi, et cela elle ne devait pas l'oublier.

Elle devait avant tout lui mettre des bâtons dans les roues le plus tôt possible afin de retarder le début des travaux. Cela lui donnerait le temps de voir si elle pouvait trouver assez d'argent pour lui racheter la maison. Tout en roulant, elle réfléchit aux diverses possibilités qui s'offraient à elle. Parmi ses amis, il y en avait bien qui seraient prêts à investir dans ses futures chambres d'hôtes. Ce qu'il lui fallait, c'était convaincre Cimarron de lui revendre la propriété, en lui faisant baisser le prix le plus possible bien sûr, et cela avant qu'il ait commencé la restauration du bâtiment.

Tout cela lui avait fait perdre un temps précieux, qu'elle aurait dû consacrer à la préparation des repas du lendemain. Elle se mit aussitôt au travail, se défoulant sur les légumes, qu'elle coupa sans merci en imaginant à leur place les deux hommes qui s'étaient donné le mot pour détruire ses rêves ! Juste quand ces gestes, si familiers, commençaient à faire leur effet et qu'elle avait recouvré un peu de calme, elle entendit crisser le gravier sous les pneus du pick-up de Cimarron. Ce dernier traversa le parking et se gara derrière la maison.

La première chose que Cimarron remarqua en arrivant, c'était que Sarah était rentrée. Sa voiture était à sa place habituelle sous l'abri, la porte arrière du Café était ouverte. Parfait, il devait lui parler. Mais, avant tout, il lui fallait décharger son véhicule.

— Tiens, Wyatt, prends ce sac !

Il lui tendit un sac en papier contenant des albums à colorier, des crayons de couleur, des livres d'images et quelques jouets. Il voulait commencer ce chantier le plus vite possible et avait tenu à s'assurer que Wyatt aurait de quoi s'occuper.

Il leur fallut plusieurs voyages pour arriver à tout vider. Cimarron avait acheté un réchaud de camping avec deux feux, un petit réfrigérateur, deux chaises pliantes ainsi que deux lits de camp pour ne pas dormir directement sur le plancher. Pour les provisions, il y avait du pain, des fruits et du jus de fruits, des céréales, de la viande froide, des œufs, du fromage et du lait. Il y avait aussi du poulet froid au cas où Wyatt aurait faim plus tard. Pour les ustensiles de base, Cimarron avait déjà le strict nécessaire dans son camion, petites casseroles, poêle à frire, assiettes, verres et couverts. A Livingstone, ils avaient trouvé un fast-food pour parer au plus pressé.

— Wyatt, je vais aller parler à la dame du Café. Je n'en aurai pas pour longtemps.

— Je veux venir avec toi, tonton Cimron. Je veux pas rester tout seul ici.

— Bon, ça va pour cette fois, viens, soupira Cimarron sans cacher son impatience. Il va pourtant falloir que tu arrêtes de me suivre comme un petit chien dès que je fais trois pas. La semaine prochaine, je vais commencer les travaux et tu vas devoir t'occuper tout seul. Je ne peux pas t'avoir constamment dans les pattes.

Au prix d'un gros effort, Wyatt parvint à ravaler ses larmes.

— Je n'aime pas cette maison, murmura-t-il d'une petite voix.

Cimarron soupira et prit le petit garçon par la main.

Ils trouvèrent Sarah en pleins préparatifs. Elle était de dos, portait un long tablier blanc qui lui descendait jusqu'aux pieds. Ses cheveux étaient retenus sur sa nuque à l'aide d'une grosse barrette.

— Tiens! Prends ça! lança-t-elle à un poivron en le coupant en deux et en le vidant de ses pépins.

Puis elle prit un oignon et recommença son manège.

— Et toi, prends ça!

L'oignon fut tranché en deux à son tour.

— J'espère que ce n'était pas moi? avança Cimarron.

Elle sursauta en entendant sa voix, pivota sur ses talons et le toisa d'un air de défi.

— Non, vous, c'était le poivron. Je vous ai arraché les entrailles.

— Aïe! Vous êtes dangereuse avec ce couteau!

— Des années de pratique.

Cimarron la gratifia d'un sourire empreint d'ironie.

— Si je comprends bien, vous avez parlé à Bobby ou à votre avocat ou… aux deux ?

— Aux deux. Et je déteste me tromper, grommela-t-elle.

Sur ces mots, elle se concentra de nouveau sur l'oignon, l'éminçant avec une énergie redoublée.

— J'ai pourtant essayé de vous expliquer qu'il était impossible de dénoncer ce contrat, risqua-t-il.

— Je sais. Vous m'avez aussi expliqué pour Bobby.

Un silence s'installa, pendant lequel elle continua à manier l'énorme couteau avec autant de dextérité qu'un samouraï son sabre.

— Ecoutez, avança-t-il au bout d'un moment, je sais que vous êtes contrariée…

— Combien vous faut-il pour que je vous rachète la maison en l'état ?

— Environ un million et demi.

Elle reposa le couteau, et il vit que ses mains tremblaient.

— Vous plaisantez, j'espère. Vous n'avez pas payé Bobby autant !

— C'est exact. Cependant, j'ai donné à Bobby ce qu'il demandait, pas ce que cela valait. En général, j'essaie de ne pas perdre d'argent quand je négocie.

— Je vous paierai la même somme que celle que vous avez donnée à Bobby. Ce qui me paraît juste.

— Ce n'est pas ainsi que l'on traite en affaires. Revendre ce bien sans profit équivaudrait pour moi à revendre à perte. En l'acquérant, j'ai refusé d'autres propositions tout aussi alléchantes.

— Combien de temps m'accordez-vous?

— Une semaine. Je dois rencontrer les entrepreneurs cette semaine de façon à pouvoir commencer les travaux lundi prochain.

— Une semaine? Vous plaisantez, j'espère? Vous savez très bien que c'est impossible. Même vous, vous ne pourriez pas rassembler une telle somme en si peu de temps!

Comment pouvait-il rester indifférent en percevant ce désespoir dans sa voix? Si seulement il avait su combien elle tenait à cette maison avant de signer ce contrat avec Bobby…

— Vous pensez vraiment pouvoir trouver une somme pareille? Sincèrement?

— Oui! Je ne suis pas une pauvresse, vous savez. Mais pas en une semaine.

— Je n'ai pas dit que vous étiez une pauvresse. Un mois? Un mois, c'est le maximum. Je ne peux pas aller au-delà. Alors, c'est d'accord? Un mois? Et vous me tenez au courant de vos progrès?

— D'accord.

— Très bien. Dans ce cas, je vais vous demander un petit service. J'aurais besoin de me brancher sur votre électricité pendant un jour ou deux, pas plus, le temps que quelqu'un vienne vérifier l'installation et la rebrancher.

— Pas question.

Cimarron soupira. Cette femme était plus que têtue, elle était… elle était exaspérante! Il fit le tour de la table, afin de lui faire face. Il s'y appuya des deux mains et la regarda fixement.

— Et pourquoi?

Elle haussa les épaules, se concentrant sur son travail.

— D'abord, je n'ai pas la moindre envie que vous habitiez ici, et d'une ! D'autre part, je ne peux pas me permettre de gâcher de l'électricité si je dois racheter cette maison.

— Pour ce qui est d'y habiter, c'est un peu tard, c'est déjà fait. Tout ce que je vous demande, c'est une ou deux lumières et pouvoir brancher un petit réfrigérateur.

— Vous n'avez qu'à aller au motel.

— Non, cela ne me dit rien, principalement parce que j'aime bien être sur place quand je travaille.

— Dites-vous bien que vous n'allez pas travailler.

— C'est ce que nous verrons. D'autre part, il n'y a plus de place au motel. Je m'y suis arrêté en allant à Livingstone, je voulais juste une chambre le temps de me doucher et de me raser mais je n'ai pas pu. Donc, pas d'issue de ce côté-là.

Il marqua une pause.

— Sarah ?

Il s'avança, la tête penchée, et la fixa jusqu'à ce qu'elle daigne le regarder. Elle lui adressa un regard à lui glacer le sang.

— Je ne vous demande pas grand-chose, Sarah, juste de coopérer un minimum. Je ne vous ai pas refusé l'opportunité de racheter la maison.

Elle le fixa attentivement sans chercher à cacher son hostilité.

— En effet, vous m'avez accordé un mois. Belle affaire !

— C'est mieux que rien, rétorqua-t-il, piqué au vif. Oh ! Et puis, laissez tomber ! Pour l'électricité, on se débrouillera. J'ai rempli la demande aujourd'hui pour faire installer un compteur séparé. Je me doutais bien que vous n'alliez pas me faciliter la tâche.

— Fichez le camp !

— Allez viens, Wyatt. On y va.

Il prit la main de l'enfant et l'emmena vers la sortie.

— J'ai peur dans cette grande maison, surtout dans le noir, gémit Wyatt. On va être obligés d'y retourner ?

— Ne t'inquiète pas. Tu es un grand garçon maintenant, tu ne dois plus avoir peur dans le noir.

— Comment je fais ?

— Je ne sais pas encore, on va trouver une solution. De toute façon, j'ai acheté une lampe à pile aujourd'hui, comme ça nous pourrons avoir un peu de lumière.

Une fois dans la maison, Cimarron installa Wyatt dans le salon avec ses crayons et ses albums à colorier. Puis il se mit à déblayer le reste du rez-de-chaussée. Il trouva le robinet d'arrivée d'eau, qu'il ouvrit. Puis il fit un tour rapide pour vérifier qu'il n'y avait pas de fuite risquant de causer une catastrophe. Satisfait, il se rendit dans la cuisine et ouvrit le robinet de l'évier qui se mit à cracher une eau noirâtre en gargouillant et en toussant. Le système marchait à peu près convenablement. Rassuré, il laissa le robinet couler et alla vérifier les toilettes du rez-de-chaussée. Comme il s'y attendait, le flotteur ne fonctionnait pas. Qu'à cela ne tienne, il en avait un de rechange, et il le remplaça aussitôt. La cuvette n'avait pas l'air de fuir, alors il ouvrit le robinet d'eau avec mille précautions, attendit que le réservoir se remplisse, ferma les yeux, croisa les doigts et tira la chasse d'eau. Un liquide noirâtre coula avec un bruit de cataracte. Après avoir tiré la chasse une ou deux fois de plus, l'eau s'éclaircit. C'était loin d'être le grand luxe mais, au moins, les toilettes fonctionnaient. C'était déjà ça.

Il entreprit alors de nettoyer la cuisine et la salle de bains avec les éponges et le savon noir achetés à Livingstone. Si on lui avait dit qu'il allait devoir faire autant de ménage! Cela ne lui était pas arrivé depuis la mort de sa mère. En fait, depuis qu'il se trouvait à Little Lobo, il avait l'impression de ne faire que ça!

Tout en récurant, il pestait contre Sarah. C'était comme si la terre entière s'était liguée contre lui à partir du jour où il avait acheté cette satanée maison. Cela tournait au cauchemar, comme s'il n'avait plus aucun contrôle sur sa vie. Comment allait-il sortir de cette galère? Jamais Sarah ne parviendrait à réunir une telle somme en un mois. Elle allait être obligée d'hypothéquer le Café, et même en supposant qu'elle parvienne à racheter la maison, comment ferait-elle pour financer les travaux? Elle risquait surtout de tout perdre, sans jamais pouvoir réaliser ses chambres d'hôtes. Et cela l'ennuyait.

Cependant, tant qu'il avait Wyatt sur les bras, il avait du mal à y voir clair. Il fallait qu'il se repose un peu et mette de l'ordre dans son esprit. Avant tout, il voulait récupérer l'argent qu'il avait investi dans cette maison. Il avait beau comprendre le problème de Sarah et trouver la jeune femme terriblement sexy, surtout lorsqu'elle était en colère, il ne pouvait quand même pas lui en faire cadeau.

— Tonton Cimron, j'y vois plus rien pour colorier. Tu veux bien allumer la lampe, s'il te plaît?

— Tu sais ce qu'on va faire plutôt? On va tout ranger, ensuite, on va faire un sandwich.

— O.K., soupira Wyatt, déçu.

Cimarron rangea les ustensiles de nettoyage. Quand il eut fini, il se passa une main dans les cheveux et jeta un coup d'œil à son neveu qui rangeait son matériel de dessin sans réel enthousiasme. Ils avaient sérieusement besoin d'un bain, tous les deux. Ce soir en tout cas, ils devraient se contenter d'une toilette rapide au gant, avec de l'eau froide.

— Tout à l'heure, je te lirai une histoire.

Après une toilette succincte et un peu glaciale, il habilla Wyatt d'un pyjama en coton et de chaussettes bien chaudes. Lui-même enfila un jean et un sweat-shirt propres. Il s'était réjoui à l'idée d'un bon dîner, malheureusement c'était sans compter avec les horaires d'ouverture à Little Lobo : tout était fermé du dimanche midi au mardi matin. Ils durent donc se contenter, une fois de plus, de sandwichs. Quant à Sarah, il n'était pas sûr de vouloir remettre les pieds chez elle après son accueil hostile du matin. Ce n'était quand même pas juste que Wyatt paye les pots cassés ; il n'était pas responsable de la situation et il devait manger. Le régime que lui avait réservé Cimarron ces derniers temps n'était sûrement pas idéal pour un enfant de cet âge.

Il alluma la lampe de camping, prit un livre, puis vint s'asseoir sur le lit de camp au milieu de la pièce. Wyatt se blottit contre lui, l'observant avec attention tandis qu'il étudiait la table des matières, énonçant les titres des histoires.

— Tu veux laquelle ?

— Je sais pas. Je peux voir les images ?

— Cela t'aiderait à choisir ?

— Oui.

Cimarron lui tendit le livre pour qu'il puisse le feuilleter.

L'enfant choisit *Le Chat dans le chapeau*.

— Celle-là.

— O.K. Elle s'appelle comment ?

— Je ne sais pas. J'aime bien l'image.

Cimarron mit son doigt sur le mot « chat ».

— Tu connais ce mot?

Wyatt secoua la tête.

Cimarron désigna le mot « dans ».

— Et celui-là?

— Non plus.

— Tu ne connais aucun mot?

— Non.

— Et ton alphabet?

Wyatt lui jeta un regard perplexe.

— A, B, C…?

L'enfant resta muet.

— Tu sais compter?

— Un deux trois quatre cinq six sept huit neuf dix.

— C'est tout? Tu ne peux pas compter plus loin?

— Non. Pourquoi? demanda le petit garçon d'une voix empreinte d'inquiétude.

Un enfant de cinq ans ne devrait-il pas en savoir un peu plus? se demanda Cimarron, malgré son ignorance en la matière. Ne voulant pas l'effaroucher, il se contenta de hausser les épaules.

— Pour rien, c'est très bien comme ça. Allez, si on lisait l'histoire du chat, tu veux?

Tout en lisant, Cimarron posait le doigt sur chaque mot au moment où il le prononçait. A la fin, Wyatt pointa avec fierté un mot et déclara :

— Ça, c'est le mot « chat ».

— Bravo! Tu apprends vite.

— Et ça, c'est le mot « chapeau ».

— Encore bravo! Bientôt, ce sera toi qui me liras des

histoires. Allez, maintenant, c'est l'heure de dormir. Demain, nous avons beaucoup de travail.

Tout en se tortillant pour entrer dans son sac de couchage, Wyatt leva sur son oncle de grands yeux anxieux.

— Toi aussi, tu viens te coucher ?

— Pas tout de suite. Allez ! Et ne tombe pas de ton lit cette nuit !

— Tu vas rester dans cette pièce avec moi ?

— Oui, Wyatt, je serai là. Maintenant, ferme les yeux et dors. J'ai encore du travail à faire sur mon ordinateur.

Bientôt, les seuls bruits dans la grande maison tranquille furent la respiration régulière de Wyatt et le cliquetis du clavier. Soudain, le téléphone portable de Cimarron se mit à sonner. Il répondit aussitôt.

— Ne quittez pas, murmura-t-il en jetant un regard à Wyatt qui, heureusement, dormait toujours.

Il s'empressa de poser l'ordinateur sur le lit de camp et sortit.

Il faisait assez froid dehors, la lune était presque pleine et baignait la vallée de sa lueur blafarde.

— Excusez-moi, je ne pouvais pas parler à l'intérieur.

— Cimarron, c'est Walt.

Walt Ambrose était un avocat spécialisé dans les problèmes de famille, qui travaillait en association avec le cabinet que Cimarron utilisait pour ses transactions immobilières.

Les quelques semaines partagées avec son neveu n'avaient fait que confirmer ce qu'il savait déjà, en l'occurrence qu'il n'était pas fait pour être père. Wyatt méritait mieux que cela. Il serait plus heureux dans une famille stable, avec deux parents. Cette vie nomade n'était pas faite pour un enfant de cet âge. Cimarron s'était donc renseigné auprès de Walt

Ambrose sur les possibilités qui s'ouvraient à lui : agences d'adoption ou services sociaux. L'adoption privée lui avait paru la meilleure solution. Même si cela ne l'enchantait guère, il n'avait vraiment pas le choix ; il allait devoir prendre une décision rapidement, avant que se soit créé entre Wyatt et lui un lien trop fort, rendant leur séparation encore plus douloureuse.

— Oui, merci de m'avoir rappelé, Walt.

— J'ai exploré plusieurs possibilités. Ce que je vous avais dit quand je vous ai eu au téléphone la première fois se confirme. Il est beaucoup plus difficile de placer un enfant de cinq ans, la grande majorité des gens préfère un bébé.

— Je comprends. J'apprécie tout ce que vous faites pour moi.

— En ce qui concerne l'adoption privée, que vous semblez favoriser, j'aimerais que nous parlions du pour et du contre.

— Je veux pouvoir garder un contact avec lui, il n'a plus que moi comme famille.

Walt exposa les dangers inhérents à l'adoption privée, surtout par rapport à l'enfant qui risquait de ne pas comprendre.

Malgré tout, Cimarron resta campé sur sa position.

— Vous pensez que cela prendra combien de temps ? demanda-t-il.

— Des semaines peut-être, probablement des mois.

Cimarron retint un juron. Il avait l'impression d'avoir reçu un violent coup de poing. Des mois ? La situation allait vite devenir un enfer.

— Je vois, marmonna-t-il.

— Je tiens à insister sur le fait qu'il y a de grandes chances pour que je ne trouve pas de famille d'adoption qui corresponde à votre attente.

— Je comprends. Chaque chose en son temps, nous aviserons le moment venu.

— Très bien, je vous tiens au courant.

Cimarron remit son téléphone portable dans sa poche et se laissa tomber sur une marche du porche, croisant les bras sur son torse pour se réchauffer un peu. Il était las. Que se passerait-il s'il ne trouvait pas de famille d'accueil pour Wyatt? Tout ce qu'il voulait, c'était que son neveu ait une vie normale, décente, ce que lui-même n'avait jamais connu au sein de sa famille. Il n'avait pourtant pas l'impression de demander le bout du monde.

Il posa la tête sur ses bras, et se laissa bercer par les bruits paisibles de la nuit. Il dut s'assoupir un instant car il sauta littéralement en l'air. Où était-il? D'où venait ce hurlement épouvantable? Wyatt!

Il bondit sur ses pieds, et se rua à l'intérieur.

Assis sur son lit de camp, l'enfant hurlait, comme en proie à une crise d'hystérie. Cimarron le prit dans ses bras et le serra contre lui. Que se passait-il donc? se demanda-t-il, affolé. Wyatt lui avait entouré le cou de ses bras et le serrait à l'étouffer.

— Je veux mon papa! Je veux mon papa!

— Allons, allons, Wyatt. Calme-toi, je suis là.

— Tu avais promis que tu resterais avec moi! Je veux mon papa!

Il lui tapota le dos pour essayer de le calmer. En vain. L'enfant se mit à hurler de plus belle.

— Allez, Wyatt, ça va aller. Chut… Calme-toi. Viens,

on va sortir, il y a une grosse lune toute ronde, tu verras. Ne pleure plus.

Mais Wyatt se débattait toujours, gesticulant comme s'il cherchait à s'enfuir. Etait-il réveillé ou en plein cauchemar ? Dans le doute, Cimarron le tint serré contre lui en marchant de long en large d'un bout du porche à l'autre, le câlinant, le suppliant d'arrêter de pleurer.

Heureusement qu'il n'y avait pas de voisins, sinon ils pourraient s'imaginer qu'il était en train d'essayer de le tuer.

Chapitre 9

— Qu'est-ce qui se passe ? grommela Sarah, réveillée en sursaut. Il est en train d'essayer de tuer cet enfant ou quoi ?

Elle s'assit sur son lit, écoutant les hurlements qui lui parvenaient à travers la fenêtre ouverte. N'y tenant plus, elle finit par se lever, enfila un jean et un sweat-shirt par-dessus son pyjama, mit des mocassins et s'empara d'une lampe électrique. Ce qu'elle ne pouvait tolérer à aucun prix, c'était que l'on maltraite des enfants.

Les hurlements redoublèrent d'intensité tandis qu'elle grimpait la colline. Cimarron faisait les cent pas sous le porche, tout en essayant de calmer Wyatt qui se débattait comme un beau diable.

Elle s'arrêta en bas des marches.

— Que se passe-t-il ?

Cimarron s'arrêta net et la contempla, sans cacher son soulagement.

— Il s'est blessé ? demanda-t-elle.

— Je ne sais pas. Je n'arrive pas à le calmer.

Il avait les traits tirés, l'air épuisé. Un instant, elle eut presque pitié.

— Que voulez-vous dire ?

— Que je ne sais pas comment faire pour le calmer.
Je ne crois pas qu'il ait mal. Je pense plutôt que c'est un
cauchemar. Mais comment en être sûr ?

Sarah s'approcha et posa une main sur le front de l'enfant,
qui recula aussitôt violemment la tête.

— Il est brûlant. Ce n'est pas de la fièvre, je ne pense pas,
ce doit être à force de crier comme ça. Wyatt ? murmura-
t-elle. Wyatt, tu veux bien venir avec moi un petit peu ?

D'une main douce et ferme à la fois, elle dégagea les
petites mains serrées autour du cou de Cimarron et prit
l'enfant toujours gesticulant dans ses bras.

— Allez me chercher une couverture, ordonna-t-elle à
Cimarron en frottant le dos couvert de sueur de l'enfant. Il
va attraper froid avec cette humidité.

— Je n'en ai pas. Nous dormons dans des sacs de
couchage.

Elle fronça les sourcils. A en croire son site internet, cet
homme était riche comme Crésus et, pourtant, il vivait
comme un clochard.

— Venez avec moi.

Elle descendit la colline, suivie de Cimarron, entra dans
le Café et désigna une clé accrochée à un clou derrière la
porte.

— C'est la clé du studio, à côté.

Il ouvrit, avant de se pousser pour la laisser passer.

Wyatt pleurait toujours.

— Il y a des couvertures dans ce placard, dit-elle.

Cimarron en sortit une et enveloppa Wyatt, pris à présent
de tremblements nerveux.

— Je veux mon papa, sanglota le gamin, la voix rauque d'avoir tant crié. Je veux rentrer à la maison.

— Ton papa est là, murmura Sarah. Il va rester là. Chut…

Wyatt secoua violemment la tête.

— Je veux mon papa!

Elle posa sur Cimarron un regard pénétrant, un brin soupçonneux.

— Vous êtes bien son père, n'est-ce pas?

— Non. Je suis son oncle. Son père est mort, il y a un mois. C'est la première fois qu'il fait ça.

Sarah se sentit brusquement mal à l'aise. Elle serra Wyatt plus fort contre elle. Elle n'était plus sûre de rien. Cet homme avait débarqué de nulle part, avec en sa possession des documents prouvant qu'il avait acheté sa maison, et cet enfant qu'elle avait cru en toute bonne foi être son fils. Des questions s'imposèrent à son esprit. L'enfant serait-il en danger? Et elle…? Qu'était-il arrivé à son père? Et à sa mère? Il lui fallait des réponses au plus vite. Mais pas avant d'avoir calmé ce petit garçon. Peut-être était-il maltraité?

Elle se mit à lui chanter une berceuse d'une voix douce, tout en lui frottant le dos et en le berçant. Les hurlements s'apaisèrent petit à petit, de gros sanglots remontaient par à-coups, pour faire place, bientôt, à des reniflements de plus en plus espacés. L'enfant posa enfin la tête contre son cou et se calma tout à fait.

— Il dort, murmura Cimarron, visiblement soulagé.

Sarah resta ainsi quelque temps encore, voulant être sûre qu'il dormait profondément.

— Il y a des draps dans le placard. Vous saurez vous

débrouiller? Regardez sous le grand lit, il y a aussi un petit lit pour lui.

— Je vais me débrouiller.

Cimarron fit les deux lits avec une précision étonnante, jusqu'à plier les draps au carré, comme dans les hôpitaux, attisant un peu plus la curiosité de Sarah.

Quand tout fut prêt, elle déposa Wyatt délicatement sur le petit lit, puis remonta les jambes de son pyjama pour étudier attentivement les jambes de l'enfant.

— Qu'est-ce que vous faites? s'étonna Cimarron.

— Je cherche à comprendre pourquoi il pleurait comme ça. Il a peut-être des piqûres d'araignée ou des échardes.

— Des ecchymoses? Des fractures? Vous pensez que je l'ai battu, c'est ça? Eh bien, vous vous trompez. Il a peur dans le noir, c'est tout. Cela vous aura peut-être échappé, mais il n'y a pas d'électricité dans la maison.

— Alors, comme ça, c'est ma faute?

— Il a peur dans le noir, répéta Cimarron d'une voix lasse.

Tout cynisme avait disparu en lui, laissant la place à une intense fatigue.

— Je l'ai laissé tout seul pour répondre à un appel sur mon téléphone portable, expliqua-t-il. Il a dû se réveiller et, en se trouvant tout seul, il a paniqué. Continuez à l'examiner, moi aussi je voudrais m'assurer qu'il n'a pas de piqûres d'insecte.

— Il dormait par terre?

— Non, dans son duvet sur un lit de camp.

Après l'avoir examiné attentivement sous toutes les coutures, elle le couvrit puis se tourna vers Cimarron, les bras croisés sur la poitrine.

— Maintenant, je veux des explications.

— Quelles explications ? Il n'a mal nulle part, vous l'avez constaté vous-même.

— Je ne parle pas de cela. J'aimerais comprendre pourquoi il n'a pas l'air franchement à l'aise avec vous. J'ai aussi le sentiment que vous aimeriez bien vous en débarrasser. Il n'y a qu'à voir comment vous le traitez. On voit trop d'enfants kidnappés pour que je reste indifférente.

— D'enfants kid… ? Attendez un peu ! s'insurgea-t-il, offusqué.

— Non, *vous* attendez un peu. Soit vous m'expliquez comment il se fait que cet enfant se trouve avec vous, soit j'appelle Griff et c'est lui qui posera les questions.

— Vous en êtes tout à fait capable, n'est-ce pas ?

— Et comment !

Cimarron aurait préféré de beaucoup ne pas évoquer cette situation, déjà bien assez complexe, sans avoir à en informer Pierre, Paul ou Jacques. Cependant, quelle autre issue avait-il que de dire la vérité à cette femme têtue qui ne le lâcherait pas tant qu'elle n'aurait pas de réponses à ses questions ? Il n'y avait d'ailleurs rien à cacher.

— Très bien, vous avez gagné, dit-il. Ce n'est pas du tout ce que vous croyez. Son père est mort dans un accident sur un chantier, il y a de cela un mois. Je suis le tuteur légal de Wyatt.

— Où est sa mère ?

— Elle l'a abandonné peu de temps après sa naissance, et ne veut plus en entendre parler. Mon frère l'a élevé tout seul.

— Il n'a pas de grands-parents ?

— Non. Il n'a plus que moi. Oui, je reconnais que ce n'est pas grand-chose.

— Il vous ressemble assez pour passer pour votre fils.

— Je sais. Dans la famille Cole, tous les hommes se ressemblent. Les gens qui ne nous connaissaient pas me prenaient toujours pour le jumeau de mon frère, pourtant il y avait quatre ans de différence entre nous.

— Je suis désolée pour votre frère. Alors, cela ne fait qu'un mois que vous avez Wyatt?

— Dans ces eaux-là, oui. J'avoue que je n'ai pas vraiment la fibre paternelle, mais c'est la première fois qu'il crie comme ça. En fait, si je réfléchis, depuis la mort de R.J., je ne me suis jamais vraiment éloigné de lui. La nuit, je suis toujours à côté s'il se réveille. Je n'ai pas pensé une seconde qu'il pouvait se réveiller quand j'étais dehors.

Cimarron embrassa l'espace du regard. Il caressa la surface lisse et soyeuse d'une desserte ancienne d'un geste presque tendre.

— C'est un beau meuble, dit-il. La pièce tout entière est bien arrangée. Vous vous en servez comme chambre d'amis?

Au fond, une toute petite cuisine avait été aménagée. De l'autre côté, près de la grande fenêtre, un divan, une petite table et deux chaises. A droite, le grand lit en fer forgé occupait toute la largeur, recouvert d'un dessus-de-lit en patchwork et de gros coussins moelleux. En face, une petite commode surmontée d'un miroir et, sur la table de nuit, une lampe et un radio-réveil. Sur le plancher ciré, quelques tapis colorés et, sur les murs, des représentations de paysages locaux apportaient une touche chaleureuse et accueillante.

— C'est ici que vivait mon oncle jusqu'à ce que le *lodge* ferme, répliqua Sarah. Mes parents viennent me rendre visite de temps en temps, alors c'est toujours prêt pour les recevoir. Bobby aussi venait à l'occasion mais, ça, c'est du passé.

— Retournez donc vous coucher. Je vais rester ici avec Wyatt. Demain matin, je débarrasserai le plancher.

— Vous voulez dire que vous quitterez Little Lobo pour de bon ?

— Non, je quitterai votre studio. Désolé de vous décevoir.

— Bien sûr, grommela-t-elle, déçue. Je vais encore rester un petit peu. Est-ce que vous voulez un café ?

— Volontiers.

Elle se rendit dans la cuisine. Elle remplit la bouilloire, moulut du café que sa mère avait laissé dans le réfrigérateur et, tout en s'affairant, ne cessait de penser à ce petit garçon qui avait peur dans le noir et qui pleurait parce que son papa lui manquait. Si elle ne pouvait pas faire revenir son père, elle pouvait quand même faire quelque chose pour lui. Son instinct maternel, souvent mis à contribution avec Bobby lorsqu'il était petit, refaisait surface. Cet enfant avait avant tout besoin de tendresse, ce que Cimarron, visiblement dépassé par la situation, ne pouvait lui apporter.

Elle se tourna vers lui. Il avait l'air si fatigué…

— Ecoutez, je ne voudrais pas que vous le preniez mal…

Elle hésita. Avait-elle raison ? Ferait-elle mieux de ne rien dire ? Ne risquait-elle pas de compliquer la situation ? C'est alors que Wyatt gémit dans son sommeil, ce qui acheva de la décider.

— Voilà, je vous propose de rester dans le studio.

— Vous n'avez pas besoin de faire ça, nous sommes très bien là-bas.

— Je ne le fais pas pour vous, soyez rassuré. Rien n'a changé, je veux toujours récupérer ma maison. Je pense seulement à Wyatt, je ne veux surtout pas qu'il soit effrayé, ni qu'il ait froid simplement parce que vous êtes trop têtu pour aller au motel.

— Je vous ai déjà dit qu'il n'y avait plus de…

— Restez ici, faites-le pour lui. De toute façon, vous ne serez pas là très longtemps.

Cimarron se mit à rire doucement.

— Vous avez l'air bien sûre de vous.

Elle le fusilla du regard.

— Nous verrons, dit-il vivement avant qu'elle ne monte de nouveau sur ses grands chevaux. En tout cas, merci pour votre proposition, que j'accepte. Je le fais pour Wyatt, bien sûr. Dites-moi combien vous voulez ?

— Je vous demande pardon ?

— Comme loyer. Je ne vais quand même pas profiter de votre hospitalité.

— Un million et demi, pour une semaine.

Il sourit.

— C'est un peu cher. Que dites-vous de deux cents par nuit ?

— C'est beaucoup trop pour ce que c'est.

— Pour moi, ça les vaut. Je meurs d'envie de prendre une bonne douche bien chaude.

Il lui décocha un sourire dévastateur, et ses yeux moqueurs parurent plus sombres encore. Puis il ajouta :

— Bien sûr, pour ce prix, cela comprend le service en chambre.

Personne ne devrait avoir le droit de sourire comme ça, songea-t-elle, troublée. Elle parvint toutefois à chasser son émoi et lui jeta un regard méprisant.

— Certainement pas !

— D'accord, pas de problème. Cela valait quand même la peine d'essayer. Où sont les tasses ?

Elle lui indiqua le placard.

— Tout ce qu'il y a ici comme provisions, c'est de la crème en poudre et du sucre en sachets. Ils sont dans le bol, près de la cuisinière.

Elle versa le café dans des mugs qu'elle posa sur la table.

Cimarron apporta le sucre et la crème et s'assit en face d'elle. Elle remarqua qu'il buvait son café pur, comme elle. Ses cheveux noirs, épais et ébouriffés, retombaient en boucles sur son front bronzé et sur sa nuque. Sentant son regard posé sur lui, il haussa un sourcil inquisiteur et quelque peu cynique. Puis il sourit. Elle commençait à aimer ce sourire désarmant.

— Votre café est excellent, déclara-t-il en se laissant aller en arrière contre le dossier de sa chaise, les mains entourant son mug. Je m'en étais déjà fait la remarque, l'autre matin. Cela me rappelle le café que l'on boit en Louisiane, dans lequel ils rajoutent un peu de chicorée.

Sarah sourit.

— Bravo ! Je suis impressionnée. C'est en effet un mélange spécial qui vient de Louisiane. Vous êtes de là-bas ?

— Non, je viens de l'Idaho. Mais mon dernier projet était une plantation dans le sud de la Louisiane. Il y fait une chaleur torride, l'été.

— Oh ! J'ai vu cette maison sur votre site. Elle est

magnifique, je dois dire. Je reconnais que vous faites du bon travail.

— Merci. Je fais de mon mieux. Celle-ci sera aussi belle, une fois terminée.

A peine avait-il dit ces mots que le visage de Sarah se rembrunit. Il aurait mieux fait de tourner sept fois sa langue dans sa bouche avant de parler, songea-t-il, dépité.

— Evitons ce sujet, si vous le voulez bien, dit-elle d'un ton sec. Je suis trop fatiguée et je n'ai pas envie d'être déprimée.

— Allez donc dormir un peu. Je vais laisser la lumière allumée, au cas où Wyatt se réveillerait de nouveau.

Sarah jeta un coup d'œil à la pendule. Il était 3 heures du matin.

— Je ne vais pas me recoucher maintenant, il faut que je sois debout dans moins d'une heure pour préparer le petit déjeuner.

— Je suis désolé de vous avoir dérangée. Merci encore pour votre aide, j'apprécie vraiment. Sans vous, je ne pense pas qu'il se serait calmé avant le lever du soleil.

— Il aurait bien fini par s'endormir d'épuisement tôt ou tard, à force de pleurer.

— Tard, sans aucun doute. Je ne sais pas m'y prendre avec lui, contrairement à vous. C'est comme s'il vous avait fait confiance dès qu'il vous avait vue.

Il marqua une pause, l'air pensif.

— C'est vrai que moi… il me connaît à peine. A priori, il n'a aucune raison de me faire confiance.

— Pourtant, vous êtes son oncle. Comment se fait-il qu'il ne vous connaisse pas mieux ?

Cimarron haussa les épaules.

— C'est une longue histoire, sans grand intérêt. Notre famille est un peu bizarre. Quand R.J. est venu me demander de l'employer, peu de temps avant sa mort, je n'avais vu Wyatt qu'une seule fois. Il est arrivé avec lui et puis… C'est là que j'ai appris qu'il m'avait nommé tuteur de Wyatt.

— Sans vous en parler ?

— Je suppose qu'il a dû se dire que je ne serais pas d'accord. De toute façon, il n'avait pas vraiment le choix.

— Vous allez devoir changer de mode de vie, je suppose.

Cimarron ne répondit pas. Il but une gorgée de café. Son regard erra, avant de se poser sur Wyatt.

— Il va falloir que quelque chose change, murmura-t-il. Cela ne fait aucun doute.

Chapitre 10

Wyatt ouvrit les yeux et cligna plusieurs fois des paupières. Où était-il? Il n'avait jamais dormi dans un lit aussi douillet. En tout cas, il ne s'en souvenait pas. Etait-il sur un nuage, avec les anges? Il embrassa l'espace du regard, la pièce était blanche et fraîche, des rideaux jaunes dissimulaient la fenêtre, de délicieuses odeurs lui chatouillaient les narines, qui semblaient venir de derrière la porte, quelque part. Soudain, il fut pris de panique. Tonton…?

Il se redressa brusquement et se laissa aussitôt retomber en arrière, soulagé. Son oncle Cimron était assis à une table, pas loin de lui, les yeux fermés comme s'il dormait. Tout allait bien. Il s'enfonça de nouveau sous les draps, repensant au rêve qu'il avait fait.

C'était un rêve si beau qu'il voulait en conserver l'impression le plus longtemps possible. Il était dans les bras de sa mère, elle le serrait contre elle et lui frottait le dos en lui murmurant de ne pas avoir peur. Puis elle lui avait fredonné une très jolie chanson, très douce. Il ne se souvenait plus de son visage, ce qui était normal puisqu'il ne l'avait jamais vue, ou bien, s'il l'avait vue, il était si petit qu'il ne pouvait pas se la rappeler. La maman dont il se souvenait, celle qui l'avait bercé et dont il sentait encore la rassurante chaleur, avait de beaux cheveux soyeux, une voix douce, et elle sentait bon…

Il ferma les yeux, essayant de toutes ses forces de replonger dans ce rêve merveilleux. En vain. Une envie pressante allait bientôt l'obliger à se lever. Mais cette belle chambre n'allait-elle pas s'évaporer tout comme son rêve, s'il se levait ? Rien à faire, il ne pouvait pas attendre. Résigné, il rejeta les draps et s'apprêtait à traverser la pièce sur la pointe des pieds, le regard fixé par terre afin de ne pas trébucher.

— Où vas-tu ?

Wyatt sursauta et se tourna vers son oncle.

— J'ai envie de faire pipi.

— La salle de bains est derrière cette porte.

Alors, tout cela était bien réel ? se dit Wyatt, ébloui.

— C'est un motel ? demanda-t-il.

— Non, c'est encore mieux. Nous sommes dans un studio à côté du Café de Sarah. Elle veut bien que nous restions là pour quelques jours. Tu n'y vois pas d'inconvénients ?

— Non, alors ! C'est génial !

Cimarron sourit. Il n'avait pas vu Wyatt aussi heureux depuis la mort de son père. Lui-même d'ailleurs se sentait plus léger. Cela lui avait fait du bien de parler avec Sarah, et sa proposition de lui louer le studio lui enlevait une sacrée épine du pied.

Wyatt prit un bain qui lui fit le plus grand bien. Quant à Cimarron, il ne put que remercier intérieurement l'enfant d'avoir peur du noir, tant la douche bien chaude lui remit rapidement les idées en place. Rien à faire, le confort avait du bon.

— On fait les lits et on va prendre le petit déjeuner ?

— O.K.! s'écria Wyatt, tout excité.

Le parking était complet, et la salle de restaurant presque pleine. Après avoir trouvé une place, Cimarron commanda des œufs, des biscuits, une saucisse et du café. Wyatt, lui, choisit des crêpes et des fraises. Un jeune homme qu'il n'avait jamais vu passait des plats depuis la cuisine à Sarah qui, souriante et enjouée malgré sa fatigue évidente, bavardait avec les clients tout en s'affairant. Il l'observa attentivement. Elle était très attirante dans son jean moulant, avec ses bottes de cow-boy bien culottées. Une masse abondante de boucles rousses encadraient son visage au teint pâle, et ses yeux, de ce vert si lumineux, couraient partout, souriants.

Elle semblait avoir une prédilection pour le rose car, outre son T-shirt, le décor tout entier était rose, à commencer par les tables, recouvertes de toiles cirées à carreaux rose et blanc, ainsi que les murs à l'intérieur des box, doublés de vinyle rose. Seuls les chaises et les volets étaient blancs.

Depuis cette nuit, Cimarron la voyait sous un autre angle. Elle l'intriguait. Ils étaient très différents l'un de l'autre, et pourtant elle commençait à exercer sur lui une certaine attraction. Elle avait été particulièrement gentille avec Wyatt ce matin et l'avait même gratifié, lui, d'un ou deux sourires qui n'avaient pas manqué de le troubler profondément. Et, pour ne rien gâcher, son petit déjeuner était parfait.

Une grosse voix bourrue retentit, dominant le brouhaha général.

— Bien le bonjour, ma p'tite dame! Pour moi, ce sera comme d'habitude!

Harry Upshaw était tout, sauf discret.

Sarah posa un verre de jus d'orange sur le comptoir, puis elle lui versa une tasse de café fumant. Sans attendre, il en but une gorgée. Quelques instants plus tard, elle lui présenta une assiette comprenant trois œufs frits, quatre saucisses en croûte, deux énormes biscuits ainsi qu'une quantité non négligeable de purée de pomme de terre. Sans s'arrêter de parler, il s'attaqua à son monumental petit déjeuner. Pas étonnant que sa bedaine soit sur le point de faire sauter ses boutons de chemise, songea Cimarron, assez choqué par la grossièreté du personnage.

— Je vous ai apporté un contrat standard, vu que vous m'en avez réclamé un à cor et à cri, avec un devis pour les matériaux et *tutti quanti*. Rien de très précis, je vous préviens, c'est juste pour vous donner une petite idée. Je ne peux pas m'engager, on ne sait jamais, il peut toujours y avoir des surprises, surtout avec les vieilles baraques. Alors, vos loquets, vous avez réussi à les poser sur les portes, dimanche ?

Harry Upshaw parlait la bouche pleine sans accorder la moindre attention à Sarah, qui n'arrivait pas à placer un seul mot. Cimarron dut se retenir pour ne pas se lever, prendre ce malotru par le collet et lui donner une leçon de courtoisie. Il préféra néanmoins rester à l'écart, sans toutefois pouvoir s'empêcher de tendre l'oreille.

— Je les ai apportés avec moi pour que vous puissiez les signer ce matin, poursuivit Harry. Comme ça, je mettrai des hommes à travailler sur le toit. Plus vite ce sera fait, plus vite vous pourrez démarrer.

Sarah jeta un coup d'œil vers Cimarron, le visage grave. Elle serra les lèvres et tourna de nouveau son attention sur Harry.

— Justement, à ce propos… je… je vais être obligée de retarder le projet.

— Quoi ! s'écria Harry en s'arrêtant de mâcher, la fourchette en l'air. Qu'est-ce que vous me chantez là ? Vous vous êtes engagée, ma p'tite dame.

— Je sais, mais, euh… il y a un problème autour du titre de propriété.

— Encore un coup de Bobby ? Ah ! Il va voir de quel bois je me chauffe, celui-là !

Même de là où il était, Cimarron put sentir la colère de Sarah monter d'un cran.

— Laissons Bobby où il est, il en a assez fait comme ça, laissa-t-elle tomber d'un ton sec. C'est mon problème et c'est à moi de le régler. Dès que ce sera fait, je vous contacterai. Avec un peu de chance, j'en saurai plus d'ici à la fin de la semaine.

— Ça ne va pas se passer comme ça, miss Sarah ! Vous avez l'intention d'employer ce nouveau venu qui vous en a jeté plein la vue avec son beau camion, c'est ça ? C'est pour ça que vous reculez ?

— Certainement pas ! Je viens de vous dire que c'était un problème avec l'acte de propriété. Je suis désolée, déclara-t-elle d'un ton sans réplique. Je n'y suis pour rien et je ne peux rien faire tant que ce ne sera pas réglé.

— Moi aussi, je suis désolé ! Vous m'avez fait perdre mon temps et, maintenant, je vais devoir essayer de rattraper les autres chantiers.

Il repoussa son assiette vide d'un geste rageur.

— Et vous, je vous caserai quand je pourrai !

Sur ces mots, il sortit comme un ouragan, sans payer, sous le regard abasourdi des clients attablés.

Une nouvelle fois, Cimarron se retint de justesse d'aller lui dire sa façon de penser. Quel grossier personnage ! Quel besoin avait-il de réagir avec autant d'agressivité en public ?

Ce goujat n'engagerait aucuns travaux sur cette maison tant qu'il serait vivant, il s'en fit la promesse. Il n'avait jamais eu l'intention de mettre la vie de la jeune femme sens dessus dessous. Si seulement il pouvait redresser la situation d'une manière ou d'une autre…

Après que la porte se fut refermée violemment sur Harry, tous les regards se tournèrent vers Sarah, qui, gênée, haussa les épaules, ébaucha un petit sourire et disparut dans la cuisine. Elle ne fut pas longue à revenir, apportant les additions. Bientôt, il ne resta plus dans la salle que Cimarron et Wyatt. Elle jeta au premier un regard noir avant de retourner dans la cuisine. Cimarron ne se laissa pas démonter pour autant. Il déposa sur le comptoir une somme largement suffisante pour couvrir ses dépenses avec, en surcroît, un bon pourboire, et quitta la pièce avant qu'elle ne soit revenue.

Il retourna au studio, laissa la porte ouverte pour que l'air puisse entrer et rafraîchir la pièce, posa son téléphone et son portefeuille sur la table et sortit l'ordinateur de sa sacoche, tandis que Wyatt, sans un mot, allait chercher son album de coloriage et s'installait à plat ventre par terre, sur le plancher éclaboussé de soleil.

Puis Cimarron ouvrit le logiciel créé spécifiquement à sa demande par un surdoué de l'électronique. Chaque fois qu'il s'en servait, il le trouvait encore plus ingénieux. Sur le marché, rien n'existait d'aussi performant à tous les niveaux : rapidité d'exécution, éventail des applications, qualité des graphiques. Avec ce programme, tout était possible, aussi bien calculer, dimensionner et dessiner les installations électriques que compléter la décoration des pièces jusqu'au moindre détail, et le résultat était d'une telle précision que l'on aurait cru regarder des photos. On pouvait même faire un tour virtuel du projet en trois dimensions. Wyatt était tout aussi concentré sur ses coloriages que Cimarron sur son ordinateur. Si le petit garçon ne savait ni lire, ni écrire, ni compter, il était certainement très doué avec ses crayons.

Une atmosphère de calme et de sérénité régnait dans la pièce, et Cimarron se laissa rapidement emporter par le plaisir que ce travail lui procurait. Les idées foisonnaient, à peine en avait-il porté une à l'écran qu'une autre lui succédait. Sous ses doigts prenaient forme des pièces décorées à la perfection et avec la plus grande minutie.

A travers le mur, les bruits du Café qui se trouvait juste derrière lui parvenaient, étouffés. Vers 10 heures, il entendit Aaron dire au revoir à Sarah, puis un crissement de pneus sur le gravier.

Tout en travaillant, Cimarron était assailli de pensées sombres et confuses. Qu'allait-il advenir de Wyatt? Il ne pouvait pas le garder indéfiniment dans ces conditions. L'enfant allait bientôt devoir aller à l'école, et ce mode de vie nomade risquait d'être dommageable à long terme. Et puis un enfant avait besoin de stabilité, d'une maman qui soit là quand il rentre pour lui donner son goûter, l'écouter, le consoler quand il a du chagrin. Il avait besoin d'un père qui ait le temps de jouer avec lui au base-ball, au football, qui l'emmène pêcher, qui le rassure la nuit lorsqu'il a peur dans le noir.

Cimarron posa les mains sur le clavier et fixa l'écran d'un regard vide. Il ne pouvait lui offrir rien de tout cela. Et plus la situation présente s'éterniserait, plus la séparation serait difficile, pour l'un comme pour l'autre. Si Walt Ambrose ne lui trouvait pas un foyer pour l'accueillir dans les plus brefs délais, il ne lui resterait plus qu'à trouver une agence d'adoption.

D'un autre côté, si une famille d'adoption se proposait rapidement, Wyatt serait une fois de plus arraché à son univers familier et plongé sans transition dans un monde inconnu. Ce qui n'était pas forcément bon pour lui non plus.

Il devait absolument le préparer à cette éventualité pour éviter un tel drame, et le plus tôt serait le mieux. Pourquoi pas aujourd'hui ? L'atmosphère calme et apaisée de l'instant semblait propice à une telle discussion.

Hésitant, il observa Wyatt qui, le visage reflétant une concentration intense, coloriait avec application.

— Wyatt ? Ça va comme tu veux ? lança-t-il tout en faisant semblant de travailler.

— Ça va et toi ? répondit l'enfant avec le plus grand sérieux.

Cimarron ne put retenir un sourire.

— Pas mal. J'étais en train de réfléchir. Je me demandais comment on allait faire pour t'envoyer à l'école.

Wyatt s'arrêta de colorier et se redressa.

— Je ne veux pas aller à l'école.

— Tu vas y être obligé, c'est la loi. Pas tout de suite, bien sûr, mais bientôt. Et puis, tu verras, à l'école tu pourras apprendre à écrire, à lire, à compter.

— Toi, tu sais tout ça, tonton Cimron ?

— Euh… oui.

— Alors, tu peux m'apprendre.

— Je peux t'apprendre un peu, bien sûr. Seulement, tu sais, je ne suis pas professeur, cela ne sera pas aussi bien. Et puis, je dois travailler toute la journée, je n'aurai pas assez de temps.

Wyatt ne répondit pas.

— De toute façon, je pensais à un autre problème.

— Quoi ? murmura Wyatt.

— Tu sais que, pour gagner ma vie, je restaure des maisons ? Quand j'en ai fini une, j'en trouve une autre et ainsi de suite. Si bien que je ne reste jamais très longtemps au même endroit. Si on t'inscrit à l'école ici, tu vas devoir changer dans quelque temps, tu auras de nouveaux amis et tu devras les laisser. Je ne crois pas que ce soit une très bonne idée.

— J'ai pas besoin d'amis.

Même si Cimarron avait voulu le contredire sur ce point, il se sentit mal placé. Ses amis, il pouvait les compter sur les doigts d'une main, et encore…

— Il faut quand même que tu ailles à l'école, tu n'as pas le choix. C'est comme ça, tous les enfants vont à l'école, un point c'est tout.

— Bon, O.K. pour l'école. Pour les amis, j'en veux pas.

— Alors voilà ce que j'ai pensé. Il y a plein de familles très gentilles, avec un papa et une maman, qui aimeraient beaucoup avoir un petit garçon. Cela peut être parce qu'ils n'ont pas d'enfants, ou bien parce qu'ils en ont déjà et que, pour une raison ou pour une autre, ils en veulent un autre. Ils habitent dans une maison et eux, ils ne passent pas leur temps à déménager d'un endroit à un autre…

Wyatt s'assit bien droit et posa ses crayons. Son visage refléta une détermination farouche.

— Je veux pas.

— Tu ne veux pas d'une maman qui s'occuperait de toi et…

— J'ai jamais eu de maman. J'en ai pas besoin.

— Tu ferais partie d'une famille, Wyatt, une vraie famille.

Wyatt croisa les bras sur sa poitrine, fronça les sourcils et secoua la tête.

— Mon papa, il m'a dit que toi et lui, vous étiez toute ma famille, que j'en avais pas besoin d'autre. Aucune.

— Ça, c'était avant que… Enfin, je ne suis pas…

Il hésita, cherchant ses mots.

— Salut ! Je peux entrer ? lança Sarah en frappant deux coups légers sur la porte.

Aussitôt, Wyatt courut se réfugier derrière Cimarron.

— Bien sûr.

— Je vous dérange ?

— Non, pas vraiment. Je crois que Wyatt en avait assez de discuter avec moi, de toute façon.

Qu'avait-elle entendu ? se demanda Cimarron, inquiet.

Elle entra dans la pièce, balaya l'espace du regard comme pour s'assurer que tout était bien en place.

— Je venais voir comment allait Wyatt. J'étais trop occupée ce matin pour pouvoir discuter un peu avec vous.

— Ça a l'air de bien tourner, le matin, pour le petit déjeuner.

— Oui, je ne me plains pas.

Elle se pencha vers Wyatt.

— Tu vas bien, toi ?

Le petit garçon hocha la tête, effaré. C'était la voix de sa maman. La voix qu'il avait entendue dans son rêve. Et Sarah avait les mêmes cheveux aussi, tout brillants. Et son parfum aussi… Il ne savait pas que sa maman… c'était Sarah…

Cimarron l'obligea à revenir devant en l'attrapant par la taille et en le tirant doucement.

— Tu vois, Wyatt, c'est grâce à Sarah que nous sommes là. Cette jolie chambre lui appartient. Tu dois lui dire merci parce que, sans elle, nous ne pourrions pas être ici.

Wyatt s'appuya le plus possible contre le bras de Cimarron. Bien contre son gré, il consentit enfin à se tenir debout à côté de son oncle, les yeux baissés, le cœur battant. Savait-elle qu'elle était la maman de son rêve ?

— Merci, murmura-t-il.

— De rien. Tu te rappelles quand je t'ai amené ici la nuit dernière ?

Elle savait ! Il hocha la tête.

— Oui. Tu m'as frotté le dos et tu m'as chanté une jolie chanson.

Le visage de Sarah s'éclaira d'un sourire attendri.

— C'est vrai. Tu es content d'être ici ?

— Oui. Tonton Cimron a dit qu'on n'avait pas besoin de retourner à la grande maison.

Le regard de Sarah se posa un instant sur Wyatt avant de glisser vers l'ordinateur. Elle secoua la tête et son visage se rembrunit.

— Vous voulez jeter un coup d'œil ? demanda Cimarron, qui avait surpris son regard.

— Non, je n'y tiens pas.

— Je suis sûr que si.

Il fit pivoter l'ordinateur de façon que l'écran soit tourné vers elle, puis il appuya sur une des touches. Aussitôt, surgit une série de toutes petites photos. Il cliqua sur l'une d'elles, qui s'agrandit pour emplir l'écran tout entier. Une pièce aux immenses fenêtres allant du sol au plafond apparut, avec, reconnaissable entre toutes, une magnifique cheminée dans laquelle brûlait un feu de bois presque réel.

Elle fronça les sourcils, intriguée.

— C'est le salon, murmura-t-elle sans trop y croire.

— Oui, c'est le salon quand j'en aurai terminé avec lui.

Elle examina l'image attentivement.

— Comment pouvez-vous faire cela ?

— Des années de pratique, répondit-il en souriant.

Cliquant sur les autres vues, il lui fit faire un tour virtuel de la cuisine, de la salle à manger, des chambres. Il lui montra les salles de bains une fois refaites, lui expliquant dans le détail comment il comptait s'y prendre pour redonner vie à la vieille maison.

— Impressionnant, reconnut-elle, visiblement à contrecœur.

— Vous voyez, tout est possible.

— Je le savais déjà, j'ai regardé votre site. Je ne doute pas un instant que vous ne puissiez réaliser tout ce que vous prétendez. Ce qui est dommage, c'est que, dans ce cas précis, vous n'en aurez pas l'occasion.

— Vous pensez vraiment pouvoir réunir autant d'argent, aussi rapidement ?

— Je vais faire tout pour, croyez-moi.

— Comment comptez-vous vous y prendre pour y parvenir ? A supposer que vous trouviez la somme nécessaire pour me racheter la maison, je ne vois pas comment il vous en restera assez pour la restaurer, sans vendre votre café, à moins que vous n'ayez une petite réserve bien cachée dont Bobby ignorait l'existence ?

— Harry s'occupera des travaux.

146

— Bon sang! Harry est une catastrophe ambulante! Si vous le laissez s'approcher de cette maison, vous le regretterez jusqu'à la fin de vos jours! Il va lui ôter tout son caractère et ce sera irrémédiable, surtout s'il travaille au rabais.

— Je ne cherche pas la perfection. Tout ce que je demande, c'est que la maison fonctionne en tant que chambres d'hôtes.

Cimarron serra les dents. Lui qui avait passé sa vie à redonner toute leur splendeur à de belles maisons anciennes comme celle-là ne supportait pas d'entendre Sarah parler ainsi! Que l'on puisse délibérément détruire tout le caractère d'un bâtiment plein de potentiel par soucis d'économie le rendait malade! Il se leva, marcha jusqu'à la porte sans un mot. Là, il contempla la vieille bâtisse qui se dressait face à lui tel un vaisseau échoué sur le rivage après une tempête, attendant qu'on le répare pour le remettre à flot. N'y tenant plus, il se tourna vers Sarah.

— Quand Harry sera passé par là, on ne pourra plus rien faire, dit-il en évitant de laisser transparaître sa colère. Votre maison sera complètement défigurée et ce sera irrécupérable, vous vous rendez compte? Telle qu'elle est, on peut encore la sauver et vous, vous voulez tout détruire! Vous comprenez ce que vous êtes en train de faire? Ce sera trop tard, on ne pourra plus revenir en arrière, comme…

Il s'arrêta, trop ému pour continuer. La vision de sa mère, morte sans qu'il ait pu rien faire pour la sauver, celle de son frère aussi, s'imposèrent à son esprit.

— Comme?

— Comme beaucoup de choses dans la vie que l'on ne commence à apprécier qu'une fois qu'elles ont disparu, dit-il d'un trait.

Elle le fixa, étonnée.

— Pourquoi attachez-vous autant d'importance à cette vieille baraque?

Il secoua la tête.

— A quoi bon vous expliquer? Vous ne comprendriez sans doute pas.

— Oh si! Je comprends très bien! Vous allez faire un gros profit en vendant ma maison à des étrangers, pendant que moi, je vais être obligée de rester là à les regarder vivre à quelques mètres de là. Ils m'auront volé mon rêve et je ne pourrai rien y changer!

Il ne sut que répondre à cela. Ses paroles lui étaient allées droit au cœur. L'image qu'elle se faisait de lui était bien loin de la réalité. Il ne devait pas la laisser penser cela.

Sans réfléchir, il l'attrapa par le bras.

— Sarah, quand j'ai acheté la maison à votre frère, je ne connaissais pas la situation, je vous le jure. Et maintenant, il a dépensé tout l'argent, jusqu'au dernier centime.

— Et voilà. Moralité, c'est maintenant à moi de trouver cet argent. Je dois dire que votre petite surtaxe n'est pas faite pour me faciliter la tâche.

— J'ai été raisonnable. Il faut bien que je vive, je ne peux pas m'amuser à jeter de l'argent par les fenêtres.

— En tout état de cause, vous ne vous trompez pas : je ne pourrai jamais réunir assez d'argent pour la racheter et la restaurer dans les règles de l'art, c'est évident. Seulement, si je parviens à mettre mon projet sur pied et que je suis heureuse, vous pouvez me dire où est le problème?

Cimarron fronça les sourcils. Il y avait quelque chose dans ses paroles qui le troublait, sans qu'il puisse mettre le doigt dessus.

— Vous allez l'abîmer au point qu'il sera impossible de lui redonner son caractère.

— Et puis après ? Cela ne vous concernera plus, n'est-ce pas ?

Cimarron laissa retomber ses bras.

— C'est vrai.

Elle se tenait tout près de lui. Tout à coup, il se rendit compte pour la première fois qu'elle était moins grande qu'il croyait. De loin, comme elle était très mince, l'impression était trompeuse. En réalité, elle lui arrivait à peine à l'épaule. Une boucle rebelle s'était échappée de sa coiffure ; il fut tenté de la glisser derrière son oreille, mais il n'en fit rien, heureusement. Une bouffée de son parfum délicat et subtil lui chatouilla les narines et, quand elle leva vers lui ses grands yeux brillants, il sentit ses jambes flageoler.

— Je voudrais que ce ne soit jamais arrivé, murmura-t-elle.

Le cœur de Cimarron battait à tout rompre. Elle devait sûrement l'entendre ! Un courant électrique lui parcourait tout le corps, sur lequel il semblait ne plus avoir aucun contrôle. Il n'était plus sûr de rien, désormais. Désirait-il, lui aussi, que rien de tout cela ne soit jamais arrivé ? Il n'aurait pu l'affirmer. Sarah avait beau le haïr, avec raison, certes, elle était si belle, si sexy, si désirable surtout lorsqu'elle se mettait en colère et s'en prenait à lui, qu'il avait toutes les peines du monde à se retenir de sourire. En outre et pour ne rien arranger, il y avait dans ses yeux une telle tristesse, un tel désarroi, qu'il aurait voulu la couvrir de baisers afin de dissiper son chagrin.

— Qui sait ? Peut-être l'homme de vos rêves l'achètera-t-il pour venir y vivre ? risqua-t-il.

Elle le fusilla du regard.

— Il n'y a aucun homme dans mes rêves !

— Quel dommage. Une femme, alors ?

— Une… ? Mais non ! Ce n'est pas ce que je voulais dire, lâcha-t-elle en lui donnant une légère tape sur le torse. Je voulais simplement dire que je n'avais pas besoin d'homme dans ma vie. C'est tout.

Au lieu de retirer sa main, elle la laissa posée sur son torse, comme une caresse légère, et sentit frémir les muscles de Cimarron.

— Comment pouvez-vous l'affirmer, tant que vous n'avez pas essayé ?

Il se rapprocha d'elle imperceptiblement.

— Je vais récupérer ma maison, insista-t-elle. Ensuite, ce que j'en ferai ne regardera que moi.

Même en mettant autant de conviction que possible dans ses paroles, elle commençait sérieusement à douter de leur véracité. Ce ne serait pas désagréable, après tout, d'avoir une épaule solide sur laquelle s'appuyer… D'avoir quelqu'un avec qui partager ses rêves, ses idées, quelqu'un pour la serrer dans ses bras, la réconforter à la fin d'une longue et rude journée. Quelqu'un comme Cimarron Cole ? Un feu soudain se répandit dans ses veines, ses doigts qui touchaient sa chemise furent parcourus de picotements. Elle frémit à cette pensée, beaucoup plus troublée qu'elle n'aimait le reconnaître, et retira vivement sa main.

Sa raison reprit vite le dessus. Pas question de se laisser charmer par cet homme, aussi séduisant soit-il ! Il était bien trop beau pour être honnête. D'ailleurs, toutes les femmes devaient lui tomber dans les bras, c'était certain. Griff l'avait dégoûtée à jamais de ce genre d'homme, lui qui se prenait pour le séducteur du siècle.

Cimarron passa un bras derrière elle pour éteindre et refermer le couvercle de son ordinateur. Puis, au lieu de se reculer, comme elle s'y attendait, il posa ses deux bras tendus de chaque côté de sa taille, l'enfermant dans une sorte de cage.

Elle ouvrit de grands yeux étonnés et retint son souffle. Il n'allait quand même pas…! Elle tenta, en vain, de repousser l'un de ses bras. De vraies barres de fer! Impossible de bouger. Il se rapprocha, l'effleurant à peine, mais sentir ce corps ferme et rigide tout contre le sien la fit frémir malgré elle. Son cœur se mit à battre la chamade. Il se rapprocha encore un peu. Leurs respirations se mêlèrent. Elle avait l'impression que les yeux sombres de Cimarron la déshabillaient, mettaient à jour ses secrets les plus intimes.

— Dans ce cas, mademoiselle James, il ne nous reste plus qu'à attendre la suite des événements.

Sa voix, chaude et grave, résonna dans tout son corps. Elle frissonna.

— Tonton Cimron, tu vas embrasser Sarah comme mon papa il embrassait Erika?

Cimarron recula d'un bond, comme s'il s'était brûlé.

— Non, non, il ne va pas embrasser Sarah du tout! affirma la jeune femme en réprimant un sourire.

— Mon papa, il voulait tout le temps embrasser Erika.

— Oh. Ce doit être de famille…, laissa-t-elle tomber, moqueuse.

— Des fois, Erika le tapait quand il essayait, poursuivit Wyatt.

Elle posa sur Cimarron un regard narquois.

— Ce n'est pas une mauvaise idée, dit-elle avec un petit rire. Je m'en souviendrai, la prochaine fois. Merci, Wyatt.

— Il n'y aura pas de prochaine fois, déclara Cimarron en posant une main sur la bouche de son neveu.

Puis il la gratifia d'un sourire désarmant.

— A moins que ce ne soit Sarah qui décide de m'embrasser?

Sarah ouvrit la bouche pour répliquer, puis pivota sur ses talons et sortit de la pièce d'un pas précipité.

— Va faire du coloriage, Wyatt, ordonna Cimarron avant de se lancer à sa poursuite.

— Sarah! Attendez!

Il parvint à la rattraper alors qu'elle était presque arrivée au Café.

— Sarah, ne prenez pas ce que je viens de dire au pied de la lettre!

— Ne me refaites jamais ça!

— C'est bien ce que je disais, à moins que vous ne m'embrassiez.

— Oh! Comme si... comme si j'allais...

— M'embrasser? Pourquoi pas? Cela n'est peut-être pas si désagréable, après tout?

Elle se jeta sur lui, toutes griffes dehors. Il l'arrêta d'un geste.

— Ne me frappez pas, je ne faisais que plaisanter! Je voulais juste vous dire que j'allais commencer les travaux en attendant que vous trouviez l'argent.

— Il n'en est pas question! Après, vous allez m'envoyer votre facture et je ne pourrai pas vous payer.

— Ecoutez, il est impératif de mettre la maison hors

d'eau, peu importe l'entreprise qui s'en charge. Je veux juste faire ça avant le retour de la pluie.

— Je vais demander à Harry de s'en occuper.

— Non! Tant que je serai propriétaire de cette maison, Harry n'y touchera pas. Je ne vous prendrai pas plus que lui, je vous le promets. De toute façon, je ne peux pas rester à me tourner les pouces, c'est plus fort que moi.

— Il existe une autre solution, c'est que vous partiez.

Sur ces mots, elle le planta au milieu de la cour et se précipita dans le Café. La porte se referma sur elle d'un coup sec.

Ce Cimarron Cole était… exaspérant! fulmina-t-elle en entrant comme une furie dans son bureau où elle se laissa tomber sur une chaise. Mais, au fond d'elle-même, elle savait bien qu'il avait raison. Même si elle parvenait à recueillir les fonds nécessaires au rachat de la maison, elle n'aurait pas les moyens de faire les travaux pendant très longtemps. Peut-être jamais.

Cimarron, lui, en revanche, pouvait lui redonner sa splendeur initiale. Ensuite, il la vendrait pour une fortune, et, à elle, il ne resterait plus que les yeux pour pleurer. Comment ferait-elle pour vivre à côté du rêve qu'on lui avait volé, sachant que sa maison ne ferait plus jamais partie du patrimoine familial?

Mais à quoi bon s'apitoyer sur son sort? Cela ne l'avancerait à rien, décida-t-elle soudain en se redressant. Elle ferait mieux de chercher une solution. Il y avait des tas de gens prêts à lui venir en aide. S'armant d'un stylo et d'un carnet, elle entreprit d'en faire la liste. Jon et Kaycee Rider furent les premiers à lui venir à l'esprit. Toutefois, même si Kaycee avait offert de l'aider, elle pouvait difficilement leur demander, à elle et Jon, un million de dollars… Parmi ses connaissances, ils faisaient pourtant partie des plus aisés.

Une fois la liste établie, elle prépara son entrée en matière. Sur son ordinateur, elle ouvrit un tableur et entra sur la feuille de calcul le devis de Harry. C'était la première fois qu'elle regardait les chiffres en face. La réalité ne fut pas longue à s'imposer : même si Harry se chargeait des travaux, réparer la vieille maison allait coûter cher, très cher.

Elle se sentit soudain envahie par un désespoir sans bornes.

Qu'avait-elle fait pour mériter que son frère la traite ainsi ? Rien. Absolument rien. Comment allait-elle se tirer de cette situation sans issue ? Elle n'en avait pas la moindre idée.

Tout en continuant de noter des remarques à côté des noms alignés les uns sous les autres, elle s'empara du téléphone.

Après quelques sonneries, une voix familière et rassurante lui répondit.

— Maman, est-ce que Bobby t'a dit ce qu'il m'avait fait ?

Une demi-heure plus tard, elle raccrocha, un peu rassérénée. Ses parents, au moins, lui assuraient leur soutien inconditionnel. Bobby allait voir ce qu'il allait voir ! Son père avait juré qu'il le forcerait à revendre ce maudit camping-car hors de prix et à lui envoyer l'argent. Ce qui, en soi, était réconfortant. Cependant, elle ne le croirait que lorsqu'elle tiendrait entre ses mains la monnaie sonnante et trébuchante…

Puisqu'elle était branchée sur internet, elle en profita pour vérifier l'état de son compte d'épargne. Comme par hasard, il n'avait guère changé depuis la veille.

L'idée d'appeler ses amis pour leur demander de l'argent l'emplissait d'angoisse. Elle poussa un profond soupir.

L'estomac noué, elle fit le premier numéro de sa liste, celui du banquier qui lui avait accordé le prêt lorsqu'elle avait voulu moderniser le Café après la mort de son oncle.

Chapitre 11

Il y avait tant à faire, à commencer par empêcher que la maison ne se détériore davantage, et cela avant même que la plus petite restauration puisse être envisagée ! Cimarron commença par l'étage supérieur, notant avec précision chaque détail sur son calepin électronique, tandis que Wyatt le suivait pas à pas en prenant lui aussi des notes à sa façon, sur un carnet avec un crayon, comme on le faisait avant l'invention de tous ces gadgets électroniques.

Le temps passa sans qu'il s'en rende compte. Il aimait son travail. Affronter une maison que le temps n'avait pas épargnée, en ressentir l'atmosphère passée, imaginer les pièces rénovées, tout cela lui apportait chaque fois une joie profonde. Seul maître à bord des rénovations, il était chez lui et menait sa barque comme il l'entendait. Certaines pièces lui réservaient de mauvaises surprises tandis que d'autres, au contraire, d'excellentes, parfois des plus inattendues. Il découvrait par exemple des détails de marqueterie encore en excellent état, en d'autres endroits, sous des couches rajoutées au cours des ans, un peu du papier peint d'origine miraculeusement préservé, tout au moins assez bien conservé pour qu'il puisse trouver le même ou, si nécessaire, le reproduire. Un vrai bonheur !

Derrière lui, son alter ego version miniature était là, calepin en main, pour lui rappeler les changements apportés à sa vie au cours des dernières semaines. R.J., sans qu'aucun doute ne soit possible, avait vraiment adoré son fils. Si le petit Wyatt s'était retrouvé orphelin à cinq ans, ce n'était pas sa faute. En revanche, R.J. avait bien trop présumé des forces de son frère et de ses capacités parentales. Comme père adoptif, l'enfant méritait mieux qu'un vagabond sans port d'attache.

Comment envisager la famille idéale pour Wyatt ? se demanda Cimarron, songeur. Que savait-il en matière de famille idéale ? Sa famille à lui avait été tout, sauf parfaite, si l'on pouvait même parler de famille. Il avait beau se creuser la cervelle, aucun souvenir heureux ne lui revenait. Jusqu'à son père, Jackson, qui partait pendant de si longues périodes qu'il avait du mal à se remémorer son visage entre chacune de ses visites. A seize ans, R.J. avait décidé de le suivre sur le circuit des rodéos, laissant leur mère, malade, entre ses mains ; il était alors âgé de douze ans seulement. Les problèmes de santé de sa mère n'avaient fait qu'empirer, rendus plus critiques encore par la pauvreté abjecte à laquelle ils étaient soumis, et le stress qui en découlait, car la pauvre femme se tourmentait de voir ainsi son plus jeune fils porter un tel fardeau sur ses frêles épaules, ce qu'il faisait pourtant sans rechigner ni se poser d'inutiles questions.

Pour lui, pas d'après-midi insouciants à jouer avec ses amis ni de soirées pyjamasà rester chez les uns et les autres. En vérité, il n'avait jamais eu vraiment d'amis. Ce qu'il connaissait de la vie de famille, il l'avait appris en regardant avec sa mère ses vieux feuilletons favoris, *Leave it to Beaver* ou *The Dick Van Dyke Show*, dans lesquels on voyait une maman idéale, femme d'intérieur parfaite, et un père qui rentrait le soir du travail et s'intéressait à ses fils.

Le père de Cimarron était tout sauf un modèle pour lui. Comment avait-il pu tourner ainsi le dos à ses responsabilités, et partir en entraînant son fils aîné avec lui, laissant derrière lui une famille détruite? Cimarron comprenait mieux maintenant le mal qu'il leur avait fait et, tandis qu'il cherchait désespérément à trouver une solution pour Wyatt, il sentait grandir en lui un sentiment de culpabilité. Qu'allait-il faire, lui, si ce n'est la même chose que son père? L'histoire n'allait-elle pas se répéter et Wyatt souffrir autant qu'il avait souffert? Voilà qu'il était, à son tour, l'instrument de cette souffrance...

Il serra si fort le stylet entre ses doigts que ses mains se mirent à trembler. Il dut attendre un long moment avant de pouvoir écrire de nouveau.

Allons, se dit-il, il devait cesser de se tourmenter ainsi.

Il sentit quelque chose lui tirer la jambe de son pantalon avec insistance.

— Qu'est-ce qu'il y a?

— Le chien est là, murmura Wyatt.

— Quel chien?

— Celui qui s'est enfui avec ton blouson près de la rivière.

Cimarron tourna vivement la tête en direction de la porte qui ouvrait sur le hall d'entrée, et eut tout juste le temps d'apercevoir une tête poilue et brune, avant qu'elle ne disparaisse. Il se précipita dans l'autre pièce, mais trop tard. Le chien n'était plus là.

— Bon débarras !

— Je crois qu'il nous aime bien, avança Wyatt avec l'optimisme de l'enfance.

— Pas de chance. Surtout ne le touche pas, on ne sait jamais, il peut mordre.

— O.K.

Wyatt était déçu, cela ne faisait aucun doute. De toute façon, leur vie était déjà bien assez compliquée comme ça. Il ne manquait plus qu'il s'attache à un chien qui, de toute évidence, risquait de disparaître au bout de quelques jours !

Cimarron regarda sa montre. Midi passé.

— Et si nous faisions une pause-déjeuner ? Qu'en penses-tu ?

— O.K.

Puisque Sarah ne les avait pas encore mis à la porte du studio, il avait fait quelques provisions de façon à ne pas avoir à prendre tous les repas au Café. Il préférait éviter de rencontrer la jeune femme, sachant qu'elle n'avait aucune envie de le voir. D'ailleurs, elle n'éprouvait pour lui que du mépris, il en était sûr. Dommage qu'ils ne se soient pas rencontrés sous des cieux plus cléments, car les sentiments qu'il éprouvait à son égard ne ressemblaient pas à du mépris, loin de là. Mais la vie était ainsi faite, et il avait depuis longtemps renoncé à essayer de la modeler à sa guise.

Ils allèrent chercher des sandwichs et des chips, puis retournèrent à la grande maison les manger sur les marches.

— Alors, tu as pris des notes aujourd'hui ? demanda Cimarron, histoire d'entamer un semblant de conversation avec le petit garçon.

— Ouaip ! Plein !

— C'est bien, fais voir.

Wyatt lui tendit son calepin. Des pages entières étaient couvertes d'une écriture indéchiffrable, ce qui n'avait rien d'étonnant puisque Wyatt ne savait pas écrire. Ses dessins toutefois étaient stupéfiants. Tous les enfants de cinq ans dessinaient-ils aussi bien ? Comment l'aurait-il su ?

— J'ai noté les couleurs pour les murs et aussi celles pour le sol et des trucs comme ça, précisa Wyatt avec sérieux.

— Ah. Et quelle couleur irait le mieux à ton avis, sur les murs ?

Ils étaient pour l'instant d'un gris sale, comme du vieux plâtre.

— Alors voilà, commença Wyatt d'un ton docte, ils ne sont pas très jolis comme ça, mais, dessous, on voit de la peinture jaune-rouge que j'aime assez.

— Ah bon ? s'étonna Cimarron qui l'avait remarquée lui aussi, sans penser une seconde que Wyatt l'aurait noté. Il y a une espèce de vert aussi par endroits, tu l'as vu ?

Wyatt hocha la tête.

— Oui, mais je l'aime pas trop. Dans ma boîte à crayons, il y en a un que je préfère.

Sans attendre il bondit, courut jusqu'au studio, et revint tout aussi vite quelques instants plus tard avec la fameuse boîte. Hors d'haleine, il se rassit près de Cimarron et en tira un crayon.

— Regarde, c'est celui-là que je préfère.

Cimarron le prit et l'examina attentivement.

— C'est joli. Tu sais comment s'appelle cette couleur ?

— Non.

— Jaune-vert.

— Pourquoi ? Il est pas jaune.

— Quand il y a deux noms de couleur, c'est le deuxième qui domine. Ici, c'est le vert. C'est une belle couleur pour les murs.

— Et celle-là, comment elle s'appelle ? Je l'aime bien aussi.

— Terre de Sienne. C'est une couleur naturelle que l'on sort de la terre, comme les ocres, et qui fait partie des bruns. Il y a aussi la terre de Sienne brûlée, on l'appelle « brûlée » parce qu'elle contient plus de fer, donc elle est plus rouge.

— Oh ! Dis donc, c'est super ! s'exclama Wyatt en comparant les deux crayons.

Il les rangea précautionneusement, avant d'en sortir un autre.

— Et cette couleur-là, elle s'appelle comment, tonton Cimron ?

— Terre verte.

— Je l'aime bien pour les murs.

— Moi aussi. Je vais voir si c'est une couleur qui aurait été utilisée à l'époque, quand la maison a été construite.

— On va habiter ici quand tu auras fini de l'arranger ?

— Non. Je l'ai achetée pour la revendre ensuite.

— Tu vas la vendre à qui ?

Cimarron haussa les épaules.

— Je n'en sais rien. Sarah la voudrait mais je ne sais pas si elle pourra l'acheter.

— On pourrait vivre ici avec elle ?

Cimarron s'esclaffa.

— Je ne crois pas ! Non, franchement cela m'étonnerait. Et puis, de toute façon, j'avais cru comprendre que tu ne l'aimais pas, cette maison.

— Je l'aime un peu plus qu'avant. Et cette couleur, elle s'appelle comment?

Wyatt tira chaque crayon de la boîte, l'un après l'autre. Cimarron les identifiait puis l'enfant les rangeait avec soin à leur place. Lorsque, plus tard, Cimarron demanda à son neveu de les nommer, à sa grande surprise l'enfant ne se trompa pas une seule fois.

Cimarron s'adossa contre une marche en s'appuyant sur les coudes, imité aussitôt par Wyatt.

— Tu aimes bien colorier, n'est-ce pas?

— Oh oui! C'est ce que je préfère. Tu es gentil de m'avoir donné cette boîte de crayons, tonton Cimron. J'en ai jamais eu une aussi belle. J'ai jamais vu autant de belles couleurs!

Troublé, Cimarron marmonna quelques paroles incompréhensibles entre ses dents. Pour dire vrai, lui non plus n'avait jamais vu une si belle boîte de crayons de couleur.

— Bien! Si on allait dans la cuisine?

Wyatt se figea.

— Le chien est encore revenu, murmura-t-il.

Au coin de la maison, des yeux tristes et inquiets les observaient. L'animal était maigre et sale, et tremblait de peur.

— Il a faim, tonton Cimron. On peut lui donner le reste de mon sandwich? S'il te plaît?

— Non. Si nous commençons à lui donner à manger, il ne va pas nous lâcher. Nous ne le connaissons pas, il est peut-être malade, enragé même? Qui sait?

— Je crois qu'il est sale, c'est tout.

— Tu fais ce que je te dis, Wyatt. Tu ne lui donnes pas à manger et tu ne le caresses pas, c'est compris?

— O.K.

— Bien. Maintenant, on retourne au boulot.

Wyatt ramassa son calepin et sa boîte de crayons et courut à l'intérieur.

Cimarron jeta un regard en coin vers le chien, qui ouvrit la gueule comme s'il cherchait à lui sourire. Il lui jeta un regard noir, tourna les talons pour rentrer dans la maison puis, se ravisant, lui jeta ce qui restait du sandwich de Wyatt.

Depuis la porte arrière du Café, Sarah regarda Cimarron disparaître à l'intérieur. Si elle voulait arriver à ses fins, ne ferait-elle pas mieux de se montrer plus diplomate avec lui? Après tout, il était plus facile d'attraper les mouches avec du miel qu'avec du vinaigre. Le petit Wyatt lui offrait peut-être même le moyen d'y parvenir, en dépit de sa répugnance à se servir de l'enfant afin d'atteindre son but. Toutefois, elle n'avait guère le choix: c'était déjà assez difficile de surmonter sa fierté et de passer tous ces coups de fil. Malgré tous ses efforts et en comptant ses propres économies, l'aide de ses parents et l'offre de Kaycee et Jon Rider de solliciter un prêt en sa faveur, elle arrivait à peine à la moitié de la somme nécessaire. Bobby n'avait nullement l'intention de vendre son camping-car, et elle n'attendait donc rien de ce côté-là.

En proie au plus profond découragement, elle se rendit dans son bureau pour passer d'autres appels. C'était si difficile pour elle d'être obligée de quémander ainsi, elle si indépendante de nature! Et tout cela à cause de Cimarron Cole!

Se montrer gentille avec lui était l'attitude la plus intelligente à adopter, mais ce serait loin d'être évident. D'ailleurs, sans la présence de Wyatt, elle l'aurait déjà mis à la porte du studio depuis longtemps.

Cependant, plus les jours passaient, plus l'idée d'amadouer Cimarron lui paraissait tentante.

Elle avait fait le tour de toutes les banques du Montana,

obtenant toujours la même réponse : le Café n'offrait pas de garantie suffisante, la maison était trop délabrée pour être restaurée. Conclusion : l'entreprise était trop risquée. Cela, sans que son interlocuteur se donne même la peine de venir voir le Café ou la maison ! Il y avait de quoi être découragée…

Depuis quelques jours, elle avait vu Cimarron entrer et sortir à plusieurs reprises. Elle avait aussi remarqué qu'il s'était fait livrer divers matériaux de construction. Le lendemain étant dimanche, elle en profiterait pour aller jeter un coup d'œil à l'intérieur, et lui rappellerait en passant qu'il n'avait pas intérêt à lui facturer quoi que ce soit.

Le matin, dès qu'elle eut fini de servir le petit déjeuner, qu'avec l'aide de Aaron tout fut propre et rangé, elle se rendit à l'église. Elle y retrouva Kaycee, Jon et les enfants. En sortant, les adultes discutèrent de sa situation. Jon lui proposa d'aller voir la maison, ce qui, en soi, n'avait rien d'étonnant étant donné qu'il allait jouer un rôle dans son rachat. Toutefois, le risque qu'il décide de changer d'avis après avoir constaté de visu l'état délabré de la bâtisse n'était pas négligeable. En même temps, c'était un homme d'affaires avant tout et il ne s'engagerait pas à la légère dans une entreprise trop risquée. Cimarron allait-il se montrer coopératif ? Rien n'était moins sûr.

Une idée se forma dans son esprit, qu'elle décida de mettre à exécution.

Dès qu'elle fut rentrée de l'église, elle enfila un jean et un sweat-shirt, puis monta la colline. Cimarron était dans l'entrée, occupé à ôter le bois pourri de dessous les fenêtres. Il n'en était pas à la première fenêtre, à en juger par la pile de débris dans la cour.

Wyatt, lui, était assis devant la cheminée, le nez plongé dans un livre ouvert sur ses genoux, une boîte de crayons de couleur près de lui. Sarah s'approcha pour mieux voir ce qu'il faisait. Il était si concentré qu'il ne l'avait pas vu entrer et sursauta.

— Salut, Wyatt.

— Salut.

Cimarron se retourna et se leva aussitôt en retirant ses gants de travail.

— Bonjour! lança-t-il. Je ne vous ai pas beaucoup vue cette semaine.

— J'ai été très prise.

Si elle n'avait pas consciemment décidé de se montrer gentille avec lui elle n'aurait pas hésité à lui rétorquer qu'avant son arrivée elle avait beaucoup plus de temps libre. Elle préféra se montrer aussi diplomate que possible.

— Alors, dites-moi, qu'est-ce que vous faites là? demanda-t-elle. J'espère que vous ne comptez pas me facturer tout ce travail?

— J'hésite.

Se moquait-il d'elle? Elle le crut un instant mais, à en croire son regard sombre, elle comprit qu'il plaisantait. Malgré tout, sa remarque l'avait contrariée.

— Ne vous investissez pas trop dans cette maison, crut-elle bon de lui rappeler.

— Ce que je fais, c'est de la préparation. C'est incontournable, quoi qu'il arrive.

— Autre chose : je n'ai pas l'intention de payer pour tout ce bois que vous vous êtes fait livrer. Je n'ai jamais donné mon accord pour aucune commande de matériaux.

— Ecoutez, Sarah, ne vous inquiétez pas. C'est juste pour me dire ça que vous êtes venue?

« S'il savait ce que j'aimerais lui dire », songea-t-elle, amère.

— Non. Pour tout vous avouer, je suis venue voir si vous vouliez passer au Café cet après-midi, Wyatt et vous. Mon amie Kaycee, la vétérinaire d'à côté, amène ses enfants. J'ai pensé que Wyatt aimerait faire leur connaissance. Les jumeaux ont à peu près le même âge que lui. Il y aura des milk-shakes.

Wyatt, qui avait repris ses coloriages, releva la tête à la mention des milk-shakes, et jeta vers Cimarron un regard timide. S'il était tenté par sa proposition, il n'allait certainement pas faire un caprice, loin de là, songea Sarah. Il donnait l'impression d'être un enfant obéissant, un peu trop obéissant même.

— Tu aimes les milk-shakes, Wyatt? demanda-t-elle.

Il haussa les épaules, feignant l'indifférence.

— Ouais... J'aime bien.

Sarah regarda Cimarron.

— Parfait. Alors venez tous les deux au Café vers 14 heures. D'accord?

— Je ne voudrais pas m'imposer.

Elle rit.

— Vous savez, un de plus ou de moins... Et puis, on ne sait jamais, cela vous plaira peut-être?

Cimarron parut réfléchir un instant. Son regard se posa sur Wyatt, avant de revenir sur elle.

— Entendu, pourquoi pas? J'adore les milk-shakes.

— Parfait. Alors, à tout à l'heure!

Que pouvait-elle bien manigancer? se demanda Cimarron

en rangeant les outils après le départ de Sarah. Cette invitation cachait sûrement quelque chose...

— Allez, Wyatt, viens m'aider à tout nettoyer si tu veux ce milk-shake.

— Toi aussi, tu en veux un, non ?

Ce qui, en langage de Wyatt, signifiait : « S'il te plaît, ne me laisse pas y aller tout seul ! » Cimarron commençait à connaître l'enfant assez bien pour ne pas être dupe.

— Bien sûr que j'en veux un. J'espère qu'ils sont aussi bons que ses petits déjeuners !

— Moi aussi. De quels enfants elle parlait ?

— Je suppose qu'il s'agit de ceux de la dame vétérinaire d'à côté. Nous verrons bien. Allez, range tout et viens te préparer.

Cimarron avait aperçu plusieurs fois l'amie de Sarah, ainsi qu'une autre jeune femme qui donnait des leçons d'équitation tous les après-midi. Il ne leur avait jamais parlé. Quant aux enfants, il n'y avait prêté aucune attention. C'est pourquoi il n'était pas préparé à ce qui l'attendait lorsque Kaycee sortit de la clinique, quelques instants plus tard, entraînant dans son sillage une ribambelle de gamins. Il ouvrit de grands yeux étonnés, et en compta cinq. Puis un homme assez grand, coiffé d'un chapeau de cow-boy, apparut à son tour, portant dans ses bras un tout petit garçon, tandis qu'une fillette courait derrière.

Pour Wyatt aussi, le spectacle était saisissant.

— Wouaouh !

Prenant la petite main qui se glissait dans la sienne, Cimarron resta à l'arrière du peloton, tandis que Kaycee et son mari faisaient entrer le « troupeau » dans le Café.

A l'intérieur, la scène était cocasse. Quatre fillettes essayaient de grimper tant bien que mal sur les hauts tabourets du bar, tandis que trois garçons, dont des jumeaux, se disputaient une chaise, jusqu'à ce que l'homme s'en mêle. Il les installa dans un box, coupant court à toute discussion. Kaycee rejoignit Sarah derrière le comptoir pour l'aider à mettre les crèmes glacées dans les verres, prêts pour la machine à milk-shakes.

Sarah se détourna de sa tâche un bref instant, le temps de présenter les deux hommes l'un à l'autre.

— Cimarron Cole, Jon Rider.

Ils se serrèrent la main. Il ne fallut pas longtemps à Cimarron pour remarquer combien la plupart des enfants ressemblaient à Jon avec leurs cheveux châtains et leurs yeux bleus. En revanche, aucun n'avait les cheveux blonds et les yeux verts de Kaycee. Comment pouvait-elle assurer une carrière de vétérinaire tout en élevant sept enfants ? se demanda-t-il, abasourdi. Voyant son étonnement se lire sur son visage, Kaycee vint à son secours.

— Jon et moi, nous nous sommes mariés l'année dernière, lui expliqua-t-elle avec un grand sourire. J'ai pris le forfait : « enfants compris ».

Il en resta pratiquement sans voix, lui qui était terrifié à l'idée d'élever *un* enfant !

— Ah...

Kaycee adorait les enfants et leur père, c'était évident et, à en juger par le regard que Jon posa sur elle, le huitième ne serait pas long à faire son apparition, songea Cimarron.

Il guida Wyatt vers un des box sur le côté, et tous deux surveillèrent avec intérêt la scène de joyeux chaos qui se déroulait sous leurs yeux.

Sarah et Kaycee s'affairaient derrière le comptoir, Sarah

finissant de préparer les milk-shakes, tandis que Kaycee les passait l'un après l'autre aux enfants excités. Quand elle tendit le sien à Jon, il se pencha et l'embrassa tendrement. Les jumeaux se donnaient des coups de coude et riaient de tout et de rien, jusqu'à ce que Jon s'installe avec eux, remettant un peu d'ordre. Sans pour autant les empêcher de s'amuser, il s'assura que le bruit baisse d'un cran.

Wyatt devait avoir à peu près le même âge qu'eux, nota Cimarron. Il avait besoin d'être entouré d'amis, de camarades de jeu et surtout, d'amour. Il avait besoin d'aller à l'école. Plus le temps passait, plus il était craintif, timide, affolé face à des situations qui auraient dû être naturelles. Le Café était empli de rires. Au lieu d'y prendre part, il restait dans son coin, visiblement effrayé.

Cimarron, brusquement tiré de ses pensées, sursauta en sentant quelque chose de froid sur sa joue.

— J'espère que vous aimez le chocolat, dit Sarah en riant, tout en lui tendant un grand verre. C'est tout ce qui me restait comme parfum.

— C'est ce que je préfère, merci !

Elle s'assit près de lui.

— Mmm, excellent, fit-il après en avoir savouré une gorgée. Presque aussi bon que votre café.

— C'est une question d'expérience, dans les deux cas.

Il observa Wyatt, totalement concentré sur son milk-shake à la fraise, qu'il dégustait avec une paille.

— Et toi, Wyatt, il te plaît le tien ?

Le petit garçon hocha vigoureusement la tête sans lâcher sa paille.

Sarah éclata de rire.

— Bien.

— Tu as dit merci à Sarah, Wyatt ?

— Merci, murmura-t-il d'une petite voix timide, les yeux brillants.

— Ils viennent ici tous les dimanches ? demanda Cimarron en jetant un regard aux enfants. Cela ne vous dérange pas trop ? Vous n'avez pourtant pas beaucoup de temps libre.

— Non, pas du tout. Kaycee est ma meilleure amie, et j'ai vu grandir les enfants de Jon.

— Il est divorcé ?

— Non. Sa première femme, Alison, est morte dans un accident de voiture, il y a presque trois ans de cela.

Cimarron dévisagea Jon, le visage sombre.

— Comment a-t-il fait pour s'en sortir avec tous ces enfants ?

— Il n'avait pas le choix. Il a fait de son mieux. C'est un père formidable, autoritaire sans excès, patient, très gentil. Ça a été très dur pour lui, surtout au début, et puis il a rencontré Kaycee, et tout a changé ! C'est génial de les voir ensemble, ils s'adorent. C'est un vrai bonheur.

Cimarron ne répondit pas. Il prit une autre gorgée de milk-shake en détournant délibérément le regard de Jon et des enfants. Rien de pire, parfois, que d'être confronté à la perfection incarnée…

Quand ils eurent fini, Sarah alla rejoindre Kaycee derrière le comptoir afin de tout ranger. Jon vint s'asseoir en face de Cimarron.

— Sarah m'a dit que vous aviez entamé quelques travaux dans la maison de son oncle. Dans quel état l'avez-vous trouvée ?

Il devait savoir que Bobby lui avait vendu la propriété,

songea Cimarron, préférant ne pas aborder le sujet puisqu'il l'avait laissé sous silence.

— Il y a pas mal de travaux à faire, en effet. Cela dit, elle a beaucoup de potentiel.

— Cela fait des années que je n'y ai pas mis les pieds, j'aimerais bien y jeter un coup d'œil.

— Bien sûr, pas de problème.

— Nous allons voir la vieille maison, Cimarron et moi, lança Jon à Kaycee par-dessus le tumulte général.

— D'accord. Je retourne à la clinique quand j'aurai fini ça.

— Je veux venir avec vous, implora l'un des jumeaux.

— Moi aussi !

— Non, les enfants, vous restez ici. On n'a pas besoin de vous dans les pattes.

Dès que Cimarron se leva, Wyatt se précipita à son côté, prêt à le suivre comme un petit chien. Si Cimarron ne tenait pas à déclencher des pleurs et des grincements de dents, il valait mieux ne pas chercher à le convaincre de rester au Café. Pourquoi ne pas profiter de l'occasion pour faire venir les jumeaux ? Cela permettrait à Wyatt de faire leur connaissance.

— J'ai bien nettoyé le chantier, il n'y a aucun danger. Ils peuvent venir.

— Alors, allons-y les garçons !

Jon n'eut pas besoin de le répéter. Aussitôt, les jumeaux coururent se mettre près de lui, tandis qu'il prenait le petit dernier dans ses bras.

— Celui-ci, c'est Bo. Les jumeaux s'appellent Zach et Tyler. Et toi, bonhomme, fit-il en ébouriffant les cheveux de Wyatt, tu t'appelles comment ? « Frisé » ?

L'enfant recula, craintif.

— Non, moi c'est Wyatt.

— Wyatt, c'est bien comme nom. Je connaissais un cow-boy qui s'appelait Wyatt. Il travaillait pour moi. C'était un sacré cavalier, aucun cheval sauvage ne lui résistait.

Les yeux de Wyatt s'illuminèrent de fierté.

— Mon papa aussi, il montait des chevaux sauvages. Il pouvait monter n'importe quoi. Mais il a eu une fatale et, maintenant, il est parti.

— Une *fatale* ?

Jon posa sur Cimarron un regard étonné.

Cimarron fronça les sourcils. Wyatt avait-il vraiment saisi le fait que son père était bel et bien mort ? Il n'en était pas sûr. S'il ne le lui avait pas dit de manière claire et nette, il pensait en revanche que l'enfant avait compris. Comment expliquer la mort à un enfant de cinq ans ? Il n'en avait pas la moindre idée, et pourtant n'aurait-il pas dû commencer par là ?

— Je pense qu'il veut dire « une chute fatale », précisa-t-il.

Jon hocha la tête lentement.

— Oh. Je vois.

Puis il regarda Wyatt attentivement.

— Si je comprends bien, c'était un sacré bon dresseur.

— Oui, acquiesça Wyatt, l'air sérieux. Il était trop, trop bon.

Arrivés devant la vieille maison, les jumeaux se précipitèrent à l'intérieur sans attendre. Wyatt, lui, resta derrière, collé aux grandes personnes. Cimarron, qui se sentait de plus en plus déprimé sans trop savoir pourquoi, répondit de son mieux à toutes les questions pointues de Jon concernant son projet de rénovation tout en lui faisant visiter les lieux. Au bout d'un moment, il se sentit pris d'un doute. Pourquoi Jon se montrait-il si intéressé ?

Lorsqu'ils se trouvèrent de nouveau sous le porche, Jon posa Bo par terre. Sans attendre son reste, le petit garçon partit aussitôt jouer avec ses frères.

— Va avec eux, Wyatt. Va jouer.

Wyatt secoua vivement la tête et s'accrocha à la jambe de Cimarron.

— Il est timide, ce petit bonhomme, fit remarquer Jon.

— Il n'est pas habitué à se trouver au milieu d'autres enfants. Ça lui passera.

— Merci de m'avoir fait visiter votre chantier. Vous avez raison, on peut dire qu'il y a du « potentiel ».

— C'est sûr. Je ne m'y serais pas intéressé si cela n'avait pas été le cas.

— Sarah avait l'intention d'acheter cette propriété à son frère, déclara Jon sans détour. Je pense que vous êtes au courant ?

— Oui, elle me l'a dit, en effet. En d'autres termes, elle vous a demandé de l'aider ?

Jon acquiesça d'un hochement de tête.

— Nous sommes très amis avec elle, Kaycee et moi. Nous tenons à nous assurer qu'elle ne sera pas lésée dans l'affaire.

Piqué au vif, Cimarron faillit se défendre. Mais tout bien réfléchi, il préféra en rester là. En quel honneur devrait-il se justifier devant cet homme ? Il traitait avec Sarah, et avec Sarah uniquement. Ce qui lui importait, c'était qu'elle trouve la somme qu'il demandait, où et grâce à qui n'était pas son affaire. Si elle parvenait à lui racheter la maison en respectant ses conditions, il tirerait un trait sur Little Lobo et trouverait sans mal un autre projet.

Chapitre 12

Le lundi matin à la première heure, Sarah s'habilla avec soin. Tailleur strict et talons hauts. Puisque ses appels téléphoniques n'avaient pas abouti, elle irait, en personne, rencontrer autant de banquiers et d'hommes d'affaires qu'il faudrait pour trouver l'argent nécessaire au rachat de sa maison.

Partout, ce fut la même réponse :

— Désolé, Sarah, mais vous n'avez pas assez de garanties.

— Désolé, Sarah, je ne peux pas vous prêter la somme que vous demandez en me basant sur vos idées et votre bonne volonté. Le calcul est vite fait, ce projet n'offre aucune garantie de retour sur investissement.

— Désolé, Sarah, même en supposant que tout marche comme prévu, il va falloir attendre plusieurs années avant que les chambres d'hôtes génèrent un profit. Nous ne pouvons pas nous permettre de prendre de tels risques.

Désolé, Sarah. Désolé, Sarah. Désolé, Sarah.

A son retour en fin d'après-midi, elle était passablement en colère, vidée de toute énergie.

Et, pour ne rien arranger à l'affaire, ses problèmes ne tarderaient pas à alimenter les commérages. Bientôt, tout le monde serait au courant. La « pauvre Sarah » avait perdu la maison de son oncle. Qu'allait devenir cette « pauvre Sarah », désormais ? A quand le plan de soutien pour tirer cette « pauvre Sarah » de cet embarras ? Etonnant d'ailleurs qu'il n'ait pas déjà été mis en place !

En sortant de sa voiture, elle fut accueillie par le parfum des fleurs sauvages et de… la sciure de bois.

Cimarron sciait une planche posée entre deux chevalets. Il portait un jean, des bottes de chantier et un T-shirt en tricot dont il avait remonté les manches. Autour de sa taille pendait une grosse ceinture à outils en cuir. Ses muscles se tendaient à chaque mouvement de la scie.

Elle l'observa un instant, songeuse. Elle avait eu le temps, la veille, de parler un peu avec Jon, et ce dernier était persuadé de l'honnêteté de Cimarron. Il avait également confirmé son offre de l'aider à obtenir un prêt pour une partie de la somme nécessaire. Si seulement elle pouvait employer Cimarron pour la restauration de la maison. Elle avait vu de quoi il était capable. Ce serait idéal. Idéal, bien sûr, dans ses rêves… Il ne ferait sûrement pas les travaux lui-même, et puis, de toute façon, ses prix devaient être bien trop élevés pour son budget.

Elle aperçut Wyatt, qui jouait tout seul sous le porche. Aussitôt, répondant à une impulsion soudaine, elle appela Kaycee.

— Allô ? Kaycee ? Je te dérange ? Tu dois être très occupée.

Kaycee se mit à rire.

— Pas plus que d'habitude. Je suis en train de faire des petits gâteaux. Passe me voir, si tu veux.

— Les jumeaux sont là ?

— Oui, ils viennent de rentrer de la garderie. Pourquoi?

— J'avais envie d'amener Wyatt pour qu'il joue avec eux. Il me fait de la peine, tout seul dans cette maison toute la journée. Qu'est-ce que tu en penses?

— J'en pense que c'est une excellente idée. A tout de suite!

Sarah raccrocha, un peu inquiète cependant. Pourvu que Cimarron ne réagisse pas mal. Il allait sûrement se dire qu'elle se mêlait de ce qui ne la regardait pas. Tant pis, après tout! Wyatt avait besoin de se faire des amis.

Le temps qu'elle arrive devant la porte, Cimarron était retourné à l'intérieur. Wyatt lui sourit, visiblement heureux de la voir.

— Salut, Sarah!

— Salut, toi! Tu t'amuses bien?

Il haussa les épaules.

— Bof...

— Tu t'ennuies, tout seul?

— Un peu, quelquefois.

— Kaycee est en train de faire des petits gâteaux. Tu voudrais aller retrouver les jumeaux? Je suis sûre qu'ils aimeraient les partager avec toi.

— Je sais pas. Tu crois que tonton Cimron me laisserait?

— Si on allait le lui demander?

Elle lui tendit une main qu'il prit sans hésitation.

Ils entrèrent ensemble dans la maison où Cimarron était en train de clouer une planche.

— Cimarron, Wyatt et moi avons quelque chose à vous demander.

Cimarron se retourna et, incapable de dissimuler sa surprise, la dévisagea sous toutes les coutures en écarquillant les yeux.

— Dites donc, Sarah, vous êtes absolument superbe dans cette tenue !

— Euh… merci, balbutia-t-elle, gênée.

Les yeux de Cimarron étaient plus éloquents encore que ses paroles. Sous son regard qui lui semblait contenir plus que de l'admiration, elle tressaillit, plus troublée qu'elle ne voulait le laisser paraître.

— C'est à cause de Wyatt que vous êtes là ? demanda Cimarron. Il vous ennuie ? Je t'avais pourtant dit de rester jouer sagement devant la maison ! ajouta-t-il en se tournant ver son neveu.

La main de l'enfant se serra dans celle de Sarah.

— Il n'a rien fait, rassurez-vous, intervint Sarah. Je suis venue le chercher, justement. Kaycee l'a invité à aller jouer avec les jumeaux et à goûter à ses petits gâteaux maison. Vous voulez bien qu'il vienne ?

— Tu as envie d'y aller, Wyatt ?

Wyatt souleva une épaule et marmonna un vague « peut-être ».

Cimarron acquiesça d'un hochement de tête.

— Alors, vas-y, cela te changera les idées. Et puis, des petits gâteaux maison, ça ne se refuse pas !

Wyatt hésita encore, puis, comme s'il avait dû réfléchir avant de donner sa réponse, il accepta enfin.

— O.K.

— Viens, je t'accompagne, déclara Sarah. Je le ramènerai plus tard, Cimarron.

— Merci. Tout le plaisir sera pour moi.

Etrangement elle ne perçut aucun sarcasme dans sa voix. Il était sincère. Cet homme était dangereux! Elle ne pouvait se permettre aucun écart, aussi séduisant fût-il.

Il était temps qu'elle se reprenne…

Kaycee les accueillit avec un grand sourire.

— Je suis contente que tu sois venu, Wyatt. Les petits gâteaux sont dans le four, ils seront bientôt prêts. Va donc rejoindre les garçons, ils sont en train de jouer aux petites voitures.

Dans le bureau de Kaycee, Zach et Tyler étaient à quatre pattes par terre. Ils avaient créé un véritable circuit de stock-cars, faisant tourner leurs petites voitures à toute vitesse et se percuter à l'occasion, avec force rires et éclats de voix.

— Zach, Tyler, regardez qui vient jouer avec vous.

Les deux enfants bondirent sur leurs pieds.

— Wyatt!

La pression dans la main de Sarah s'accentua d'un cran.

— Viens, Wyatt! lança Zach. Tyler et moi, on va te donner une voiture chacun, comme ça, t'en auras deux!

— O.K., accepta Wyatt en relâchant son étreinte. Lesquelles?

— Je reviendrai te chercher tout à l'heure, lui dit Sarah. D'accord?

Il hocha la tête.

— O.K.

Il sourit timidement à Sarah et la regarda partir avec un petit sentiment d'angoisse. Mais les jumeaux eurent tôt fait de le mettre à l'aise.

Au début, il ne sut pas trop comment s'y prendre. Pour lui, il s'agissait d'entrer dans un territoire totalement vierge, inquiétant presque. Habitué à jouer seul, il ne connaissait pas encore les règles, alors il se contenta tout d'abord d'observer Zach et Tyler, puis de jouer tranquillement, sans faire de bruit, comme il en avait l'habitude, tandis que les jumeaux faisaient rouler leurs petites voitures bruyamment, les faisant se percuter en poussant des hurlements de joie et des éclats de rire. Il tenta bien de rire avec eux, timidement, de crainte qu'ils ne lui ordonnent de se taire comme le faisait parfois son père s'il faisait trop de bruit.

A priori, cela n'eut pas l'air de les choquer. Pas du tout même. Au contraire, Tyler fit passer sa voiture tout près de celle de Wyatt, faisant mine de lui rentrer dedans. Wyatt n'osait pas faire comme eux, pourtant il en mourait d'envie. Ce fut Zach qui, soudain, dans un bruit de pétarade suivi d'un énorme BANG! renversa avec sa jeep le petit camion de Wyatt.

Zach et Tyler éclatèrent aussitôt de rire en se roulant par terre. Wyatt, surpris, les regarda d'abord avec une certaine inquiétude, puis il décida de les imiter et se roula par terre à son tour. Ce fut comme un signal. Les deux frères s'abattirent sur lui en riant, le chatouillant et jouant à faire semblant de se battre.

— Que se passe-t-il ici?

Kaycee, les mains sur les hanches, les contemplait depuis le seuil de la porte.

Wyatt s'arrêta net, s'attendant à être grondé. Mais le sourire de Kaycee le rassura aussitôt.

— On joue à la bataille! annonça Zach. Wyatt, il est un bon batailleur.

En entendant ces mots, Wyatt sentit son cœur se gonfler de fierté.

— J'ai préparé un goûter, dit Kaycee. Cela vous dirait un verre de lait et des petits gâteaux?

— Ouais! hurla Tyler en se relevant d'un bond.

Il se rua dans le couloir, aussitôt suivi par son frère. Wyatt hésita un instant et se rua à leur suite avec le même enthousiasme. Tout cela était si nouveau pour lui, le remplissait d'un tel bonheur, qu'il se demandait s'il ne vivait pas un rêve éveillé.

De grands verres pleins de lait crémeux et des assiettes débordant de petits gâteaux variés les attendaient sur la table de la cuisine. Wyatt but le lait d'un trait et engloutit plusieurs petits gâteaux à la suite en moins de temps qu'il n'en faut pour le dire. Jamais, de toute sa vie, il n'avait passé un moment aussi merveilleux.

— Est-ce que vous avez encore de la place pour des tartines? J'aimerais bien que vous laissiez quelques gâteaux pour les autres.

La bouche pleine, Wyatt hocha vigoureusement la tête.

Il était si heureux qu'une joie indicible remonta du fond de son être comme des bulles de champagne.

— Youpi! s'écria-t-il tout à coup, comme il avait entendu son père le faire lorsqu'il était particulièrement joyeux et excité.

Le silence se fit autour de lui, et il regretta aussitôt d'avoir laissé exploser sa joie. Quel idiot il était! On allait sûrement le gronder et le ramener près de son oncle. Et il serait de nouveau tout seul.

Kaycee, qui cherchait quelque chose dans le réfrigérateur, se retourna pour le regarder d'un air étonné, les jumeaux le contemplèrent, tout aussi surpris.

C'est alors que Zach éclata de rire et se mit à crier à son tour de toutes ses forces :

— Youpi !

Tyler en fit de même et Wyatt, rassuré, se joignit au chœur.

— « Youpi » si vous voulez, intervint Kaycee en riant, mais je crois qu'il est temps pour vous d'aller jouer dehors.

— Allons-y ! lança Zach. On va jouer au rodéo. Tu sais jouer au rodéo, Wyatt ?

— Je crois, mentit-il.

— Super ! Viens !

Si c'était ça, vivre dans une autre famille, alors, il était partant ! Lorsque son oncle lui en avait parlé, l'autre soir, l'idée lui avait paru effrayante. Il n'avait jamais connu que son père, son oncle et les petites amies de son père. Mais là, c'était différent. Il y avait plein d'animaux dans la clinique de Kaycee, et des chevaux dans le pré, derrière. Vivre dans cette famille ne serait pas si mal que ça, après tout.

— Regarde, fit Zach en pointant l'index en direction du pré. Claire est en train de donner une leçon. On va voir ?

Toujours perdu dans ses pensées, Wyatt leur emboîta le pas.

— Re-bonjour !

Au son de la voix de Sarah, Cimarron ne put s'empêcher de sourire, avant même de se retourner. Elle s'était changée et portait un jean et un pull turquoise qui faisait ressortir le vert de ses yeux. Un clip au niveau de sa nuque retenait ses longs cheveux roux, qui tombaient en vagues épaisses sur son dos.

— Re-bonjour à vous. Alors, on ne joue plus aux femmes d'affaires ?

— Non, pour ce que cela m'a rapporté.

Sa déception était évidente. Visiblement, elle avait du mal à rassembler les fonds nécessaires, ce qui n'avait rien d'étonnant vu l'état apparent de la maison.

— Je suis désolé. Donc, si je comprends bien, vous êtes libre pour le reste de la journée ?

— Oui. Le lundi est un de mes jours préférés. Je m'arrange toujours avec Aaron, le dimanche après le petit déjeuner, pour faire le plus de préparation possible en prévision du mardi. Tout le linge est propre et sec, prêt à servir, ce qui me permet le lundi de m'occuper du côté administratif, régler les factures et tout ce qui s'ensuit.

— Et les vacances, vous connaissez ?

Sarah esquissa un petit sourire.

— De nom, seulement. Je dois avouer que cela fait long-temps que je n'en ai pas pris. Du temps où Bobby habitait encore chez mes parents, ils ont pris le relais une fois pendant quelques jours pour me permettre de souffler un peu. Je suis partie faire du ski avec… un ami.

— L'inspecteur Whitman ?

Elle haussa un sourcil prudent.

— Pourquoi dites-vous cela ?

— Une intuition, basée sur la façon dont il vous regardait l'autre soir. Vous sortez toujours ensemble ?

— Non, nous avons rompu l'année dernière. Pourquoi vous donnez-vous tant de mal, alors que vous ne pourrez sans doute pas finir ? s'enquit-elle pour changer de sujet, tout en examinant ce qu'il avait réalisé jusque-là comme travaux.

— Je ne supporte pas de rester inactif, et puis n'oubliez pas que c'est mon métier.

Sarah essuya la poussière d'un rebord de fenêtre et s'y assit, l'air découragé. Au bout de quelques instants, Cimarron vint s'asseoir à côté d'elle.

— Vous avez du mal à réunir les fonds, c'est cela ?

Elle acquiesça.

— Du côté des banques, c'est sans espoir. Elles trouvent toujours un prétexte pour refuser. Mais ne vous réjouissez pas trop vite, je n'ai pas encore dit mon dernier mot !

— Sarah, je veux que vous sachiez que je serais bien plus heureux si vous trouviez l'argent. Cette situation me déplaît tout autant qu'à vous, croyez-moi.

Elle le fixa d'un air étonné.

— Vous êtes sincère, n'est-ce pas ?

— Je sais ce que c'est que de voir son rêve s'en aller en fumée. Je n'aurais jamais acheté cette maison si j'avais été au courant de la situation. Cela n'aurait rien changé, je pense, ajouta-t-il, comme pour lui-même. Bobby l'aurait vendue de toute façon à quelqu'un d'autre.

— Mon père est en train d'essayer de l'obliger à revendre son camping-car et à me donner l'argent.

— C'est un début. Je crois avoir compris que Jon Rider a l'intention d'investir dans votre projet, vu les questions qu'il m'a posées hier.

— On ne peut rien vous cacher.

— J'aime bien savoir ce qui se passe.

La proximité de Sarah était une véritable torture pour lui. Il sentait la jeune femme si vulnérable. Si vulnérable et si sexy... Surtout lorsqu'elle se mordillait la lèvre. Il se tortilla, son jean était devenu soudain beaucoup trop serré.

Il brûlait de la prendre dans ses bras, de la réconforter, et dut faire un effort considérable pour résister à la tentation. Il lui fallait à tout prix garder ses distances, ne s'approcher d'elle ni sur le plan physique ni sur le plan émotionnel. Ce serait une erreur, car rien de durable ne pouvait sortir d'une relation entre eux. Même si cela lui déchirait le cœur, il était décidé à la laisser se débrouiller à résoudre ses problèmes sans son aide.

— J'ai rêvé de faire ces chambres d'hôtes depuis que nous avons hérité de la propriété, Bobby et moi, murmura-t-elle. Il le savait pertinemment, c'est ce qui me blesse le plus, en définitive.

— Vous aviez hérité une partie de la propriété et Bobby, l'autre, c'est bien ça?

— Oui. Mon oncle voulait que le partage soit équitable. Il m'a laissé le Café parce que je l'avais aidé à plusieurs reprises pendant les vacances. Il savait que cela me plaisait assez pour que je reprenne l'affaire. Il savait aussi que Bobby n'était pas un bourreau de travail. Au départ, Bobby devait s'occuper des chambres d'hôtes, et j'avais promis de l'aider. Mais il n'a jamais eu l'intention de se fatiguer avec des chambres d'hôtes, je crois. Alors je l'ai convaincu de me vendre la maison. On s'était mis d'accord pour que je le rembourse dès que j'aurais lancé l'affaire et que je commencerais à faire des profits. Il ne restait plus qu'à signer un engagement mutuel devant notaire dès son retour. Le reste... vous le connaissez.

Elle semblait si déçue qu'il eut honte d'avoir été l'instrument de sa déception.

— Je ne le connais que trop bien, murmura-t-il.

Un silence s'installa, que seuls quelques chants d'oiseaux vinrent troubler.

Ce fut Sarah qui reprit la parole :

— Et vous comptez faire quoi, maintenant ?

— Vous voulez dire aujourd'hui ? Finir de réparer les rebords de fenêtre qui sont pourris. C'est tout.

— Je sais tenir un marteau, vous savez.

— Pardon ?

— Je sais tenir un marteau. Dites-moi ce que vous voulez que je fasse.

— Vous plaisantez, n'est-ce pas ?

— Pas du tout, je suis on ne peut plus sérieuse. En fait, je suis assez bricoleuse. C'est plutôt recommandé dans ma situation.

Elle se leva et lui sourit. Elle n'avait pas l'air de plaisanter.

— Vous savez, j'apprends vite et je suis libre tout l'après-midi, ajouta-t-elle.

En effet, elle paraissait sincère. Pourtant il hésita.

Quelles pouvaient bien être ses motivations ? se demanda-t-il, traversé d'un doute.

— Pourquoi feriez-vous cela ?

— C'est mon intérêt. Si je vous offre mon aide, cela me reviendra moins cher, au bout du compte.

Elle tira un marteau de la ceinture à outils de Cimarron et le regarda avec une moue tout à fait charmante.

— Alors ?

C'était jouer avec le feu. « Oh, ma belle, ne me cherche pas, ou tu me trouveras ! », voulut-il lui rétorquer. Il s'en garda bien et se détourna en se raclant la gorge. Mieux valait qu'elle ne s'aperçoive pas de l'effet qu'elle avait sur lui…

— Bien… Attendez-moi ici, je vais chercher des planches dehors.

Dès qu'il se retrouva seul, il prit une inspiration profonde, puis une autre, et réajusta son jean. Que lui arrivait-il ? Il suffisait qu'elle le regarde en se mordant la lèvre, l'air malheureux, et c'était tout juste s'il parvenait à se contrôler ! Il n'avait qu'une envie : la prendre dans ses bras et la consoler. Il n'était pas du genre à se laisser ainsi prendre au piège, bon sang ! Et ce changement n'avait rien de rassurant.

Quand il eut recouvré son sang-froid, il prit les planches qu'il avait sciées un peu plus tôt et les rapporta à l'intérieur.

Sarah n'avait pas bougé.

Après qu'il lui eut montré ce qu'il attendait d'elle, elle s'exécuta, clouant la planche à la perfection. Elle n'avait pas menti et savait manier le marteau aussi bien que n'importe quel menuisier.

Lorsqu'ils eurent fini la première fenêtre, elle examina son travail d'un œil critique.

— Pas mal. Qu'est-ce qu'il y a d'autre à faire ?

— La même chose sur toutes les fenêtres qui laissent passer l'air. Ensuite, mettre des bâches sur les parties du toit les plus abîmées. Je l'aurais déjà fait si j'avais eu les bâches que j'ai commandées, mais je les attends toujours.

— Les toits, ce n'est pas de ma compétence.

— Il ne manquerait plus que ça ! Celui-là, à son point le plus bas, est quand même à plus de dix mètres du sol.

— Si je le voulais vraiment, je le ferais.

Elle le contemplait d'un œil moqueur, un léger sourire aux lèvres. Elle n'était quand même pas en train de flirter avec lui ? se demanda-t-il, intrigué. Il recula instinctivement d'un pas. Qu'elle le fasse exprès ou non, cette femme était dangereuse.

— Je suis persuadé que, si vous avez décidé de faire quelque chose, vous y parviendrez sans problème.

— Oh! J'allais oublier! Je voulais vous le dire tout à l'heure et cela m'a échappé : je tiens absolument à vous payer pour les réparations que vous avez effectuées sur ma cuisinière la semaine dernière. Vous vous êtes donné beaucoup de mal. Combien est-ce que je vous dois?

— Rien du tout.

— Mais vous avez acheté des pièces et vous avez fait tout le travail, il n'y a pas de raison. Je veux vous dédommager.

Cimarron la contempla, intrigué. Dans sa tête tournaient toutes sortes d'idées plus coquines les unes que les autres. Elle pourrait le payer en nature…? Il se ressaisit rapidement.

— Je l'ai fait pour vous rendre service, ce n'est pas un problème.

— Très bien. Dans ce cas, je vous invite à dîner ce soir, Wyatt et vous. J'avais prévu de faire des steaks avec des pommes de terre au four et une salade. Si Wyatt préfère, je lui donnerai un hot dog ou un croque-monsieur. J'ai tout ce qu'il faut.

Cimarron hésita. C'était tentant. Pourtant, il ne pouvait s'empêcher d'avoir quelques réserves. Pourquoi donc Sarah se montrait-elle aussi accommodante tout à coup? Qu'était-elle donc en train de manigancer? Il voulut en avoir le cœur net.

— Dites-moi, comment se fait-il que votre attitude ait

changé aussi radicalement en si peu de temps ? Pouvez-vous me l'expliquer ?

Elle lui décocha un sourire charmant.

— D'abord, Wyatt me fait pitié et puis…

Tout en parlant, elle replaça lentement le marteau dans sa ceinture à outils. Voyant sa main s'approcher ainsi de lui, il ressentit aussitôt un désir aussi violent qu'incontrôlable.

— Et puis, poursuivit-elle comme si de rien n'était, je crois que je peux me montrer gentille avec n'importe qui, pour une durée limitée, un mois par exemple.

Si elle voulait jouer à ce jeu, elle était loin de s'imaginer à qui elle avait affaire, se dit Cimarron, piqué au vif.

— Ma belle, j'ai connu des femmes qui sont tombées amoureuses de moi en moins d'un mois.

Ses yeux s'écarquillèrent. Elle posa sur lui un regard éloquent.

— Ne vous bercez pas d'illusions.

Il la fixa longuement.

Visiblement beaucoup plus troublée qu'elle ne voulait l'admettre, elle déglutit avec difficulté.

— Bon alors, vous voulez venir dîner, oui ou non ? dit-elle très vite.

— Volontiers. Je ferais sans doute mieux d'aller chercher Wyatt chez Kaycee. Cela fait un moment qu'il est là-bas. Nous allons prendre une douche rapide, et je vous rejoins pour vous donner un coup de main.

— Je vais commencer à m'y mettre. A tout à l'heure !

Il la regarda s'éloigner, tout son corps parcouru de pico-tements. Elle descendit le chemin sans se retourner. Même de dos, même à distance, il la désirait comme un fou. Il était peut-être temps de prendre la poudre d'escampette.

Il y avait aussi une autre option : décider une bonne fois pour toutes qu'il ne s'agissait que d'un jeu sans conséquence. Après tout, ce n'était que pour un mois. Il arriverait bien à tenir le coup.

Chapitre 13

Une fois qu'il eut rangé ses outils et donné un coup de balai, Cimarron alla à la clinique chercher Wyatt. Il repensa soudain à ce que le petit garçon avait dit à Jon au sujet de son père, lui déclarant qu'il avait eu « une fatale ». Il était évident qu'il n'avait pas vraiment compris la réalité de la situation. Le moment était venu de lui parler comme un père le ferait avec son fils, bien qu'il ne soit pas particulièrement doué pour ce genre de choses...

Au lieu du vacarme auquel il s'attendait, il trouva Kaycee en train de ranger la salle du personnel. Un calme olympien régnait dans la maison.

— Bonjour, Kaycee. Alors, il paraît que vous avez hérité d'un huitième enfant pour quelques heures ?

Elle l'accueillit d'un sourire en lui serrant la main.

— Cela me fait plaisir de vous revoir. Wyatt est adorable et tout se passe très bien. Il est dehors avec les jumeaux. Ils ont l'air de s'entendre comme larrons en foire.

— C'est très gentil à vous de l'avoir invité.

— Oh! Vous savez, un de plus ou de moins! s'exclama Kaycee en riant.

— Quand même. En tout cas me voilà. Je suis venu le chercher.

— Il peut venir jouer quand il veut du moment que les garçons sont là.

— Merci. Je pense que cela lui fera très plaisir.

Les trois garçons avaient grimpé sur la clôture et discutaient tranquillement, tout en observant une jeune femme occupée à donner une leçon d'équitation à une petite fille coiffée d'un casque. Elle tenait le cheval par une longe et le faisait avancer au pas en faisant de grands cercles.

Cimarron attendit que la leçon se termine puis s'approcha de la clôture.

— Salut, les garçons ! Vous vous amusez bien ?

— Oui, m'sieur ! fit Zach. On regarde Claire pendant qu'elle donne une leçon.

— Qui est Claire ?

— La fille du contremaître du ranch. Elle va à l'université du Montana et elle travaille aussi quelquefois à la clinique.

— Ah, je vois.

— Vous êtes venu chercher Wyatt ?

— Oui. C'est l'heure de rentrer.

Wyatt descendit lentement de son perchoir, flanqué des deux jumeaux. Visiblement, il n'avait aucune envie de partir, nota Cimarron, ne sachant pas s'il devait s'en réjouir ou s'en inquiéter.

— Je pourrais revenir ? murmura timidement le petit garçon.

— Kaycee a dit que tu peux revenir quand tu veux pour jouer avec les jumeaux.

— Demain ? s'enquit Tyler.

— On verra. Vous aussi, les garçons, vous pouvez venir jouer avec Wyatt quelquefois.

— Super! Tout le temps alors!

— On verra. Tu viens, Wyatt?

Après avoir dit au revoir à ses nouveaux amis, l'enfant lui emboîta le pas à contrecœur.

Lorsqu'ils eurent rejoint le studio, Cimarron prit une inspiration profonde.

— Wyatt, ce soir nous allons dîner avec Sarah. Mais avant, j'aimerais te parler.

— J'ai rien fait!

— Je n'ai pas dit que tu avais fait quelque chose, gros bêta. Je veux te parler de ton papa.

— Oh…

Le petit garçon ouvrit de grands yeux étonnés, visiblement sans comprendre où Cimarron voulait en venir.

— Il va venir me chercher?

— Assieds-toi.

Wyatt obéit. Il grimpa sur une des chaises et attendit.

— Wyatt, est-ce que tu comprends vraiment ce qui est arrivé à ton papa?

L'enfant se tortilla sur son siège.

— Il a eu une *fatale* et il est au ciel.

— Tu comprends si je te dis que ton papa est *mort*?

Wyatt secoua la tête.

Cimarron soupira. C'était bien ce qu'il craignait…

Il se mit à arpenter la pièce, tâchant de mettre un peu d'ordre dans ses idées. Il repoussa ses cheveux d'une main tremblante.

— Qui t'a dit qu'il avait eu une… une « fatale » ?

— Je ne sais pas. J'ai entendu un monsieur qui disait que mon papa avait eu une *fatale* et qu'il était parti comme ça !

Joignant le geste à la parole, il fit claquer ses doigts maladroitement, imitant ce qu'il avait dû voir.

Cimarron s'accroupit devant lui.

— Ecoute, Wyatt, voilà ce qui s'est passé. Ton papa était monté sur un échafaudage. Tu sais, c'est comme des grandes étagères que l'on met pour que les peintres puissent atteindre le plafond quand il est très haut. Il est tombé de tout là-haut et il s'est fait mal en tombant, parce que c'était très dur par terre. Il s'est fait tellement mal qu'il n'a pas pu être guéri.

Wyatt blêmit.

— Plus jamais ?

Cimarron secoua la tête.

— Non, Wyatt. Plus jamais. Il est mort. C'est ça, être mort. Quand on est très vieux, très malade ou quand on est blessé, alors on s'endort et on ne se réveille plus.

— Et mon papa, il est mort ?

— Oui.

— Mais tu m'as dit qu'il était au ciel. Je croyais que c'était quelque part dans l'Idaho ?

— Non, je ne crois pas que ce soit dans l'Idaho. Le ciel, c'est là où vont tous les gens une fois qu'ils sont morts. Il y en a qui disent que c'est là-haut, derrière les étoiles. On ne peut pas les voir d'ici, mais il y en a qui pensent que ceux qui sont morts, eux, ils peuvent nous voir et qu'ils continuent à protéger ceux qu'ils aiment.

Le petit visage de Wyatt se déforma, et de grosses larmes perlèrent à ses paupières.

— Je ne le reverrai… plus jamais ?

— Non. Plus jamais.

Il resta silencieux, totalement désarmé face au désarroi évident de son neveu. Que dire de plus?

— Je te promets que tout ira bien, bonhomme. Je te le promets.

— Alors, c'est toi mon papa maintenant, tonton Cimron? Hein, c'est toi?

Cimarron posa une main sur le genou de Wyatt, de nouveau en proie à ce sentiment de culpabilité qui l'étreignait bien trop souvent à son goût. Bon sang! pourquoi R.J. était-il mort?

— Tu sais, Wyatt, je ne pourrai pas être un très bon papa. C'est pour cela que je t'avais parlé de ces familles avec un papa et une maman, où tu serais bien plus heureux qu'avec moi.

Wyatt renifla bruyamment, et Cimarron lui tendit un mouchoir en papier.

— Allez, souffle.

Il s'exécuta puis Cimarron lui essuya le nez.

— Je peux aller vivre avec Zach et Tyler. Je les aime bien. Ils ont un papa et une maman, eux.

Le cœur de Cimarron se serra. Il aurait tant voulu lui dire oui. Cependant, la vie n'était pas aussi simple. Le mieux pour Wyatt serait de lui trouver une famille d'adoption. Seulement, comment l'expliquer à un petit garçon de cinq ans dont le papa venait de mourir? Comment le lui faire comprendre?

— Ils ont déjà sept enfants, tu te rends compte? dit-il d'une voix douce. Je ne pense pas qu'il y ait assez de place. Tu sais, il y a beaucoup de familles qui voudraient avoir un enfant et qui n'en ont pas.

Wyatt secoua la tête vigoureusement et détourna les yeux, refusant de le regarder.

— Non! Je veux pas! Je veux mon papa!

Après avoir en vain cherché à attraper son regard, Cimarron se leva.

— Bon, écoute, nous parlerons de tout cela plus tard. Allons nous préparer pour dîner chez Sarah.

Lorsqu'ils furent prêts, ils rejoignirent Sarah, qui était en train de mettre la table dans le patio. L'air était doux et frais; c'était une soirée idéale pour manger dehors. Elle posa un pot de crème fraîche et du beurre pour les pommes de terre, du sel et du poivre, ainsi que des bols pour la salade.

— Tout ce qu'il faut pour allumer le barbecue se trouve dans le placard à gauche en entrant. Vous voulez bien vous en occuper pendant que je fais la salade? Malheureusement je vais être obligée de mettre les pommes de terre au micro-ondes, je n'ai pas eu le temps de m'en occuper plus tôt. Il suffira de les finir au barbecue.

— D'accord, pas de problème.

— Wyatt, est-ce que tu aimerais un croque-monsieur ou un hot dog? Si tu préfères, je peux partager mon steak avec toi. Ils sont énormes, je n'en mangerai jamais un tout entier.

— J'aime bien le steak, répondit le petit garçon sans grand enthousiasme.

Il traîna son sac à dos par terre et s'installa sur un coin de table, puis sortit son album et ses crayons et se mit à colorier, visiblement préoccupé.

Sarah posa sur Cimarron un regard intrigué.

— Qu'est-ce qu'il a? Ça s'est mal passé à la clinique?

— Non, non, pas du tout. Je vous expliquerai.

Dans la cuisine, elle prépara une superbe salade en un tour de main et mit les pommes de terre dans le micro-ondes. Du réfrigérateur, elle sortit deux beaux steaks bien persillés, qu'elle apporta à Cimarron.

Le barbecue était prêt, et Cimarron attendait, le dos tourné, des pinces à la main. Lorsqu'il pivota pour lui faire face, elle dut y regarder à deux fois, n'en croyant pas ses yeux. Il avait mis le ridicule tablier qu'une amie lui avait offert un jour pour lui faire une blague, représentant un corps féminin en Bikini.

Il lui décocha un grand sourire.

— Vous trouvez que cela me grossit?

Le spectacle de cet homme si viril déguisé de la sorte était si cocasse qu'elle partit d'un grand rire et faillit lâcher l'assiette qu'elle portait.

Wyatt leva les yeux de son coloriage et regarda son oncle avec des yeux ronds.

— Tonton Cimron, t'es trop drôle!

Cimarron prit l'assiette des mains de Sarah avant que tout se retrouve par terre.

— Quoi? fit-il d'un ton faussement indigné, vous n'aimez pas? Je l'ai mis exprès pour vous.

— Oh…, pouffa-t-elle en se tenant les côtes, arrêtez, j'ai mal…

— Vous ne devriez pas laisser traîner des choses comme ça, Sarah, c'est très dangereux.

Il se pavana comme une pin-up sur la plage, faisant mine de mettre en valeur le décolleté provocant, si bien que Wyatt éclata de rire à son tour.

Encore secouée de rires incontrôlables, Sarah retourna dans la cuisine chercher une bouteille de vin. Une fois qu'elle l'eut débouchée, elle laissa respirer le vin quelques instants avant de le verser dans les verres.

— J'espère que vous aimez le shiraz parce que, ce soir, le choix c'est shiraz ou… shiraz. J'ai apporté du jus de fruits pour toi, Wyatt.

Pendant que la viande grillait, Cimarron ôta le tablier et vint s'asseoir sur une chaise du patio, étendant ses longues jambes devant lui. Puis il prit le verre de vin, en but une gorgée et hocha la tête d'un air appréciateur.

— A quoi pensez-vous? demanda Sarah.

— A rien.

Il laissa un instant son regard errer en direction de la vallée dont les contours s'estompaient peu à peu dans l'obscurité croissante.

— J'apprécie ce moment de paix et de tranquillité, c'est tout. Et vous?

Elle haussa les épaules.

— Je récupère. Cette semaine passée a été un peu… difficile.

— C'est vrai. Je dois dire que cela m'a pris par surprise, moi aussi. Votre frère a un grave problème de jeu.

— Si ce n'était que ça! C'est une longue histoire, mais je doute que vous ayez envie de l'entendre.

— Je ne sais pas. Je dois avouer que ce que je connais déjà de Bobby ne m'incite guère à creuser davantage.

Elle ne répondit pas et but un peu de vin, réfléchissant aux paroles de Cimarron. Ce n'était pas la première fois que Bobby, avec son sens de l'éthique bien personnel, suscitait ce genre de réaction de la part des gens. A commencer par leurs parents, qu'il ne cessait de décevoir. Mais, comme avec le fils prodigue, sa famille qui l'aimait lui pardonnait chaque fois, espérant contre toute attente qu'il finirait bien par changer un jour.

— Cela remonte à loin, vous savez, commença-t-elle néanmoins. Quand il était petit, Bobby avait une santé très fragile, et maman avait toujours peur qu'il ne lui arrive quelque chose. A force d'être trop gâté, il n'a jamais vraiment mûri ni pris ses responsabilités.

Pensive, Sarah porta le verre à ses lèvres et but une autre gorgée.

— Cela explique pourquoi il agit comme il le fait, sans se rendre compte des conséquences de ses actes.

— C'est moche, reconnut Cimarron. C'est sûrement dur pour lui aussi, j'imagine.

— Je pense. Maman se rend malade à le voir comme ça. Papa, lui, a beaucoup de mal à comprendre, ça le met hors de lui. Quoi que l'on dise, quoi que l'on fasse, cela ne change absolument rien. C'est comme s'il était imperméable à tout.

— De toute façon...

Cimarron se leva pour aller retourner les steaks avant de poursuivre :

— ... je ne connais aucune famille qui soit parfaite. Regardez la mienne, par exemple. Mon père n'a jamais été capable de faire face à ses responsabilités. Il était comme un gamin, tout ce qui l'intéressait, c'était de participer à tous les rodéos qu'il pouvait. Il...

Son portable sonna. Il le tira de sa poche, jeta un coup d'œil à l'écran et l'éteignit aussitôt.

— Répondez si vous voulez, lui dit Sarah. Je vais aller chercher la salade et les pommes de terre.

— Non, je le prendrai plus tard.

A partir de là, l'atmosphère changea du tout au tout, nota Sarah. On aurait dit qu'un vent froid s'était levé malgré la douceur de l'air. Cimarron se referma comme une huître, comme s'il avait un secret à cacher. Il retourna s'occuper des steaks et des pommes de terre, et ne revint à table que lorsque tout fut prêt et la salade servie. Sans un mot.

Après avoir déposer un steak dans chacune des deux assiettes, il s'assit. Sarah partagea le sien, en découpant une portion en petits morceaux qu'elle fit glisser dans l'assiette de Wyatt, avant de le servir en pommes de terre et en salade.

On n'entendit bientôt plus que le raclement des couverts sur les assiettes et le chant froissé des grillons.

Soudain, un mouvement imperceptible dans un coin du patio attira l'attention de Sarah.

— C'est le chien ! s'écria Wyatt en sautant sur ses pieds.

— Assieds-toi ! lui ordonna sèchement Cimarron. Je t'ai déjà dit de laisser ce chien tranquille.

Déçu, Wyatt obéit, sans pour autant quitter le chien des yeux.

Cimarron fit un geste impatient dans sa direction.

— Allez, va-t'en !

Aussitôt, le chien disparut derrière le mur.

— Pourquoi la chassez-vous ? voulut savoir Sarah, surprise de cet accès de mauvaise humeur. C'est une chienne perdue à qui je donne des restes de temps en temps.

— Cette chienne a volé mon déjeuner quand nous étions au bord de la rivière.

— C'est rare qu'elle s'approche si près de la maison. Vous devez l'attirer.

— C'est bien ma chance.

— En quoi est-ce un problème?

— Une responsabilité supplémentaire. En plus, comme les sandwichs se trouvaient dans la poche de ma plus belle veste, elle a pris le tout sans se poser de question.

— Oh! La vilaine chienne! s'exclama Sarah d'un ton moqueur.

Elle se mit à débarrasser la table sous le regard attentif de Cimarron.

— Je vais nettoyer la grille du barbecue, laissa-t-il tomber.

Lorsque Sarah revint quelques instants plus tard, avec une assiette de restes, la chienne était assise à quelques pas de Cimarron, la tête penchée, les yeux implorants. Il referma le couvercle du gril et rangea tous les ustensiles. Intriguée, Sarah observa ce qui était en train de se jouer entre Cimarron et la chienne.

Wyatt, lui, descendit doucement de son siège, brûlant de se rapprocher de l'animal.

Cimarron regarda la chienne et soupira.

— Tu perds ton temps, ma jolie. Tu ferais mieux de tenter ta chance auprès de quelqu'un d'autre.

Au son de sa voix, la chienne poussa un petit jappement, et sa queue se mit à battre le sol. Sarah n'en croyait pas ses yeux. Même quand elle lui donnait à manger de temps en temps, jamais la chienne n'avait réagi de la sorte, restant toujours craintive en sa présence.

— Cimarron, je crois que vous vous êtes fait une amie, que vous le vouliez ou non, dit-elle en souriant.

Cimarron grimaça.

— Rassurez-vous, elle va vite comprendre son erreur.

Sarah s'approcha et posa l'assiette par terre sous l'œil

attentif et inquiet de l'animal, qui finit par s'avancer vers la nourriture. Au moment où Sarah reculait, Wyatt s'approcha et s'accroupit tout près de l'animal. Craignant pour sa sécurité, Sarah étendit la main pour le tirer un peu en arrière. C'est alors que la chienne grogna et fit mine de la mordre. Sarah retira précipitamment sa main, frappant par mégarde le visage de Cimarron qui se tenait juste derrière.

Aussitôt, Cimarron se jeta entre elle et le chien, attrapant Wyatt et l'entraînant violemment loin de l'animal.

— Allez, ouste ! Va-t'en !

Sans demander son reste, la chienne s'enfuit.

Cimarron assit Wyatt sur sa chaise un peu rudement.

— Bon sang, je t'avais dit de ne pas t'approcher de ce chien !

L'enfant se mit à sangloter.

— Je… je voulais pas le toucher, je voulais juste le regarder manger.

— Que cela te serve de leçon ! Allez viens, fit-il en le soulevant, c'est l'heure d'aller te coucher.

Le petit garçon continuait à pleurer toutes les larmes de son corps. Malgré son désir de le prendre dans ses bras et de le cajoler, ce que son oncle visiblement n'avait aucune intention de faire, Sarah se garda bien d'intervenir.

Cimarron se tourna vers elle.

— Merci pour les steaks, Sarah. Je vous retrouve plus tard pour discuter.

— Entendu. Bonne nuit, Wyatt.

Quand ils furent partis, elle finit de tout ranger puis revint s'installer à la table du patio et se versa un autre verre de vin.

Pauvre Wyatt ! Cimarron ne lui disait jamais rien de gentil, ne lui faisait jamais de câlin. Si pendant l'après-midi elle s'était sentie vraiment attirée par cet homme, après l'incident de ce soir, elle n'était plus sûre de rien. Un homme capable de traiter un enfant de la sorte ne méritait pas son attention.

Un petit bruit lui fit lever les yeux.

La chienne était revenue et, après lui avoir jeté un regard par en dessous, se mit à dévorer la nourriture à grands coups de langue, surveillant les alentours avec inquiétude, prête à s'enfuir à la moindre alerte. Soudain, ses oreilles se dressèrent, et elle disparut comme elle était venue.

— J'ai vu que vous étiez encore là, dit Cimarron en s'approchant. Je suis désolé pour ce qui s'est passé avec ce satané animal. Vous n'avez pas été mordue, au moins ?

— Non, non.

Il prit place sur une chaise à côté d'elle.

— Je vous verse un peu de vin ? lui proposa-t-elle, l'observant à la dérobée.

— Volontiers.

En posant le verre devant lui, elle remarqua sa joue, légèrement rouge à l'endroit où elle l'avait frappé par mégarde.

— Oh ! Mon Dieu, je suis désolée ! s'écria-t-elle en tendant instinctivement la main vers lui dans un geste presque maternel.

Il l'attrapa.

— Voilà ce qui arrive quand on essaie d'être gentil avec les chiens perdus.

— Elle me fait tellement pitié. Je n'ai pas le cœur de la chasser.

— Elle va vous manger un doigt un de ces jours pour vous remercier.

Tout en parlant, Cimarron effleurait ses doigts. Leurs regards se croisèrent. Sarah retint son souffle. Elle attendit, sans un mot. Il se pencha vers elle. Leurs lèvres se touchaient presque. L'air semblait s'être raréfié. Sarah ne bougeait pas. Cimarron pencha la tête doucement, comme pour voir jusqu'où il pouvait pousser ce petit jeu.

Allait-elle rester ainsi sans bouger, à attendre qu'il l'embrasse ? Lui qui n'était qu'un étranger ? Pire encore, un ennemi ?

Mais il ne la laissa pas s'éloigner aussi facilement, gardant ses doigts entre les siens, bien serrés. Puis, lentement, il retourna sa main et piqua un baiser sur sa paume, sans lâcher ses yeux un seul instant.

Tout sembla disparaître autour d'elle. Seule, la brûlure sur son poignet la rattachait encore à la réalité.

— C'est très dangereux, vous savez, de vous montrer trop gentille avec les chiens perdus, mademoiselle James, murmura-t-il dans un souffle.

Rougissante et troublée, elle retira sa main d'un mouvement brusque.

— Wyatt a-t-il réussi à s'endormir ? lança-t-elle d'une voix qu'elle eut du mal à reconnaître.

Cimarron laissa sa main suspendue dans les airs un instant, puis il saisit son verre de vin, qu'il porta à ses lèvres.

— Oui, il a fini par y arriver. J'ai laissé la lumière allumée et la porte entrouverte, comme ça je peux la voir d'ici. S'il se réveille au milieu de la nuit, je ne crois pas qu'il aura trop peur dans le studio.

— Tant mieux. J'étais tellement contrariée de le voir aussi effrayé l'autre nuit.

— Oui, je m'en suis rendu compte. Vous savez y faire

avec les enfants. J'ai remarqué ça quand je vous ai vue avec ceux de Jon.

— J'adore les enfants. Vous, en revanche, je n'ai pas l'impression que ce soit votre cas ?

Il répondit par un sourire ironique. Pendant un moment, il ne dit rien, et elle crut l'avoir blessé.

— Je reconnais que je n'ai pas votre charisme, reprit-il au bout d'un instant. Pour tout vous avouer, un seul enfant suffit à me faire perdre tous mes moyens.

— Cela saute aux yeux. Je ne vous ai jamais entendu dire un seul mot gentil à Wyatt.

Il lui jeta un regard étonné et fronça les sourcils en secouant la tête, perplexe.

— Là, franchement, vous êtes injuste. Je fais de mon mieux. Essayez un peu de vous mettre à ma place. Vous croyez que c'est facile pour moi ? Wyatt m'est tombé dessus du jour au lendemain, sans que l'on m'ait donné le mode d'emploi.

— Vous avez de ces images, vous !

— Désolé, mais c'est tout à fait l'impression que j'ai eue. Le pire, c'est que je ne peux pas m'empêcher de culpabiliser. Déjà au départ, cela ne m'enchantait guère de prendre R.J. pour ce boulot. Je l'ai fait quand même, parce qu'il avait telle-ment insisté. Et puis ce jour-là, il est arrivé pour embaucher avec Wyatt, sous prétexte que sa petite amie l'avait plaqué. Il trouvait tout naturel que je fasse le baby-sitter. J'étais furieux, vous comprenez ? Alors, je lui ai dit de ne pas traîner et de venir chercher son gamin le plus vite possible.

Il marqua une pause, et Sarah n'osa pas intervenir, de peur d'interrompre ses confidences qui, elle devait bien le reconnaître, la touchaient profondément. Il resta ainsi plusieurs minutes, les yeux perdus dans le vague, tandis que l'obscurité reprenait peu à peu ses droits, recouvrant le paysage d'un voile opaque. Tout à coup il fut parcouru d'un long frisson.

— Je crois que s'il est tombé, c'est parce qu'il se dépêchait trop, reprit-il d'une voix sourde. Il est mort, là, sous mes yeux… Je n'ai pas eu le temps de lui dire quoi que ce soit…

— Je suis désolée. Vraiment désolée.

Cimarron pressa ses lèvres l'une contre l'autre pour ne pas laisser transparaître ses émotions. Pas là. Pas devant Sarah. Puis, au prix d'un effort considérable, il parvint à chasser toute pensée négative.

— Allons! A quoi bon ressasser tout cela? lança-t-il. C'est le passé. Ce qui est fait est fait. Si on pouvait changer la donne, il y a longtemps que j'aurais choisi de meilleures cartes.

— Vous n'avez pas de famille pour vous aider?

— Non. Ma mère est morte quand j'étais adolescent. Quant à mon père, il a brillé par son absence. Pour tout vous avouer, je ne saurais même pas vous dire s'il est vivant ou non. A supposer qu'il le soit, ce n'est pas une option envisageable. Pauvre Wyatt! Il mérite mieux que ça. Même à mon pire ennemi, je ne lui souhaiterais pas d'avoir l'enfance que j'ai eue.

— Wyatt s'en sortira. Il est plutôt facile comme enfant, plus facile que beaucoup.

— Trop. Ce n'est pas normal. Je vis dans la hantise qu'il refasse une crise comme l'autre soir. Heureusement que vous êtes arrivée, je ne savais plus à quel saint me vouer.

— Il a surtout besoin d'être rassuré, Cimarron. Il a perdu

son père, il a peur. Ça se comprend, non ? Essayez de vous mettre à sa place. Il n'a que cinq ans. Il a besoin qu'on lui fasse des câlins et qu'on le rassure.

— C'est justement ce que je ne sais pas faire ! Et puis, il n'y a pas que ça. Je vis comme un nomade, je ne reste jamais plus d'un an au même endroit. Comment voulez-vous qu'il s'y fasse ? Il faudra bien que quelqu'un s'occupe de lui pendant que je travaille. Mais qui ? Chaque fois, des personnes différentes, des étrangers ? Cela ne peut pas être bon pour lui.

Il poussa un gros soupir.

— De toute façon, je suis complètement dépassé par les événements, avoua-t-il.

— La vie n'est pas un long fleuve tranquille, il faut savoir s'adapter aux circonstances. Avez-vous envisagé de changer de façon de travailler ? C'est peut-être le moment pour vous de vous stabiliser un peu ?

Cimarron se frappa la cuisse d'un geste impatient et se leva.

— C'est ça ! Vous voulez que je change ma façon de vivre, vous voulez que j'arrête de faire ce que j'aime. Pour faire quoi à la place, à votre avis ? Je ne sais rien faire d'autre. Et tout ça, parce que mon frère a eu la mauvaise idée de mourir ! Génial, tout simplement génial !

Sur ces mots, il enfouit les mains dans les poches de son jean, et prit une inspiration profonde.

— Désolé de vous ennuyer comme ça avec tous mes soucis, je n'aurais pas dû. C'est juste que… Non, tant pis. Vous avez été très patiente. Encore merci pour le dîner, merci aussi d'avoir emmené Wyatt jouer à côté. Bonsoir.

Il traversa la terrasse à grands pas, pénétra dans le studio et referma la porte derrière lui. Toutes les lumières ne tardèrent pas à s'éteindre.

Sarah demeura sans bouger jusqu'à ce que l'air de la nuit commence à la faire frissonner. Elle porta à ses narines la main que Cimarron avait tenue et embrassée, et qui semblait encore palpiter à l'endroit précis où il avait posé ses lèvres.

Cet homme n'était pas heureux. Comment pouvait-elle l'aider? Comment pouvait-elle aider Wyatt, si triste à un âge où tout devrait être joyeux pour lui? Elle n'en avait pas la moindre idée. Elle n'était plus sûre de rien. Si elle-même ne savait plus où elle en était, quelle chance avait-elle de leur être d'un secours quelconque?

Et pourquoi donc cela lui tenait-il tant à cœur?

Chapitre 14

A peine eut-il refermé la porte du studio que Cimarron s'y adossa, les yeux perdus dans le vague, l'esprit en ébullition.

La réaction de Sarah l'avait profondément blessé. Elle ne lui avait pas caché sa déception : elle trouvait qu'il ne savait pas s'occuper de Wyatt, qu'il était incompétent. C'était comme si elle lui avait assené une gifle magistrale. Qu'elle ait une opinion aussi négative de lui lui faisait l'effet d'un poison lui déchirant les entrailles. Quoi qu'il en soit, il était sûr d'une chose : il lui fallait partir d'ici au plus vite, prendre une chambre dans un motel, s'éloigner de cette femme, ou elle risquait fort de l'entraîner à sa perte.

Farouche défenseur de son indépendance, il n'avait jamais laissé aucune femme s'immiscer dans sa vie. Ses relations étaient superficielles, éphémères. Sans danger. C'était les seules qu'il connaissait, les seules dont il comprenait et par conséquent acceptait les règles.

Avec Sarah, c'était différent. Même s'ils étaient partis sur de mauvaises bases. Même si elle jouait à lui faire croire qu'il avait ses chances. Même si l'attraction qu'elle exerçait sur lui n'était pas payée de retour. Tout cela ne changeait rien. Que l'opinion de Sarah compte tant à ses yeux le perturbait, le déstabilisait. Son instinct lui disait de fuir le plus vite possible.

Il ne savait plus ce qui lui arrivait, et détestait perdre ainsi tout contrôle sur ses sentiments.

Furieux et mal à l'aise, il s'engouffra sous la douche, puis se coucha, espérant que le sommeil lui apporterait un peu de réconfort. Si seulement il pouvait revenir au jour précédant l'accident de son frère…

Le lendemain matin, il prépara un petit déjeuner de fortune pour Wyatt et lui, utilisant les moyens du bord. Aller déjeuner au Café et voir Sarah était au-dessus de ses forces. Il n'avait qu'une envie : travailler. Travailler pour ne plus penser.

Comme les jumeaux étaient à la garderie, Wyatt n'avait pas d'autre choix que de rester avec lui. Il avait envie de jouer avec ses petites voitures, et Cimarron n'y voyait aucun inconvénient du moment qu'il ne s'éloignait pas de la maison.

En ce qui le concernait, le programme du jour était simple : continuer à mettre la maison hors d'eau aussi sommairement que possible en attendant mieux, puis commencer les travaux de préparation. Tout cela était aussi indispensable qu'urgent, quelle que soit la suite des événements.

Quelques heures plus tard, son estomac lui rappela qu'il devait être l'heure de faire une pause-déjeuner. Cela tombait bien, il venait de terminer la réparation d'un mur de plâtre abîmé par l'humidité. Il rangea ses outils et se dirigea vers l'entrée. Alors qu'il s'approchait de la porte donnant sur le porche, la voix de Wyatt lui parvint dans un murmure indistinct. A qui pouvait-il bien parler ? Il s'approcha doucement pour voir ce qui se passait et tendit l'oreille.

Wyatt était allongé sur le ventre, un bras passé autour de l'encolure de la chienne errante. Il lui parlait à voix basse, avec le plus grand sérieux. L'animal donnait l'impression de l'écouter, la tête penchée, comme s'il ne voulait pas perdre une miette de son discours.

Sans les reproches de Sarah qui ne cessaient de le hanter, Cimarron n'aurait pas hésité à chasser la chienne. Mais il réfléchit et se dit que si elle avait voulu mordre Wyatt, elle l'aurait déjà fait depuis longtemps. Il retint son souffle et écouta.

— J'aimerais tellement que tu sois mon chien, chuchota Wyatt, mais tonton Cimron ne veut pas.

La chienne émit un petit jappement plaintif en guise de réponse et lécha la joue de l'enfant qui pouffa de rire.

— Chut ! fit-il en mettant son index devant sa bouche. Il faut pas que tonton Cimron nous entende, sinon il se mettrait en colère et te chasserait. Dis-moi, chien, est-ce que tu habites dans les bois ? Si tu étais mon chien, je te laisserais dormir avec moi. Sarah nous a donné une chambre avec un bon lit tout doux, ça pourrait être ton lit à toi aussi. J'aimerais bien que tu restes avec moi, comme ça je ne serais plus tout seul.

Cimarron avança d'un pas. Aussitôt, la chienne se dégagea et dévala les marches. Wyatt se leva d'un bond.

— Je ne suis pas allé la chercher, je te le promets ! C'est elle qui est venue toute seule se coucher à côté de moi.

— C'est bon, Wyatt, je ne vais pas te gronder.

L'enfant n'eut pas l'air convaincu.

— C'est vrai ? Je croyais que tu l'aimais pas ?

— Ce n'est pas ça, c'est simplement que j'ai peur qu'elle te morde.

Le visage de Wyatt s'illumina.

— Elle ne m'a pas mordu. Elle est très gentille.

— Je le vois bien.

— Je peux la garder, tonton Cimron? S'il te plaît? Je peux la garder?

Que se passerait-il si l'enfant s'attachait à cette chienne et devait en être séparé un peu plus tard? songea Cimarron, perplexe.

— Je ne sais pas si c'est une très bonne idée... Tu sais, cette chienne a beau être gentille, elle est peut-être malade. Si tu veux la garder, il faudra l'amener à la clinique de Kaycee, pour qu'elle l'examine et lui fasse des piqûres contre la rage et les autres maladies des chiens.

— Des piqûres? Oh non! s'offusqua Wyatt. Elle va pas aimer ça.

— Sûrement pas, non, toutefois nous ne lui demanderons pas son avis. Est-ce qu'elle vient quand tu l'appelles?

— Je sais pas. Je l'ai jamais appelée.

— Alors, essaie. Je te promets que je ne la chasserai pas.

Wyatt descendit les marches et s'accroupit en bas de l'escalier.

— Viens, ma belle. Viens! lança-t-il en frappant doucement dans ses mains.

Il balaya l'espace du regard et, ne voyant la chienne nulle part, recommença à l'appeler, puis siffla.

— Viens ici, personne ne va te faire de mal.

Cimarron veilla à rester en arrière, de manière à ne pas l'apeurer. Au bout d'un moment, la chienne sortit en rampant de dessous un buisson, non loin de la maison, et s'approcha lentement. Soudain, elle se figea en apercevant Cimarron. Ce dernier s'accroupit à son tour afin de la rassurer.

Elle finit par s'approcher de Wyatt en se tortillant et mit son museau dans sa main, tout en battant le sol timidement de la queue.

Wyatt était enchanté.

— Regarde ! Elle est revenue !

— En effet. Voyons si elle te suit jusqu'au studio. Nous allons lui donner quelque chose à manger, comme ça elle aura envie de rester.

— O.K. !

Dans son enthousiasme, il se redressa brusquement, et la chienne recula, effrayée. Toutefois, lorsqu'il l'appela, elle le suivit sans hésitation, dévalant la pente jusqu'en bas. Cimarron leur emboîta le pas tout en conservant suffisamment de distance, car, dès qu'il s'approchait un peu trop, l'animal faisait mine de s'enfuir, puis attendait qu'il se soit reculé de nouveau avant de poursuivre son chemin. Il monta au studio préparer une assiette avec les restes du petit déjeuner, auxquels il ajouta de la viande froide qu'il avait achetée pour faire des sandwichs.

Malgré l'insistance de Wyatt, il ne voulut pas laisser ce dernier donner lui-même à manger à la chienne.

— On ne sait jamais. Souvent, les chiens sont agressifs quand ils sont près de nourriture, surtout lorsqu'ils ont très faim, ce qui est son cas. On voit bien qu'elle n'a pas mangé depuis longtemps. Ne t'approche pas, on va voir comment elle réagit.

A l'odeur de la nourriture, la chienne se lécha les babines et alla même jusqu'à s'approcher malgré la présence de

Cimarron. A en juger par sa façon de se comporter avec Wyatt, Cimarron se doutait bien qu'elle avait dû avoir un foyer à un moment donné. Rien de tel, pour s'en assurer, que de voir si elle répondait à des ordres simples. Il décida donc de tenter l'expérience.

— Assis !

La chienne le fixa d'un œil attentif, puis son regard se posa sur l'assiette qu'il tenait à la main, et elle obéit.

Cimarron posa l'assiette sur la terrasse.

— O.K., tu peux y aller.

Encore hésitante, la chienne remua la queue puis, n'y tenant plus, elle s'avança vers l'assiette et se jeta sur son contenu, qu'elle avala en trois coups de langue. Après quoi, elle posa sur Cimarron de bons yeux doux dans lesquels se lisait sa faim inassouvie.

— Va chercher la viande froide dans le frigo, Wyatt, il y en a encore un peu.

Wyatt ne se le fit pas dire deux fois. Dès qu'il fut revenu, Cimarron ordonna à la chienne de s'asseoir, tandis qu'il reprenait son assiette pour la remplir de nouveau. Puis il la tendit à Wyatt.

— Bon, maintenant, va la poser là-bas, pas trop près d'elle et reviens ici.

Wyatt s'exécuta. Visiblement, la chienne n'avait qu'une envie, c'était de se jeter sur l'assiette. Toutefois, lorsque Cimarron réitéra son ordre, elle obéit et resta sans bouger.

— A toi, maintenant, murmura-t-il à Wyatt. Tu lui dis « O.K. ».

— O.K., ma belle. O.K.

C'était le signal qu'elle attendait. Aussitôt elle se jeta sur la nourriture, l'avalant aussi vite que la première fois. Puis elle se tourna de nouveau vers Cimarron, cette fois-ci, battant l'air de sa queue et exprimant sa joie par de petits jappements.

— Bon, je crois qu'il va falloir aller lui acheter de la nourriture pour chien si elle continue comme ça, dit Cimarron. A la seule condition, bien entendu, que l'on arrive à la faire vacciner. Au début, tu ne lui donneras à manger que lorsque je serai avec toi. C'est bien compris ?

Wyatt hocha la tête vigoureusement.

— On peut lui donner un nom, tonton Cimron ?

— Si tu veux. Tu as une idée ?

— On pourrait l'appeler « Spot » ?

— Spot ? Taches ? Elle n'a pas de taches. Pourquoi pas « Sécotine » ? Ça lui va plutôt bien, tu ne trouves pas ? C'est un vrai pot de colle.

Wyatt se mit à rire.

— Sécotine ? J'aime bien ce nom. Viens ici, Sécotine ! Viens !

La chienne trotta vers Wyatt, qui la gratta derrière les oreilles.

— Tonton Cimron, tu veux bien demander aujourd'hui pour les piqûres au Dr Kaycee, s'il te plaît ?

— Je m'en occuperai tout à l'heure dès que j'aurai fini mon travail. Mangeons vite, plus tôt j'y retourne, plus tôt ce sera fait.

Il leur prépara un sandwich à chacun et deux verres de lait.

Il s'était donné comme tâche pour la journée de finir la préparation des murs de l'entrée. Demain, il s'occuperait de la toiture. Il fallait au moins qu'il repère d'où venaient les fuites qu'il avait constatées dans le grenier, et qu'il pose des bâches avant la prochaine grosse averse.

Quand ils eurent fini de manger, il retourna travailler sur les murs de l'entrée. A intervalles réguliers, il allait jeter un coup d'œil sur Wyatt et Sécotine qui jouaient ensemble dehors, pour voir si tout se passait bien. En fin de compte, ce chien lui rendait plutôt service, songea-t-il en rentrant colmater les dernières fissures du dernier mur.

— Bonjour, Sarah ! s'écria Wyatt.

— Bonjour, toi. Dis donc, c'est qui, ça ?

— Sécotine ! Tonton Cimron m'a dit que je pouvais la garder si elle n'était pas malade. Il veut aussi que le docteur Kaycee lui fasse des piqûres.

— C'est vrai ? J'espère que tu pourras la garder.

— Moi aussi. Je l'adore !

— Ton oncle est là ?

— Me voilà. Que me vaut le plaisir de votre visite ? lança Cimarron depuis le seuil.

— Comme j'avais un peu de temps devant moi, je me suis dit que je pourrais venir vous donner un coup de main, si vous avez besoin de main-d'œuvre.

— Si j'avais su, je ne me serais pas dépêché comme ça ! Je viens de terminer.

— Regarde, tonton Cimron ! s'écria Wyatt, tout excité. Zach et Tyler sont rentrés !

Il leur fit de grands gestes, auxquels ils répondirent avec autant d'enthousiasme, lui faisant signe de venir les rejoindre.

— Je peux aller jouer avec eux ?

— Tu ne vas quand même pas y aller tous les après-midi ! Ils n'ont peut-être pas que ça à faire. Attends plutôt d'être invité.

— Mais le Dr Kaycee a dit que je pouvais y aller quand je voulais, objecta l'enfant, dépité.

— Je sais, seulement ce n'est pas poli de s'imposer. Tu dois t'assurer qu'ils n'ont pas d'autres projets. Sois patient. Je vais mettre un peu d'ordre à l'intérieur. Quand j'aurai fini, nous irons voir le Dr Kaycee pour la chienne.

Déçu, Wyatt se laissa tomber sur une marche, le menton entre les mains, regardant tristement ses amis disparaître à l'intérieur du bâtiment. La chienne posa son museau sur ses genoux, tandis qu'il lui caressait la tête d'un air absent.

Cimarron se tourna vers Sarah.

— Vous voulez venir me tenir compagnie pendant que je range mes outils ?

— Oui, pourquoi pas ? répondit-elle sèchement.

Il l'observa, surpris. Apparemment il venait de faire encore une gaffe, songea-t-il, contrarié. Qu'avait-il fait de répréhensible cette fois-ci ? Empêcher Wyatt d'aller chez les Rider ? Mais après tout, peu importe. Toutefois, il ne supportait pas qu'elle pose sur lui ce regard désapprobateur. Chaque fois, il se sentait tout petit et incompétent, revenu au temps où sa mère…

Il chassa vivement ses pensées noires de son esprit.

Sarah faisait le tour de la pièce, ramassant les outils qui traînaient.

— Alors, vous avez décidé de garder cette chienne ? demanda-t-elle quand elle fut certaine que Wyatt ne pouvait pas les entendre.

— Je me suis fait assez remonter les bretelles, hier soir.

Il paraît que je ne suis pas assez gentil avec mon neveu, laissa-t-il tomber.

— Je ne vous ai pas « remonté les bretelles ». Je vous ai simplement donné un conseil d'amie.

— Eh bien, je vous ai écoutée.

— Hier encore, vous aviez peur que cet animal soit dangereux. Comment se fait-il que vous ayez changé si vite d'avis?

— Tout à l'heure, quand je suis sorti, Wyatt était allongé par terre et tenait la chienne dans ses bras. Je pouvais difficilement la chasser. Cela dit, je n'accepte de la garder qu'à la condition qu'elle se laisse examiner et vacciner. Sinon, elle va repartir très vite d'où elle est venue.

— Oh. Et comment comptez-vous vous y prendre? La chasser à coups de fusil?

Elle avait parlé d'un ton ironique, sans dissimuler sa désapprobation, une fois de plus. Cimarron soupira. Il n'y arriverait jamais…

— Non, je n'utiliserai pas de fusil. Je me contenterai de la chasser, tout simplement.

— Espérons que tout se passe bien.

— Espérons.

Il rangea le dernier outil dans la boîte, referma le couvercle, et s'essuya les mains sur un chiffon.

— Bien! Voyons si cette brave bête est prête à coopérer. Vous nous accompagnez?

La chienne suivit Wyatt sans rechigner jusqu'à la clinique.

— Je vais chercher Kaycee, proposa Sarah.

Quelques instants plus tard, elles sortirent ensemble du bâtiment.

— Alors, elle a fini par se laisser apprivoiser ? demanda Kaycee. Cela fait des mois que j'essaie de l'attraper sans succès.

— Elle s'appelle « Sécotine », déclara Wyatt fièrement.

— Oh. C'est un nom qui lui va très bien. Pendant que l'on y est, j'aimerais lui faire une prise de sang. Cela me permettra de vérifier si elle a des vers ou d'autres problèmes. Viens m'aider à tout préparer, Sarah. Elle se laissera peut-être faire plus facilement si elle ne se doute de rien.

Dès que les deux jeunes femmes se furent éloignées, Cimarron emmena Wyatt dans le pré clôturé.

— Appelle-la.

Wyatt l'appela par son nom, l'encourageant à venir en faisant toutes sortes de bruits et en sifflant. La chienne s'approcha timidement, mais, lorsqu'elle aperçut la barrière, hésita. Au bout d'un moment, elle finit par entrer, et Cimarron profita de ce que Wyatt s'occupait d'elle pour aller fermer la barrière sans qu'elle s'en rende compte. Puis il vint s'accroupir à côté de l'enfant et de la chienne et tendit la main. La chienne renifla, craintivement d'abord, avant de se détendre, visiblement plus en confiance.

« Attends un peu, songea Cimarron, après ce que je vais te faire, tu ne voudras plus que je t'approche. Mais je le fais pour ton bien. »

Armé de cette certitude, il se mit à lui parler d'une voix rassurante, jusqu'à ce qu'elle le laisse la caresser. Il alla même jusqu'à passer un bras autour de son cou. Elle eut un petit sursaut mais ne chercha pas à s'enfuir.

— C'est bien, ma belle, l'encouragea Wyatt. C'est bien.

— Ecoute-moi, Sécotine, déclara Cimarron, je sais que

tu ne vas pas aimer ce que l'on va te faire, seulement il va falloir que tu me fasses confiance, d'accord? Je ne laisserai jamais personne te faire du mal. Bon, c'est vrai, un tout petit peu, juste une petite piqûre, rien de plus. Wyatt, quand le Dr Kaycee reviendra, je veux que tu ailles à l'intérieur jouer avec les jumeaux, compris? Je t'appellerai quand ce sera fini.

— Mais, tonton Cimron…

— Elle peut avoir peur et mordre. Fais ce que je te dis, sinon je la laisse partir, comme ça l'affaire sera réglée et on n'en parlera plus.

— O.K., maugréa Wyatt.

Quand Kaycee les eut rejoints, Wyatt se dirigea vers la maison d'un pas lent, comme s'il traînait toute la misère du monde derrière lui.

Kaycee posa ses instruments tout près d'eux.

— Allez, Sécotine, tu vas voir, ce sera vite fait, dit-elle d'une voix douce et ferme à la fois. Cimarron, vous la tenez bien?

— Je l'espère.

Il resserra un tout petit peu son étreinte. Aussitôt, la chienne se tendit, inquiète. Il lui parla alors d'une voix calme et posée tandis que Kaycee venait s'agenouiller près d'elle. Sécotine grogna.

— Allons, allons, la rassura Cimarron, un peu inquiet quand même au cas où elle déciderait de lui planter ses crocs dans le gras du bras. Ne t'inquiète pas, calme-toi, là, c'est bien.

En moins de temps qu'il n'en fallait pour le dire, Kaycee l'avait frottée au niveau de l'épaule avec un coton imbibé d'antiseptique, enfoncé l'aiguille et frotté de nouveau pour que l'animal ne sente pas trop la piqûre. Jusque-là, tout se passait plutôt bien. Elle avait beau être tendue comme un arc et protester d'un grognement sourd, elle n'avait pas tenté de les mordre.

— Maintenant, je vais essayer de lui faire une petite prise de sang. Je dois faire ça dans la patte, ce qui n'est pas très agréable. Vous allez devoir la tenir fermement. Ça va aller?

— J'ai toujours aimé vivre dangereusement. Dites-moi quand vous serez prête.

Kaycee arrangea ses instruments sur une serviette posée à même le sol. Pendant ce temps, Cimarron caressait Sécotine. Il lui prit la patte pour voir comment elle réagirait. Elle lui lança un regard apeuré, ses grands yeux doux reflétant une confiance qu'il n'avait pas encore remarquée. Hélas, il craignait fort de bientôt la décevoir.

— O.K., lança Kaycee.

Tout en tenant d'un bras la chienne serrée contre lui, de l'autre main, Cimarron lui prit la patte qu'il maintint fermement. Kaycee savait y faire, il n'y avait pas de doute. Sans hésitation, elle planta l'aiguille et la seringue se remplit aussitôt de sang. Bien que la chienne se fût mise à japper et à se débattre, Cimarron ne lâcha pas son étreinte. Quand Kaycee eut enfin retiré l'aiguille, la chienne était si paniquée que rien n'aurait pu la calmer.

Kaycee essuya doucement le point de la piqûre avec de l'antiseptique.

— Vous pouvez la lâcher maintenant.

Dès qu'elle sentit la tension se relâcher, la chienne s'échappa d'un bond et galopa jusqu'à la barrière, courant frénétiquement le long de la clôture jusqu'à ce que Cimarron lui ouvre la porte. En quelques secondes, elle avait disparu dans les bois de l'autre côté de la vieille maison.

— Et voilà une histoire qui se termine avant d'avoir commencé. Dommage pour Wyatt… Enfin, c'est peut-être mieux comme ça, après tout, conclut Cimarron.

— Ne vous en faites pas, elle reviendra. Elle a eu peur, mais elle vous aime bien.

— J'en doute. Plus maintenant.

— Vous verrez.

Kaycee rassembla ses ustensiles.

— Merci de ce que vous avez fait pour elle, Kaycee. Je suis impressionné, on peut dire que vous savez manier l'aiguille!

— Merci. Venez avec moi, je vais la rentrer dans le registre officiel, vous noterez son numéro. Quand elle reviendra, vous n'aurez qu'à lui mettre un collier, comme ça la fourrière n'aura rien à vous reprocher. J'ai des colliers au cabinet.

Il lui acheta un collier rouge.

— Alors, ça y est? leur demanda Sarah en les rejoignant. Vous avez réussi?

— Je m'attendais à pire, franchement, avoua Kaycee. Heureusement que Cimarron était là pour la calmer.

C'était curieux, il n'avait pas du tout cet effet sur elle, songea Sarah tout en le regardant attacher une médaille sur le collier avec une paire de pinces que Kaycee lui avait prêtées.

— Où est-elle?

— Elle a filé dans les bois sans demander son reste dès que nous l'avons lâchée, soupira Cimarron. C'est bien ce que je craignais.

Il rendit les pinces à Kaycee, tournant le collier entre ses doigts d'un air pensif, tout en faisant cliqueter la médaille.

— Je crois que ce collier est tout à fait inutile. Le pire maintenant, cela va être de l'annoncer à Wyatt…

— Pour le moment, il joue avec les jumeaux, laissez-le donc. Je demanderai à Claire de leur donner à manger un peu plus tard. Peut-être la chienne sera-t-elle revenue d'ici là ?

Cimarron remercia une dernière fois Kaycee et retourna au Café en compagnie de Sarah.

— Vous voulez un verre de vin ? lui proposa Sarah. Cela vous remettra de vos émotions.

— Pourquoi pas.

Il jeta le collier sur la table du patio et se laissa lourdement tomber sur une chaise. Il étendit les jambes, le regard perdu au loin et contempla les nuages qui couraient à toute allure dans le ciel.

Sarah revint avec une bouteille et deux verres qu'elle posa sur la table. Après avoir demandé à Cimarron de faire le sommelier, elle s'assit à son tour.

— C'est la chienne qui vous tracasse ?

Il haussa les épaules.

— C'est plus la réaction de Wyatt qui m'inquiète. Pour la chienne, même si j'ai détesté la voir aussi effrayée, je sais qu'il vaut mieux pour elle qu'elle soit vaccinée, cela lui évitera sans doute de tomber malade.

— Vous l'aimez bien cette chienne, osez dire que je me trompe ?

Il acquiesça d'un léger hochement de tête.

— C'est vrai. Wyatt, lui, l'adore, cela ne fait aucun doute.

Un long silence s'installa, et Sarah n'osa plus rien dire. Que se passait-il dans la tête de Cimarron ?

Bientôt le soleil déclinant illumina les sommets dans un ultime sursaut, avant de disparaître complètement, tandis qu'une ombre longue et froide s'allongeait sur la colline qui s'étendait derrière la vieille maison, jusqu'à l'envelopper tout à fait.

— Cimarron, il y a autre chose qui vous tracasse. Qu'est-ce que c'est ?

— Je n'arrête pas de penser à ce que vous m'avez dit hier soir, à propos de Wyatt. Je crois que vous avez raison.

— Ah bon ?

— Oui, il a besoin d'amour, d'attention… Tout ce que je suis incapable de lui donner.

— Je n'ai jamais dit que vous étiez incapable de lui donner tout cela ! J'ai simplement dit qu'en ce moment il traversait une période particulièrement critique, et qu'il fallait l'aider en étant plus tolérant, plus attentif, en lui apportant beaucoup d'amour.

Cimarron se redressa. Il appuya les coudes sur les genoux, tenant son verre entre ses deux mains. Il regarda Sarah droit dans les yeux.

— Je sais. Seulement, je ne crois pas avoir en moi ce qu'il faut pour répondre à ses demandes. Je ne crois pas non plus pouvoir changer.

— Ecoutez, vous avez été projeté dans une situation exceptionnellement difficile. Il faut laisser le temps au temps. Petit à petit, tout va redevenir plus normal.

— J'ai appris très tôt qu'il ne servait à rien de rêver. Pour moi, « normal », je ne sais pas ce que c'est.

— Vous m'avez dit que vous étiez seul, que vous n'aviez

pas de famille. J'ai du mal à l'imaginer, mais cela doit être terrible. Moi, j'ai des parents qui feraient n'importe quoi pour Bobby et moi.

— C'est une chance, croyez-moi. Mon père, lui, n'était pratiquement jamais à la maison. Même avant que ma mère tombe malade, il passait son temps à suivre les rodéos pendant la plus grande partie de l'année. D'ailleurs, il porte une lourde part de responsabilité dans ce qui est arrivé. Il nous a abandonnés sans se soucier de subvenir à nos besoins. Le stress provoqué par son absence et le manque d'argent n'a fait qu'aggraver la maladie de ma mère. C'était vraiment difficile, ajouta-t-il, le regard sombre.

— Et votre frère, le père de Wyatt ?

— Il a toujours été le préféré de mon père et ne se gênait pas pour me le faire sentir. Très jeune, il savait déjà monter les mustangs alors que moi j'étais bien trop petit. Pour mon père, c'était le rêve d'avoir un fils comme lui. Il est parti avec lui quand j'avais onze, douze ans.

— Quoi ? Ils sont partis en vous laissant tout seul avec votre mère qui était malade ?

— Oui. Ils n'avaient qu'une envie, tous les deux, c'était de disparaître au plus vite, sans se poser de questions.

Sarah n'en croyait pas ses oreilles.

Comment un petit garçon de douze ans avait-il pu faire face à une situation aussi dramatique ? Elle qui se plaignait d'avoir dû faire la baby-sitter pour Bobby quand elle avait le même âge !

— Je ne voudrais pas être indiscrète, mais de quoi souffrait votre mère ?

— Elle avait de graves problèmes de cœur. Je n'ai jamais su exactement ce que c'était, il aurait fallu qu'elle consulte un spécialiste, ce qui n'était pas dans nos moyens. Déjà, nous ne pouvions pas toujours payer le docteur, ni les médicaments. Elle ne voulait pas entendre parler d'aide sociale, elle était bien trop fière pour ça. Quand elle n'allait pas trop mal, elle faisait des petits travaux de repassage. Elle ne voulait pas discuter de sa maladie avec moi, pour me protéger sans doute, cependant je sais que, même quand j'étais petit, elle était déjà très malade.

Sarah l'observa plus attentivement. Il y avait dans sa voix une amertume qu'elle percevait pour la première fois. L'homme qu'elle avait devant elle n'était pas celui qu'elle croyait connaître. Celui-ci était blessé, vulnérable, fragilisé par les épreuves qu'il avait traversées à un âge où tout n'aurait dû être qu'insouciance.

— A l'adolescence, j'avais peur de la laisser seule trop longtemps, poursuivit-il. Le matin, j'allais à l'école, l'après-midi je travaillais à mi-temps. On avait tout juste de quoi survivre. Je voulais quitter l'école, travailler à plein temps de façon à pouvoir lui payer un traitement adéquat, mais elle ne voulait absolument pas en entendre parler. Dès que je lançais le sujet, elle devenait si contrariée que j'ai fini par laisser tomber. On a fait ce que l'on a pu. Pour elle, ce qui comptait par-dessus tout, c'était que je termine mes études secondaires.

— Et alors?

— Oh! Je les ai terminées.

L'émotion dans sa voix était palpable. Il fit tourner le vin dans son verre, les yeux fixés sur le liquide aux reflets sombres.

Sarah sentait qu'il n'avait pas tout dit, mais elle ne voulait pas le bousculer, et attendit en retenant son souffle qu'il veuille bien continuer à se confier à elle. Au bout d'un moment qui lui parut une éternité, il posa enfin le verre sur la table.

— Elle est morte le soir de ma remise de diplôme.

Seigneur! songea Sarah, choquée. L'idée que sa propre mère ne soit plus là était inconcevable, même pas envisageable! Elle en avait froid dans le dos rien qu'en y pensant, et pourtant elle était adulte. Alors, perdre sa mère lorsque l'on était adolescent...

— Oh! Cimarron...

— Le pire, c'est que je n'étais pas avec elle. J'avais été invité à une soirée organisée par une amie pour célébrer les diplômes. Je voulais rester à la maison, mais ma mère a insisté pour que j'y aille, elle voulait que je m'amuse. C'est ce que j'ai fait. Je l'ai trouvée quand je suis rentré. Elle avait eu une crise cardiaque. Les médecins m'ont dit que je n'aurais rien pu faire.

Sa voix se brisa. Il ferma les yeux.

— Même si je n'avais rien pu faire, j'aurais pu au moins être avec elle, ajouta-t-il d'une voix sourde.

Sarah posa une main sur son bras.

— Ne soyez pas trop dur avec vous-même. Vous n'y êtes pour rien. Comment auriez-vous pu deviner?

— J'aurais dû m'en douter. La journée en elle-même avait été éreintante. La joie de voir l'un de ses fils terminer ses études, l'effort de marcher du parking au gymnase, tout cela était trop pour elle. Son cœur n'a pas tenu. J'aurais dû m'en douter...

Il prit sa tête entre ses mains, les yeux rivés sur les dessins que faisaient les veines du bois de la terrasse.

— Elle a eu une vie très dure, reprit-il. J'aurais tellement voulu qu'elle puisse en profiter un peu plus. Aujourd'hui, je pourrais financer le traitement médical nécessaire, lui offrir une maison confortable, tout ce qu'elle voulait… Je n'ai pas pu faire grand-chose à l'époque, à part être là pour elle, et encore, au moment où elle avait le plus besoin de moi, je n'y étais pas…

— On ne peut pas revenir en arrière, alors à quoi bon ressasser tout cela ? Vous devez tirer un trait là-dessus et cesser de vous tourmenter, sinon vous allez vous rendre malade, et cela ne servira à rien ni à personne.

— Je le sais bien.

Un long moment s'écoula sans que ni l'un ni l'autre ne parle.

Puis Cimarron se leva et s'étira avec la grâce d'un félin.

Sarah sentait chez lui une colère rentrée, un ressentiment tenace. Le sens des responsabilités dont il avait hérité avec la mort soudaine de son frère l'emplissait d'angoisse, c'était évident. Pourtant, elle sentait chez lui une force intérieure, un instinct de survie indéniable qui l'aideraient le moment venu à faire face aux nouvelles épreuves que la vie lui avait réservées.

Plus elle le voyait travailler dans la vieille maison, plus elle le voyait mettre un point d'honneur à ce que tout, jusqu'au plus infime détail, soit fait le mieux possible, plus elle regrettait que leur relation ne soit différente. Elle voulait récupérer sa maison, mais elle aurait voulu aussi que Cimarron prenne en main les travaux. Contradiction aussi criante qu'irréductible. Comment faire ? Elle n'en avait pas la moindre idée.

Quand il la surprit en train de l'observer attentivement, il la gratifia d'un petit sourire innocent.

— Laissez-moi vous donner un coup de main pour ranger avant que Wyatt ne revienne.

Il prit son verre et la bouteille et entra dans le Café.

Avec un petit soupir, Sarah le suivit.

Cimarron lava les deux verres, les mit à égoutter sur l'évier puis s'essuya lentement les mains tout en scrutant le visage de Sarah. Il ressentait pour elle une attirance qu'aucune autre femme n'avait exercée sur lui jusque-là. Comment faisait-elle ? D'où tenait-elle ce pouvoir de l'exciter et de l'inquiéter tout à la fois ? Il venait de lui ouvrir son cœur, de lui avouer ses faiblesses comme si, sans qu'il s'en rende compte, elle était parvenue à faire tomber les barrières dont il avait su si bien se protéger. Tous ses repères avaient disparu. Voilà qu'il se trouvait engagé, malgré lui, sur un chemin qui lui était totalement inconnu et qui pouvait tout aussi bien le mener à sa perte. Néanmoins, il avait beau faire, il ne trouvait pas en lui les ressources nécessaires pour rebrousser chemin, pour prendre ses jambes à son cou et se sauver avant qu'il ne soit trop tard. A supposer qu'il ne soit pas déjà trop tard.

— Dites-moi, Sarah, vous servez un vin excellent, vous faites le meilleur café et les milk-shakes les plus délicieux que j'aie jamais connus. Vous êtes une cuisinière hors pair, vous avez des talents indéniables de psychologue. Vous êtes belle, intelligente et vous n'avez pas les deux pieds dans le même sabot. Existe-t-il un domaine dans lequel vous n'excellez pas ?

Sarah le contempla sans un mot. Seigneur ! songea-t-il de plus en plus troublé, cette façon qu'elle avait de se mordiller la lèvre la rendait encore plus désirable.

— Oh ! Là, là ! Quel flatteur ! Vous ne pensez tout de

même pas que je vais vous avouer mes faiblesses? A vous de les découvrir.

Il sourit.

Pourquoi pas? Il y avait déjà songé. De toute façon, il était trop tard, ces lèvres roses et pulpeuses le rendaient fou. Si elle le giflait, il n'aurait qu'à faire attention la prochaine fois. Une aventure avec Sarah? Quoi de plus tentant?

Il fit un pas vers elle, attendit sa réaction. Elle ne recula pas, se contentant de rester sans bouger, comme si elle attendait de voir ce qu'il allait faire. Il se pencha vers elle, effleura ses lèvres. Elle releva la tête imperceptiblement. Encouragé, il mordilla doucement ses lèvres offertes puis, comme elle ne montrait toujours aucun signe de refus, il captura enfin sa bouche.

Au début, elle resta passive. Puis, peu à peu, elle le prit par les épaules, entrouvrit ses lèvres. Le baiser de Cimarron se fit alors plus profond, son corps se pressa contre celui de Sarah, tous ses muscles tendus. Plus elle jouait de sa langue, plus les battements de son cœur s'accéléraient.

Il fit glisser les doigts dans son opulente chevelure, la pressant contre lui comme s'il cherchait à la dévorer. Plus rien ne comptait pour lui que la bouche brûlante de la jeune femme, que ses mains qui lui caressaient le visage…

Il n'y tenait plus, rêvait d'explorer chaque recoin de son corps, il lui embrassa les commissures des lèvres, s'égara sur ses joues, sur son menton. Elle arqua son cou long et gracieux, l'invitant à y laisser errer sa bouche, toujours plus bas.

Malgré sa main qui tremblait, il parvint à déboutonner son chemisier, chaque bouton qui cédait déclenchant chez Sarah un petit gémissement, accélérant un peu plus les battements d'un cœur déjà affolé, jusqu'au petit cri final, lorsqu'il glissa les doigts sous la dentelle de son soutien-gorge. Il émanait de leurs deux corps emplis de désir comme un parfum envoûtant.

Lorsque Sarah lui entoura le cou de ses bras en gémissant, pressant son corps contre son sexe durci, Cimarron crut qu'il ne pourrait se contenir. A partir de cet instant, plus rien ne compta. Il perdit tout sentiment de temps et d'espace, tandis que son désir pour Sarah grandissait jusqu'à la douleur. Jamais il n'avait connu rien de tel avec aucune autre femme. N'y tenant plus, il explora son dos d'une main tremblante afin de décrocher l'attache de son soutien-gorge.

Soudain, elle se débattit et chercha à échapper à son étreinte.

— Cimarron, arrête!

Mais il n'était pas prêt à abandonner aussi facilement. Elle prit son visage entre les mains et le repoussa avec fermeté.

— Arrête!

— Ce n'est pas juste, grommela-t-il tout en essayant de la garder serrée contre lui.

Elle posa alors ses deux mains sur ses épaules.

— Quelqu'un arrive!

En effet, des voix leur parvenaient, se rapprochant peu à peu.

— Sarah? Où es-tu? cria Kaycee.

Wyatt! Il avait complètement oublié Wyatt! Décidément…

Sarah se reboutonna tant bien que mal, tandis qu'il détournait les yeux de peur que cette vision ne l'enflamme davantage, au risque de lui faire perdre tout contrôle. Bon sang! Cette femme le rendait fou.

— Sarah? Est-ce que tu as vu Cimarron? J'ai ramené Wyatt.

Kaycee était dans le patio, allait entrer d'une minute à l'autre.

— Je suis là! lâcha Sarah d'une voix rauque. J'arrive!

Cimarron l'attrapa par le bras. Avant qu'elle n'ait pu se dégager, il lui avait glissé une mèche rebelle derrière l'oreille.

— Recoiffe-toi un peu, tu es tout échevelée, murmura-t-il.

— Merci, souffla-t-elle.

Elle remit un peu d'ordre dans sa coiffure tout en se précipitant vers la porte.

— On est là! On arrive!

Cimarron attendit un moment avant de la rejoindre que son émoi se soit quelque peu apaisé.

— Je suis désolée de ramener Wyatt si tard, s'excusa Kaycee. J'avais beaucoup de paperasserie à terminer de toute urgence.

« Pas encore assez », songea Cimarron qui aurait bien aimé avoir encore un peu de temps seul avec Sarah.

— Ce n'est pas un problème, la rassura-t-il. Je sais qu'il s'est bien amusé, c'est ça qui compte.

Kaycee promena sur eux un regard scrutateur. Pourquoi se sentait-il coupable, comme un gamin surpris en train de voler des confitures? se demanda Cimarron, furieux contre lui-même. Il n'était pas nécessaire d'être particulièrement perspicace pour deviner ce qui venait de se passer entre eux : la peau délicate du visage de Sarah, rougie par le frottement de sa barbe naissante, parlait d'elle-même.

— Bon! Il faut que je file, dit Kaycee en ébouriffant les cheveux de Wyatt d'un geste tendre.

— Encore merci! lança Cimarron.

Après son départ, il se tourna vers Sarah.

— Je suis désolé, j'ai bien peur de t'avoir causé des ennuis.

— Je n'ai pas de comptes à rendre à Kaycee, elle n'est pas ma mère.

Elle plongea son regard dans le sien.

— Nous parlerons plus tard.

Parler, parler, parler! Il n'avait surtout pas envie de parler avec Sarah! Toutefois, il lui suffit de poser les yeux sur Wyatt pour revenir à la réalité. Le petit garçon avait l'air bien fatigué. Quant à lui, maintenant qu'il avait recouvré son calme, une petite voix lui chuchotait qu'il ferait mieux d'éviter de s'engager sur le plan émotionnel avec Sarah.

« Trop tard… », lui susurrait une autre petite voix, plus convaincante, celle-là.

— Où est Sécotine? s'inquiéta soudain Wyatt en la cherchant du regard.

— Je crois qu'elle a eu un peu peur, lui expliqua Cimarron. Après la piqûre, elle est partie se cacher.

— Elle va revenir?

— La seule chose à faire, c'est d'attendre. On verra demain.

— Mais je veux qu'elle revienne! sanglota Wyatt.

— En tout cas, ce soir nous ne pouvons rien faire de plus, dit Cimarron en jetant un regard éloquent à Sarah, qui rougit aussitôt. Rentrons. Je pense qu'une bonne douche nous fera le plus grand bien. Bonsoir, Sarah.

La jeune femme marmonna un vague « bonsoir ».

Chapitre 15

Le lendemain, après avoir installé une grande échelle contre le mur de façade, Cimarron monta tous les matériaux nécessaires à la mise hors d'eau du toit : plusieurs bâches, qu'on lui avait enfin livrées, des planches de bois, une visseuse sans fil et une quantité impressionnante de vis, ainsi que des cordes et un harnais de sécurité.

Puis, sans perdre de temps, il se mit au travail. Au bout d'une heure, il entendit un chien aboyer de manière insistante. Sécotine était revenue, songea-t-il, amusé. Elle n'était pas aussi traumatisée qu'il l'avait tout d'abord cru. Mais pourquoi donc faisait-elle un tel raffut ? Wyatt aurait dû…

Où était donc Wyatt ? se demanda-t-il brusquement en scrutant les alentours sans l'apercevoir. Il l'avait laissé jouer devant la porte du studio, en lui ordonnant de ne pas bouger. D'habitude, l'enfant était plutôt obéissant. Pris de panique, il fouilla de nouveau l'espace du regard. En vain.

— Wyatt ! Wyatt ! Où es-tu ? Réponds-moi ! hurla-t-il.

— Je suis là ! répondit l'enfant.

— Où ?

— Sur l'échelle.

Le sang de Cimarron ne fit qu'un tour.

Une petite tête bouclée apparut soudain à la limite du toit. A plus de dix mètres de hauteur.

— Wyatt, surtout ne bouge pas d'où tu es. Ne bouge pas!

— Ça va, tonton Cimron.

— Ne bouge pas, je te dis! Je viens te chercher.

Il secoua la corde attachée à son harnais de sécurité pour lui donner du jeu afin de pouvoir descendre jusqu'à l'échelle.

— Je veux venir là-haut avec toi, tonton Cimron.

Cimarron sentit une sueur glaciale lui couler le long du dos.

— Bon sang, Wyatt! Je t'ordonne de rester où tu es! Je ne plaisante pas. Tu ne bouges pas!

Il se mit à ramper avec prudence vers le rebord de la toiture. C'est alors que son pied heurta un tas de débris, lui faisant perdre son appui. Au moment où il commençait à glisser, il aperçut du coin de l'œil Wyatt en train d'essayer de monter sur le toit. Il jura entre ses dents et, tout en s'accrochant désespérément à la corde, essaya de prendre appui sur les ardoises qui se brisaient l'une après l'autre sous ses grosses chaussures, envoyant des morceaux voler de tous côtés.

Le cœur battant à tout rompre, il chercha frénétiquement à attraper n'importe quelle aspérité, priant que la corde tienne le choc et lui évite une chute fatale, priant surtout pour que Wyatt ne dégringole pas du haut de cette échelle.

Pendant ce temps, Sarah, qui sortait un sac d'ordures, jeta un coup d'œil vers la maison pour voir ce que Cimarron était en train de faire. Que pouvait bien être cette petite tache sombre tout en haut de l'échelle? se demanda-t-elle, intriguée. Elle plissa les yeux.

— Seigneur! Ce n'est pas possible! Wyatt!

Elle s'élança comme une flèche, grimpant le chemin escarpé qui menait à la maison aussi vite que ses jambes le lui permettaient. C'est alors qu'elle aperçut Cimarron qui semblait chercher à descendre du haut de la toiture. Soudain, il se mit à glisser. Il tombait! Elle poussa un cri.

Dès qu'elle fut au pied de l'échelle, elle l'agrippa et leva la tête vers Wyatt, qui était déjà en train d'essayer de mettre un pied sur le toit.

— Wyatt! Ne va pas sur le toit! Ecoute-moi! Surtout n'y va pas!

Par chance, l'échelle était bien amarrée et elle ne bougea pas lorsque Sarah se mit à grimper. Des morceaux d'ardoises volaient de toutes parts, menaçant de la blesser. Heureusement, elle parvint par on ne sait quel miracle à les éviter, gardant les yeux rivés sur le petit garçon.

De là où elle se trouvait, elle ne pouvait qu'entendre le fracas provoqué par Cimarron dans ses efforts désespérés pour ralentir sa chute.

— Tonton Cimron! Ne tombe pas! hurla Wyatt, soudain pris de panique.

Invoquant toutes les divinités qu'elle connaissait, Sarah continuait à grimper. Chaque barreau la rapprochait un peu plus de Wyatt. Sans accorder une pensée à la peur qui lui tenaillait le ventre, elle qui avait plutôt tendance à souffrir de vertige, elle s'obligea à se concentrer de toutes ses forces sur le sommet de l'échelle, refusant de regarder en bas.

— J'ai peur! gémit brusquement Wyatt d'une voix tremblante en se penchant vers elle.

— Ne te penche pas! Je viens. Surtout, tiens bon. Ne lâche pas!

Elle ne voyait toujours pas Cimarron. Il avait dû trouver le moyen de se retenir, sinon il serait déjà tombé, pensa-t-elle, à moitié rassurée seulement.

Après un temps qui lui parut une éternité, elle finit par approcher du but. Plus que quatre barreaux et elle serait près de Wyatt. C'est alors que Cimarron apparut juste au-dessus de l'enfant qu'il attrapa fermement sous le bras.

Sarah franchit l'espace restant. Elle était terrifiée. Immobilisant fermement Wyatt entre ses bras, elle s'agrippa à l'échelle en tremblant.

Cimarron, tout en tenant la corde d'une main, parvint à essuyer la sueur qui lui brouillait la vue.

— Sarah, est-ce que tu te sens capable de l'aider à descendre ? fit-il d'une voix rauque, presque désincarnée.

— Je n'ai pas vraiment le choix ! rétorqua-t-elle sèchement. Comment as-tu pu le laisser monter sur cette échelle ? Tu es complètement fou ou quoi ?

— Ce n'est pas moi. Il… Ecoute, on en discutera en bas, ce n'est ni l'endroit ni le moment, d'accord ? Aide-le simplement à descendre. S'il te plaît.

Elle le fusilla du regard, se contentant de marmonner entre ses dents :

— Je *déteste* les hauteurs.

Lentement, très lentement, elle descendit les barreaux un à un, assurant son équilibre de son mieux tout en aidant Wyatt à poser à son tour ses pieds sur les traverses que ses petites jambes avaient du mal à atteindre.

Lorsqu'ils furent arrivés assez bas pour que tout danger soit enfin écarté, ce fut au tour de Cimarron de descendre.

Dès que Wyatt eut posé les pieds par terre, Sarah l'entoura de ses bras et le serra fort contre elle.

— Tout va bien, mon petit bonhomme. Ne crains rien.

Le petit garçon hocha la tête, blanc comme un linge.

— Cours vite au studio pour te laver les mains, d'accord? Nous te rejoignons tout de suite.

Sans demander son reste, l'enfant partit d'un trait, Sécotine sur les talons.

Sarah se tourna vers Cimarron qui venait de la rejoindre.

— Comment cela a-t-il pu arriver? s'écria-t-elle. Non mais, tu te rends compte? Il aurait pu se tuer!

— Je sais, reconnut-il d'une voix encore enrouée par l'émotion.

Plié en deux, les deux mains sur les cuisses, il essaya tant bien que mal de reprendre son souffle.

— Tu ne t'en es peut-être pas aperçue, mais j'ai tout fait pour le rejoindre.

— En effet! J'ai vu! Tu as d'ailleurs failli te tuer dans l'histoire!

— Il n'aurait jamais dû se trouver là. Je lui avais dit de rester sur la terrasse, devant le studio.

— Tu lui as *dit*? Il vaut mieux entendre cela que d'être sourd! Tu ne sais donc pas qu'avec les jeunes enfants il suffit de leur dire de ne pas faire quelque chose pour qu'ils s'empressent de le faire?

— Non! Justement je ne sais pas! Combien de fois faudra-t-il que je te répète que je n'ai aucune idée de la façon de m'y prendre avec les enfants? Bon sang, je croyais pourtant avoir été clair!

— Eh bien il serait temps que tu apprennes, et vite!

— Tu n'as qu'à me dire ce que je dois faire pour l'élever,

puisque tu t'y connais si bien! Cela me ferait gagner du temps.

— Tout ce que je sais, c'est que l'on ne peut pas laisser un enfant de son âge jouer tout seul sans surveillance.

— Ce problème va être vite résolu, déclara-t-il d'un ton sec.

— Que veux-tu dire par là?

— Rien. C'est sans importance.

Sur ces mots, il passa devant elle sans lui jeter un regard, descendit la colline d'un pas rapide jusqu'au studio et claqua la porte derrière lui.

Le cœur de Sarah battait à tout rompre, même maintenant que Cimarron et Wyatt étaient tous deux hors de danger. Elle n'aurait su dire si elle avait eu plus peur lorsqu'elle avait vu Cimarron dégringoler du toit, ou à l'idée que Wyatt ait pu tomber du haut de l'échelle.

Ce qu'elle savait en revanche, c'était qu'un enfant de l'âge de Wyatt ne pouvait rester ainsi sans surveillance. Comme Cimarron ne savait visiblement que faire, elle décida de s'occuper du problème. Avant d'attaquer la préparation du dîner, elle se rendit à la clinique pour parler avec Kaycee.

— Salut! fit-elle en frappant à la porte du bureau de son amie. Tu as une minute? Il faut absolument que je te voie.

— Je n'ai rien de très urgent. Mais dis-moi, tu es blanche comme un linge. Que s'est-il passé?

— C'est Cimarron et Wyatt. Si ça continue comme ça, je vais finir par avoir une crise cardiaque.

— Raconte.

Sarah lui décrivit ce qui venait d'arriver.

— En effet. Ils auraient pu se blesser.

— Ou pire encore.

Kaycee s'appuya sur le dossier de sa chaise.

— Nous ne pouvons pas rester les bras croisés. Cimarron a besoin d'aide.

— Il a besoin de beaucoup d'aide, renchérit Sarah en soupirant. Je n'ai jamais rencontré personne d'aussi peu doué avec les enfants.

— C'est peut-être tout nouveau pour lui ?

— Oui, c'est ce qu'il dit. Mais quand même, à ce point-là ? Il pourrait avoir un minimum d'instinct paternel, tu ne trouves pas ?

— N'oublie pas qu'il n'est pas le père de Wyatt. Son instinct finira bien par apparaître avec le temps.

— J'en doute, marmonna Sarah.

— Ecoute, Sarah, ne sois pas trop injuste envers lui. Il fait des efforts, même moi je peux m'en rendre compte. Regarde par exemple comment il a su gérer cette histoire de la chienne. A mon avis, il n'avait pas du tout envie de la garder. Au lieu de la chasser, comme il aurait très bien pu le faire, il s'est assuré qu'elle serait vaccinée. C'est plutôt bon signe, non ?

— Sans doute, reconnut Sarah à contrecœur. En tout cas, il ne peut pas continuer à faire des travaux dans la maison avec Wyatt dans les pattes, sans aucune surveillance le plus clair du temps. Même si je voulais l'aider, je ne pourrais pas, je suis bien trop prise avec le Café.

— Je suis entièrement d'accord.

Elle jeta un coup d'œil par la fenêtre. Dans le pré, en face de son cabinet, Claire marchait à côté d'un poney monté par une fillette coiffée d'un casque d'équitation.

— Je me demande si Claire ne pourrait pas s'occuper de

lui de temps en temps, murmura Sharah. Par exemple, quand Cimarron est obligé de faire des trucs dangereux, comme de monter sur un toit à plus de dix mètres de hauteur.

— Pourquoi pas ? Elle aimerait sans doute se faire un peu d'argent. Elle essaye de faire des économies pour monter une école d'équitation pour handicapés une fois qu'elle aura son diplôme. Elle vient ici trois journées complètes par semaine et, quand elle ne donne pas de leçons d'équitation, elle étudie, ou bien elle me donne un coup de main à la clinique.

— Tu veux bien lui demander ? J'ai pas mal de boulot et je suis déjà en retard pour mes préparations en cuisine.

— Pas de problème. Dès qu'elle aura fini sa leçon, je lui parlerai.

— Merci ! Bon, il faut que je file.

— Sarah ? Ne perds pas espoir avec Cimarron, laisse-lui encore une chance. J'ai l'impression que, l'autre soir, ça avait l'air d'aller assez bien entre vous, non ? Avec ton aide, il finira bien par apprendre à être papa.

Pour remercier Sarah de lui avoir trouvé une baby-sitter trois jours par semaine, Cimarron lui fit parvenir une douzaine de roses. Si elle ne mentionna plus l'incident du toit, son opinion sur ses qualités de père était bien établie. Cimarron, lui, était entièrement d'accord avec elle, et c'est pourquoi il attendait avec impatience que son avocat trouve une famille d'adoption pour Wyatt. Toutefois, la situation n'était pas aussi simple qu'elle en avait l'air. Dans le meilleur des cas, il ne lui serait pas facile de se séparer de Wyatt et, jour après jour, sans qu'il fasse rien pour cela, il s'attachait de plus en plus à l'enfant. Lui qui se targuait d'être libre et sans liens ne comprenait plus ce qui lui arrivait. Cet amour qu'il commençait à éprouver pour Wyatt l'effrayait autant que son attirance croissante pour Sarah.

S'il ne voulait pas se trouver pris au piège, il allait devoir disparaître d'ici au plus vite. Pour ne rien arranger à l'affaire, il y avait la maison. Quoi qu'il fasse, il était confronté à un dilemme, car, à supposer que Sarah ne parvienne pas à trouver rapidement l'argent pour la racheter, il n'aurait pas d'autre choix que de rester le temps nécessaire pour pouvoir la revendre à d'autres acquéreurs. Une fois de plus, Sarah serait lésée. Sans Wyatt dans les jambes, il avait bien sûr avancé beaucoup plus vite aujourd'hui, toutefois il était loin, bien loin de pouvoir la mettre en vente. En outre, chaque minute supplémentaire passée en compagnie de Sarah renforçait sa dépendance. Si cela continuait, il ne pourrait bientôt plus se passer d'elle.

Ce qui l'épouvantait au plus haut point.

Quand Claire ramena Wyatt à l'appartement, Cimarron avait eu le temps de prendre une douche et de faire une lessive. Il le prit sous les bras et le fit sauter en l'air, déclenchant un immense sourire qui lui rappela R.J., toujours heureux et insouciant.

— Alors, mon vieux ! Comment s'est passée ta journée ?

— Super génial ! s'exclama Wyatt en riant à gorge déployée tandis que Cimarron le faisait sauter en l'air dans tous les sens. J'ai joué avec Zach et Tyler.

— Qu'est-ce que vous avez fait ?

— On a fait plein de trucs. On a joué aux petites voitures, aux cow-boys et aux Indiens, et Claire a joué avec nous !

— Tu en as de la chance. J'aurais préféré être avec vous que dans cette vieille maison pleine de poussière.

Il le reposa sur le sol.

— Tu viendras avec moi la prochaine fois, tonton Cimron ?

— On verra. En attendant, cours vite te laver les mains, le dîner sera prêt dans une minute.

Il le regarda filer à toutes jambes et se tourna vers Claire. Elle était jolie sans aucun artifice, avec des yeux noisette et un sourire chaleureux, des cheveux châtains retenus en queue-de-cheval. D'un abord agréable, elle parlait d'une manière franche et directe qui lui conférait probablement une autorité naturelle aussi bien avec les chevaux qu'avec les enfants. Avec elle, il savait que Wyatt était en sécurité.

— Vous ne pouvez pas savoir combien j'apprécie votre aide, dit-il en sortant son portefeuille.

— Vous savez, Wyatt est vraiment facile. C'est un petit garçon adorable.

— C'est vrai.

Il sortit un billet de cinquante dollars, qu'il lui tendit.

— Oh ! monsieur Cole, c'est beaucoup trop ! Je m'occupe des jumeaux quand ils sont là, alors un de plus ou de moins, cela ne fait pas une grande différence.

— Appelez-moi « Cimarron ». Vous savez, vous m'avez ôté une rude épine du pied. Pour moi, cela n'a pas de prix, croyez-moi.

— Dans ce cas, merci. Dites, je me demandais si vous aviez pensé à envoyer Wyatt à la garderie avec les jumeaux ? Comme ça, il pourrait entrer à la maternelle cet automne et il se serait déjà fait des copains.

Sans le savoir, Claire venait d'appuyer là où cela faisait le plus mal. Cette fois encore, Cimarron se sentit terriblement coupable.

— Je vais y réfléchir, dit-il, quoique je ne pense pas que nous resterons dans les parages suffisamment longtemps pour que cela en vaille la peine. En fait, j'ai peur que ce ne soit pas une bonne idée. Il risque d'être perturbé si je dois l'enlever en milieu d'année.

— Je comprends. Je croyais que vous restauriez la maison avec l'intention d'y vivre.

— Ah non, ce n'est pas le cas. Bon, cela ne vous dérange pas, si je vous règle à la journée?

— Pas de problème. Je serai à la clinique après-demain matin. Vous n'avez qu'à amener Wyatt quand vous voulez à partir de 8 heures.

— Encore merci.

Cimarron rejoignit Wyatt qui jouait tranquillement, sans faire de bruit.

— Un croque-monsieur, ça te dirait? lui demanda Cimarron.

— O.K.

Comment se faisait-il que cet enfant soit si conciliant? se demanda-t-il, perplexe. Il mangeait sans rechigner tout ce qu'on lui donnait, ne se plaignait jamais, ne répondait pas, ne boudait jamais. Gentil et timide, trop parfait, il ne correspondait pas du tout à l'image que Cimarron se faisait des petits garçons : remuants, bruyants, toujours prêts à faire des bêtises.

— Tu veux m'aider à le préparer? lui proposa-t-il.

— Oui! Comment y faut faire?

— Viens, je vais te montrer.

Cimarron prit une chaise qu'il installa à côté de la cuisinière, le dossier contre le meuble. Wyatt y grimpa aussitôt.

— Voilà, tu vas étaler le beurre comme ça, lui expliqua Cimarron.

Après lui avoir fait une démonstration, il lui tendit le couteau.

A la fois fier et inquiet, Wyatt prit le couteau, qu'il planta dans le beurrier avec maladresse, manquant de le renverser. Puis il s'attela à sa tâche avec la plus grande concentration, tirant la langue et s'appliquant de son mieux sur la première tranche de pain. Puis il leva les yeux vers Cimarron, attendant son verdict.

— Pas mal pour un débutant.

Wyatt le gratifia d'un large sourire.

— Je peux faire le reste ?

— D'accord.

Cimarron prépara le fromage et le jambon, posa la moitié du pain côté beurré dans une grande poêle qu'il avait mise à chauffer.

— Maintenant, tu mets une tranche de fromage et une de jambon sur chaque morceau de pain, en faisant attention de ne pas te brûler.

Quand ce fut fait, Cimarron posa les autres tranches de pain sur le dessus. Une fois le fromage bien fondu, il retourna les croque-monsieur à l'aide d'une spatule, pour les faire dorer des deux côtés. Puis il les transféra sur deux assiettes, qu'il posa sur la table.

— Tu veux bien sortir le lait du réfrigérateur, s'il te plaît ?

— O.K.

Avec le plus grand sérieux, Wyatt alla chercher le pichet et le hissa sur la table sans en renverser une seule goutte.

Cimarron remplit leurs verres, puis coupa deux pommes en quartiers, qu'il disposa sur une assiette.

— C'est bon, déclara Wyatt après sa première bouchée.

— C'est sûrement parce que le pain était particulièrement bien beurré cette fois-ci. Cela fait une grosse différence, tu sais.

Wyatt lui adressa un sourire éclatant et mordit de plus belle dans son croque-monsieur.

Ils mangèrent en silence pendant un moment, puis Wyatt, sans lever les yeux de son assiette, dit :

— La première maman de Zach et Tyler est morte, comme mon papa. Ils étaient tristes comme moi quand c'est arrivé. Ils m'ont dit que c'était normal. Ils m'ont dit que leur maman aussi était au ciel, comme mon papa.

Wyatt continuait de manger, sans manifester apparemment la moindre émotion, pourtant Cimarron était conscient de la bataille qui devait se dérouler dans son petit cœur d'enfant.

— J'essaie de pas y penser, reprit-il, comme ça je suis moins triste. Zach et Tyler, ils m'ont dit qu'ils ont fait pareil. Maintenant, c'est mieux pour eux, parce qu'ils ont Kaycee comme deuxième maman.

— Je veux bien le croire. Kaycee est très gentille.

— Oh oui ! J'aimerais bien avoir une maman comme elle.

— Moi aussi, j'aimerais bien ça. Moi aussi…

— J'aimerais bien savoir où elle est, ma maman. Peut-être qu'elle me cherche ?

Cimarron posa sés couverts. Tout à coup, il n'avait plus faim. Comment expliquer à un petit garçon de cinq ans que sa mère aurait préféré qu'il ne soit jamais né ? Qu'elle ne voulait pas entendre parler de lui ? Que pouvait-il lui dire, sans le traumatiser, pour qu'il ne pense pas que sa mère viendrait un jour le chercher pour l'emmener vivre avec elle ?

Il ne savait par où commencer, avait peur de ne pas trouver les bons mots.

— Wyatt, est-ce que ton papa t'a parlé de ta maman ?

Le visage de l'enfant se crispa, et une immense tristesse se peignit sur ses traits. Il parut s'affaisser, comme si le poids du monde venait de lui tomber sur les épaules.

— Papa m'a dit qu'elle était méchante, que c'était « une vraie garce ». Il a dit qu'elle nous aimait pas, que même quand j'étais tout petit, elle m'aimait pas, elle était méchante avec moi. Il a dit qu'elle était partie et qu'elle ne reviendrait pas.

Cimarron n'en croyait pas ses oreilles. Comment son frère avait-il pu prononcer des paroles aussi dures face à un enfant si jeune ? Avait-il perdu la tête ?

— Et toi, tu en penses quoi, Wyatt ?

— J'aimerais bien qu'elle soit gentille. Zach dit que toutes les mamans aiment leurs enfants. Mon papa, il a dit que c'est pas vrai, que ma maman n'est pas comme ça. Moi, je voudrais que ma maman m'aime.

Il posa sur Cimarron un regard empreint de confusion mêlée de tant d'espoir que ce dernier en fut bouleversé. Si jeune et déjà conscient des faiblesses humaines… « Bravo R.J. ! », songea-t-il, amer.

Il poussa un long soupir, cherchant désespérément à trouver les mots qui lui permettraient de réparer un tant soit peu le mal que son frère avait fait.

— Wyatt, écoute. Je n'ai jamais rencontré ta maman, mais j'ai entendu ton père parler d'elle. Je crois que, quand ils se sont séparés, il était très en colère contre elle, c'est pour cela qu'il t'a raconté tout ça. Tu veux que je te dise ce que je pense ? Je pense que ta maman t'aimait à sa façon. D'après ce que j'ai compris, elle était beaucoup trop jeune quand tu es né, c'était presque une enfant elle-même.

Il marqua une pause. Wyatt se tortillait sur son siège, les yeux rivés sur lui, attendant qu'il continue. Quand il ouvrit la bouche, qu'il hésita, il fut clair que le petit garçon n'allait pas le laisser s'en tirer à si bon compte.

— Qu'est-ce qu'il y a, tonton Cimron ?

Il se racla la gorge.

— Voilà. En fait, ce qui s'est passé, c'est que ta maman ne s'est pas très bien occupée de toi quand tu es né. Elle ne savait pas comment faire pour te nourrir ni pour te laver. Alors ton papa a eu peur pour toi. Il a eu peur qu'elle te fasse du mal, sans le vouloir. Tu comprends ? Quand tu étais tout petit, il a demandé à un juge qu'il lui accorde ta garde, ce qui voulait dire que ta maman n'avait plus le droit de s'occuper de toi.

Pour éviter que Wyatt vive dans l'espoir que sa mère veuille le reprendre ou même qu'il décide d'aller la retrouver un jour, il ajouta à son récit un petit mensonge sans importance.

— Alors tu vois, elle ne cherchera pas à te reprendre maintenant, parce qu'elle sait qu'elle n'en a pas le droit, ce serait contre la loi.

Wyatt battit des paupières, tentant visiblement de toutes ses forces de ravaler les grosses larmes qui menaçaient de déborder.

— Jamais ? demanda-t-il d'une petite voix.

Cimarron secoua la tête, les lèvres serrées.

— Non, je ne pense pas.

Bon sang, pourquoi la vie était-elle si cruelle ?

— Ecoute-moi, bonhomme : tout va bien se passer, tu verras. Fais-moi confiance. Et puis arrête de t'inquiéter pour ta maman.

Avec la capacité qu'ont les enfants de passer d'un sujet à un autre sans transition, comme s'ils zappaient sur une autre chaîne de télévision, Wyatt renifla et dit :

— Tu vas me lire une histoire, ce soir ?

— Bien sûr. Laquelle veux-tu ?

Un jour, en faisant des courses, ils avaient acheté tout un tas de livres. A la grande consternation de Cimarron, Wyatt ne connaissait aucun des personnages, aucune des histoires qui font le quotidien de tous les enfants de son âge. Il avait choisi un livre rassemblant celles que sa propre mère lui avait lues, ainsi que plusieurs dont les couvertures plaisaient à Wyatt. Depuis, c'était devenu un rituel. Dîner, bain, puis Cimarron allait border Wyatt dans son lit et lui lisait une histoire jusqu'à ce qu'il s'endorme.

Pendant que Wyatt était dans son bain, il finit de ranger la cuisine puis prépara le lit. Son téléphone portable sonna. C'était son avocat.

— Je crois que nous avons trouvé le couple idéal pour adopter votre neveu.

Cimarron ne répondit pas ; il avait l'impression d'avoir reçu un coup de poing dans le ventre.

— Allô ? Cimarron ? Vous êtes là ? Je ne vous entends plus, est-ce que nous avons été coupés ?

— Non, non, je suis là, articula-t-il avec difficulté. Je… je ne sais pas quoi vous dire.

— Ils aimeraient vous rencontrer la semaine prochaine.
Ce sont des gens très bien. J'ai vérifié toutes leurs références,
elles sont excellentes. Mieux encore, ils peuvent le prendre
presque immédiatement.

— Immédiatement ? Ecoutez, euh… j'ai besoin d'un
peu de temps, je ne suis plus du tout sûr de vouloir faire
adopter mon neveu.

— Ah. Je vois. Vous auriez pu m'en parler plus tôt, tout
au moins avant que je ne contacte ces personnes. Nous
nous sommes tous mobilisés pour vous aider à sortir de ce
mauvais pas.

— Je sais. Je reconnais que j'aurais dû vous en parler plus
tôt. Je suis désolé.

Il s'adossa contre le chambranle de la porte. En face de
lui se dressait la vieille maison. Il ne pouvait rien décider à
ce stade, c'était trop tôt…

— Puis-je me permettre de vous suggérer que nous
maintenions cette réunion la semaine prochaine ? Vous
pourrez rencontrer les Carrington, cela vous aidera peut-être
à y voir plus clair. Ce sont des gens charmants. Ils ont deux
enfants naturels et trois qu'ils ont adoptés. Vous verrez, je
suis sûr que vous penserez, comme moi, que c'est la famille
idéale pour Wyatt.

— Quel jour, la semaine prochaine ?

— Mardi, à 14 heures. Je peux compter sur vous ?

— Vous pouvez. Je serai là. Seulement, je ne m'engage
à rien pour le moment, c'est bien d'accord ?

— Croyez-moi, vous ne trouverez rien de mieux.

— Merci pour tout ce que vous avez fait.

Au moment où il raccrochait, Wyatt arriva en courant de
la salle de bains, déjà en pyjama, et sauta sur son lit.

Cimarron sentit son estomac se contracter. Il n'avait pas pensé aux portes restées ouvertes. Heureusement, il semblait que Wyatt n'avait rien entendu de cette conversation.

— On va commencer par ton *ABC des animaux*. Ensuite, je te lirai une histoire.

Cimarron n'avait pas été long à s'apercevoir que Wyatt ne savait pas compter jusqu'à cent et qu'il ne connaissait pas non plus son alphabet. Depuis, il avait fait des progrès rapides. Cimarron l'avait surpris à plusieurs reprises plongé dans son livre de lecture sur les animaux qui contenait de jolies illustrations. L'enfant répétait inlassablement les mots qu'il avait appris avec lui. Claire avait raison, Wyatt avait besoin d'être encouragé dans cette voie et, bientôt, il aurait besoin d'aller à l'école.

Cimarron s'installa au bord du lit, de façon que Wyatt puisse voir les images. L'une d'elle montrait un ours en train d'hiberner, pour le B de « *bear* » en anglais, avec des « Zzz » qui sortaient de sa bouche. Cela l'intrigua. Il voulut savoir ce que ces « Zzz » signifiaient.

— C'est parce que, quand il dort, il ronfle, comme ça.

Cimarron l'imita et Wyatt se tordit de rire.

— Toi aussi, tu fais de drôles de bruits quand tu dors, tonton Cimron.

— Moi ? Comment le sais-tu ? Je croyais que tu étais censé dormir.

— Des fois, je me réveille et je t'entends.

— Ah, bon ? C'est parce qu'un homme, un vrai, ronfle toujours.

— C'est vrai ?

Il fit une grimace, avant de passer à l'image suivante.

— Et ça, c'est quoi ce mot ?

— « Chameau ».

Ils continuèrent ainsi jusqu'à la lettre H. Comme Wyatt commençait à bâiller, Cimarron reposa le livre et prit *Grandfather Twilight*, l'un des préférés du petit garçon. Après quelques pages, il s'interrompit en souriant. Wyatt avait fermé les yeux, et son petit torse se soulevait avec régularité. Il continua à lire. Bientôt, l'enfant dormait profondément, sans bruit. Alors il ferma le livre, embrassant du regard le petit visage paisible. Il lui caressa le front doucement.

Qu'allait-il faire de cet enfant qui savait si bien trouver le chemin de son cœur ? se demanda-t-il, soucieux.

Chapitre 16

Tout en s'habillant, Sarah se laissa envahir par le doux parfum de roses qui emplissait la pièce. Elle plongea le nez dans le bouquet odorant dont la vue, d'ordinaire, l'aurait emplie de joie ; elles étaient si belles, leurs couleurs s'étalant du rose pâle au carmin profond. Ce matin, en revanche, le cœur n'y était pas.

Ses sentiments envers Cimarron la perturbaient, ils étaient confus. Elle ne savait plus où elle en était, ne savait plus ce qu'elle voulait et ne cessait de tourner et retourner dans sa tête des pensées aussi chaotiques que contradictoires. Jamais son avenir n'avait été plus incertain, et tout cela à cause de lui. Elle était loin d'avoir réussi à rassembler la somme nécessaire et pourtant, sans pour autant accepter sa défaite, elle ne passait plus le plus clair de son temps au téléphone, à essayer de trouver quelques bonnes âmes pour l'aider.

Il était temps d'élaborer une stratégie alternative.

Elle avait commencé à s'attacher au petit Wyatt. Il était tellement mignon, il avait tant besoin de sécurité, tant besoin d'être rassuré. Cimarron l'aimait, elle n'en doutait pas, même s'il était incapable de le lui montrer et qu'il était, pour l'instant tout au moins, incapable de s'occuper comme il fallait d'un enfant.

Les rires de Wyatt, le sourire ravageur de Cimarron, qui ne manquait jamais de la troubler, tout cela faisait désormais partie de sa vie. Parfois, derrière ses barrières de protection, elle parvenait à apercevoir le véritable Cimarron, celui qu'il se gardait bien de dévoiler. De toute évidence, il avait peur de s'attacher, de s'engager, peur d'accepter certaines responsabilités. Une peur bien ancrée, dont la racine était profonde, semblait-il. Pourtant, s'il restait suffisamment longtemps à Little Lobo, ils parviendraient peut-être à se connaître mieux ; une amitié naîtrait peut-être entre eux, une amitié... ou plus ? Elle l'espérait. En dépit de tout, elle l'espérait tant !

Elle porta les doigts à ses lèvres, là où il l'avait embrassée, se rappelant la douceur et le feu de cet instant. Elle n'avait aucun mal à se souvenir de ses mains sur sa peau nue, de son attente fébrile brusquement interrompue par l'arrivée de Kaycee. Elle s'autorisa brièvement à rêver ce que serait sa vie si elle récupérait sa maison avec, en prime, une famille. Revenant bien vite à la réalité, elle chassa de son esprit cette idée bien trop fantasque et descendit travailler.

« Pourvu qu'il passe au Café », songea-t-elle, le cœur battant. Dans le cas contraire, elle irait le retrouver dès qu'elle le pourrait. Elle aimait l'aider dans ses travaux, l'observer, apprendre à connaître son approche, cette façon qu'il avait de préserver l'histoire en restaurant avec amour de vieux bâtiments qui n'avaient pas de prix à ses yeux.

Pourtant, cela ne faisait que compliquer davantage un contexte déjà bien compliqué. A moins que l'argent ne lui tombe du ciel par miracle d'ici à la fin du mois, elle serait bien obligée d'admettre sa défaite. Même si elle récupérait sa maison, ce qui était son vœu le plus cher, elle savait désormais qu'elle ne pouvait faire autre chose que la restaurer dans les règles de l'art. Ce que Harry Upshaw serait bien incapable de faire. En revanche, Cimarron, lui, était l'homme de la situation. Et, bien sûr, elle n'avait pas les moyens de s'offrir ses services. L'idée que sa maison puisse finir à l'abandon, vide et froide, la glaça. Jamais elle ne pourrait le supporter.

C'est alors que Cimarron apparut et lui sourit, et toutes ses angoisses, toutes ses incertitudes fondirent comme neige au soleil.

Wyatt, après avoir pris son petit déjeuner, était parti passer la journée avec Claire. Cimarron, lui, décida d'aller prendre le sien au Café. Non pas que la faim qui le tenaillait puisse être apaisée par un simple petit déjeuner, loin de là.

Sur le chemin, il aperçut Kaycee qui arrivait à la clinique et lui rendit son bonjour d'un geste de la main. Jon et elle avaient su créer une famille parfaite. Pouvait-il, lui, élever Wyatt tout seul ? Avec l'aide de Sarah, bien sûr… Pendant un bref instant, il laissa une image idyllique se former dans son esprit : Sarah et lui, mariés, habitant dans la grande maison avec, pourquoi pas, un enfant ou deux de plus pour tenir compagnie à Wyatt…

Bien vite cependant, la réalité s'imposa : Sarah ne s'intéressait pas vraiment à lui. Si elle semblait un peu sensible à ses charmes, ce n'était qu'un jeu. Elle ne faisait en réalité que se montrer gentille pendant le mois qu'ils s'étaient accordé, le temps pour elle de réunir les fonds.

Pourtant, lorsqu'ils s'étaient embrassés l'autre soir, elle

s'était montrée plus que gentille… Son trouble n'était pas feint. Et cette façon aussi qu'elle avait eu de tendre ses lèvres vers lui, comme pour demander qu'il l'embrasse encore et encore… Son regard… son regard ne pouvait mentir.

Une seconde, tout lui semblait possible, la seconde d'après, il doutait.

Lorsqu'il entra dans le café et que Sarah parut sincèrement heureuse de le voir, il s'autorisa à rêver au meilleur avec elle.

Quand il eut fini de manger, il traîna jusqu'à ce que tous les clients soient partis. Aaron débarrassa les tables et emporta les piles d'assiettes sales dans la cuisine. Sarah essuyait le comptoir.

— Claire s'occupe de Wyatt aujourd'hui? lui demanda-t-elle.

— Oui, pour la journée. Tu viens me donner un coup de main aujourd'hui?

— C'est ce que j'avais l'intention de faire. Cela te convient?

— Cela me convient merveilleusement bien.

Il régla l'addition et s'apprêta à sortir.

— Je t'attends. A tout à l'heure.

Il avait enfin terminé de mettre la toiture hors d'eau. Il avait aussi commencé à chercher sur internet des ardoises identiques à celles d'origine. Maintenant qu'il n'y avait plus de risques que l'humidité pénètre, il allait pouvoir se concentrer sur les réparations intérieures.

Quelques instants plus tard, Sarah l'avait rejoint.

— Quel est le programme, aujourd'hui?

— J'aimerais attaquer l'entrée. J'ai fini de remplacer tout le bois pourri. La prochaine étape, c'est de réparer les fissures dans le plâtre avec de l'enduit et de le polir au papier de verre une fois sec.

Quand il eut montré à Sarah en quoi consistait sa tâche, ils travaillèrent sans interruption pendant environ deux heures, dans un silence complice. Il se sentait bien en compagnie de la jeune femme ; il ne ressentait pas le besoin de combler le silence par des bavardages futiles. Il régnait dans la pièce une atmosphère détendue, apaisée ; une odeur de bois fraîchement scié et d'enduit de rebouchage, à laquelle s'ajoutaient les senteurs chaudes provenant du dehors.

Sarah avait protégé ses cheveux d'une large casquette de base-ball bleu clair. Elle portait un jean et un T-shirt moulant que Cimarron s'efforçait de ne pas trop regarder. Au bout d'un moment, il n'y tint plus.

— Allez, on arrête, ça suffit pour aujourd'hui.

— Bonne idée. De toute façon, il va falloir que je retourne bientôt au Café pour m'occuper de la préparation.

Elle s'assit sur un rebord de fenêtre tandis qu'il rebouchait les pots d'enduit et nettoyait les spatules.

— Comment cela se passe-t-il avec Claire ? demanda-t-elle. Wyatt s'entend bien avec elle ?

— Oui. Il est ravi. Merci d'avoir organisé ça.

— Je l'ai fait avec plaisir. J'avais tellement peur qu'il ne finisse par avoir un accident.

— Je sais. J'avais cru, je suppose, qu'il ferait toujours ce que je lui dirais.

Il finit de ranger les outils puis s'approcha de Sarah. Il lui tendit la main pour l'aider à se lever et l'attira doucement contre lui.

— Encore merci pour tout ce que tu as fait pour lui, Sarah. Je ne sais pas ce que je serais devenu sans toi.

— Tu commences à t'en sortir un peu mieux, il me semble.

— Je ne sais pas. Des fois je me demande si c'est une bonne idée qu'il soit avec moi. Je pense…

Il marqua une pause, hésita.

— Je pense qu'il irait mieux si…

Il s'interrompit. Cette décision de faire adopter Wyatt le tourmentait. Au fond de lui, il se sentait coupable, même s'il savait que c'était pour le bien de Wyatt. Comme c'était difficile de se trouver seul face à un tel choix ! S'il pouvait partager ses doutes avec quelqu'un capable de voir la situation d'une manière plus objective, quelqu'un comme Sarah…

Mais il hésitait à se confier à elle.

Elle prit son visage entre ses deux mains, et plongea son regard dans le sien.

— Wyatt va bien, Cimarron, affirma-t-elle avec le plus grand sérieux. Tout va s'arranger, tu verras.

Elle l'attira vers elle et l'embrassa. Timidement d'abord, du bout des lèvres. Puis elle se fit plus audacieuse, entrouvrit les lèvres. Avec la langue, elle taquina ses dents, cherchant à les desserrer.

Cimarron crut suffoquer. Toute la semaine, la présence de Sarah à ses côtés s'était avérée un véritable supplice. Un homme doit être capable de contrôler ses pulsions, c'était évident. Cependant, il y avait des limites, des limites qu'il venait d'atteindre.

La casquette de Sarah tomba par terre, libérant une masse de boucles flamboyantes qui cascadèrent sur ses épaules, décuplant son désir.

Il eut un bref mouvement de recul, le temps de lutter contre l'envie immédiate de la coucher par terre, là, sans plus attendre, afin qu'elle lui dévoile enfin ses secrets les plus intimes.

Elle se rapprocha de lui, laissant échapper un léger gémissement rauque. Toute idée de retenue s'évanouit alors en un éclair. Il l'attira contre lui, la serra fort dans ses bras, et lui rendit son baiser avec une fougue sauvage.

Quand leurs lèvres se séparèrent, c'est à peine si Sarah pouvait respirer. Les yeux sombres de Cimarron brillaient comme de l'onyx et semblaient la questionner ; au moindre signe d'indécision de sa part, il n'insisterait pas.

Même après une journée de travail, il sentait bon. Sarah humait avec délice sa peau d'homme, d'où émanaient encore quelques effluves musqués qui semblaient avoir le pouvoir d'anéantir toute sa raison. Sans réfléchir, guidée seulement par son instinct le plus primaire, elle glissa ses doigts dans ses cheveux et se mit à caresser les boucles sombres et soyeuses derrière sa nuque et, lorsqu'il laissa échapper un long gémissement d'encouragement, elle lui tendit ses lèvres pour qu'il l'embrasse encore. Lorsque, prenant sa bouche, il pressa son corps contre le sien, elle ne put douter plus longtemps du désir qu'elle éveillait en lui.

Comment lui résister ? N'y tenant plus, elle glissa ses mains sous sa chemise, les faisant remonter lentement sur son abdomen musclé, sur son torse, appréciant sa peau douce et chaude sous ses doigts.

Il lui agrippa le poignet et l'arrêta dans son élan.

— Tu es sûre de toi ? murmura-t-il d'une voix rauque. Tu me rends fou, tu sais. Si jamais tu décidais de changer d'avis au dernier moment, je ne sais pas si je pourrais me contrôler.

Elle retira ses mains, plongea son regard dans le sien, le

fouillant, cherchant la réponse. Ses yeux brillaient d'un éclat sauvage. Sa respiration était courte et saccadée. Il attendait qu'elle décide. Voulait-elle aller jusqu'au bout ? Voulait-elle s'abandonner à ce désir impétueux ? Il lui suffisait d'un mot, d'un seul et, elle le savait, sa vie basculerait totalement.

Elle le voulait, elle le voulait si fort qu'elle n'avait pas écouté cette petite voix lui chuchoter qu'elle n'était pas prête, pas encore.

Cimarron recula d'un pas, se détourna, croisa les mains derrière la nuque et leva la tête vers le plafond, respirant profondément, reprenant peu à peu le contrôle de son corps et de ses esprits.

Puis, quand sa respiration eut retrouvé un rythme moins saccadé, il se tourna vers elle.

— Je te demande pardon. Je… je n'aurais pas dû…

Sarah ne répondit pas ; elle était dans tous ses états. Son cœur battait à tout rompre, elle avait les joues rouges, tremblait comme une feuille. Elle hocha la tête imperceptiblement.

— Ce n'est pas grave. Je… je ferais mieux de retourner travailler.

Balbutiant des paroles incompréhensibles, elle recula jusqu'à la porte d'entrée, pivota sur ses talons et s'enfuit du plus vite qu'elle put.

Il y avait un monde fou, ce soir-là, pour le dîner. Quand tous les clients furent partis, Aaron et Sarah finirent de tout ranger et de préparer le petit déjeuner du lendemain. Aaron lui souhaita une bonne nuit et sortit par la porte de derrière pendant qu'elle mettait une lessive en route. Quand elle retourna dans la cuisine, elle sursauta. Elle n'était pas seule. Griff Whitman l'observait depuis le seuil. Il ôta son chapeau et s'approcha d'elle d'un air gêné.

— Bonsoir, Sarah. J'arrive un peu tard pour dîner, je suis désolé. Il y a eu un appel urgent au dernier moment sur l'autoroute.

Elle retint un soupir. Griff était bien la dernière personne qu'elle avait envie de voir à ce moment précis. La journée avait été épuisante, elle n'avait qu'un désir : aller se coucher et dormir.

— Cela fait longtemps que tu n'es pas passé, dit-elle en se forçant à sourire.

— J'ai été très pris. Je meurs de faim, tu veux bien me faire un sandwich ?

— Oui, bien sûr.

Malgré sa fatigue, elle lui prépara son sandwich préféré au rôti de bœuf, ainsi qu'un café instantané.

— Que me vaut le plaisir de ta visite ?

— Tu m'as manqué.

Elle ne répondit pas, guère enchantée par cette déclaration.

Griff attaqua son sandwich à belles dents.

— Mmm, c'est délicieux. Ta cuisine aussi m'a manqué.

— Tu peux venir quand tu veux, tu le sais bien. De préférence pendant les heures d'ouverture.

— Oui, je sais qu'il est un peu tard. Tu as l'air crevé. Je ne resterai pas longtemps, sauf si tu insistes…

Comme pour ajouter plus de poids à ses mots, il lui fit un clin d'œil, en la gratifiant d'un sourire entendu. N'ayant pas obtenu la réponse escomptée, il se concentra de nouveau sur son sandwich. Grand et mince, il était plutôt séduisant avec ses cheveux blonds et ses yeux bleus. Du moins, c'était l'opinion des filles du coin. Si on ajoutait l'uniforme, ce qui ne gâchait rien, ainsi que ses talents de danseur qu'il ne manquait jamais de déployer chaque week-end, il faisait battre plus d'un cœur.

— Je ne veux pas me mêler de ce qui ne me regarde pas, Sarah, déclara-t-il entre deux bouchées, mais j'ai eu vent de tes problèmes. Il paraît que tu as du mal à rassembler les fonds pour racheter la maison.

— La vie ne nous fait pas toujours des cadeaux, rétorqua-t-elle, irritée que l'on parle d'elle derrière son dos.

— Quand je pense à ce salaud qui a racheté ta maison et qui te demande un tel prix pour te la rendre ! Je dois dire que ça me met hors de moi !

Sarah ne répondit pas. De quoi se mêlait-il ? se demanda-t-elle tout en lui préparant une autre tasse de café. Elle n'avait pas du tout envie d'en parler avec lui. En tout état de cause, il ne l'avait jamais encouragée à la racheter à Bobby, bien au contraire.

— Il vit toujours dans son camion ? poursuivit-il.

— Non, il loue le studio.

— Quoi ? Tu es folle ! Tu veux qu'il commence à se faire des…

— Arrête, Griff ! Tu sais très bien que je ne supporte pas cette façon que tu as de te mêler de mes affaires. C'est une des raisons pour lesquelles cela n'a pas marché entre nous, au cas où tu l'aurais oublié. De toute façon, je ne l'ai pas fait pour lui mais à cause de son neveu.

— Toi et les enfants ! Tu n'as jamais su leur résister.

Il termina son sandwich, se leva et s'approcha d'elle, l'air sérieux.

— Pourquoi n'es-tu pas venue me voir pour tes problèmes d'argent ?

— Griff…

— Non, je ne plaisante pas. Je peux t'aider, tu le sais très bien.

Elle le savait si bien en effet qu'il avait été la première personne à laquelle elle avait songé. Elle avait mis son nom en haut de la liste, mais l'avait bien vite rayé, ne tenant pas à lui devoir quoi que ce soit, sauf en cas de nécessité absolue. Griff travaillait pour le shérif uniquement par plaisir. Financièrement, il aurait très bien pu s'en passer. Son grand-père lui avait laissé une somme coquette, qu'il avait investie habilement et qui lui rapportait de quoi vivre amplement. Comme il n'était pas dépensier, il s'était bâti une jolie petite fortune.

Il manquait encore à Sarah plusieurs milliers de dollars. L'offre de Griff venait peut-être à point pour lui permettre de racheter sa maison.

— Il paraît qu'il demande plus d'un million de dollars pour ce trou à rats ? reprit-il.

— D'abord, ce n'est pas un trou à rats, rétorqua-t-elle, vexée. Quand elle sera restaurée, cette maison sera magnifique.

— Alors, tu vas la récupérer, oui ou non ?

— J'aimerais bien, seulement…

— Seulement quoi ? Ecoute, je te le dis et je te le répète : je te donnerai l'argent pour la racheter.

— Griff, il me faudrait plus d'une vie pour te rembourser. De toute façon, même à supposer que je la rachète, il ne me restera sans doute pas assez pour payer les travaux.

— Je n'ai jamais perdu espoir, Sarah. J'ai toujours pensé

que nous pourrions nous remettre ensemble, toi et moi. Je t'aiderai à bâtir tout ce que tu voudras.

Pourquoi venait-il lui dire ça maintenant, après tout ce temps ?

— Griff, pense à tous les cœurs que tu briserais à Little Lobo, tu ne voudrais pas cela, quand même ?

— Oh ! Tu exagères, ma chérie ! Tu sais très bien que ces filles n'ont jamais compté pour moi.

Sarah n'avait pas oublié les regards énamourés de toutes ces femmes qui n'hésitaient pas à flirter ouvertement avec lui. Griff adorait être l'objet de leur attention. En revanche, il n'était pas question qu'un autre homme ose ne serait-ce que la regarder ! Il était d'une jalousie dévorante, obsessionnelle, capable de faire la tête pendant des jours, de bouder jusqu'à ce que, à force de le cajoler, de lui jurer qu'il n'y avait que lui, il retrouve enfin sa bonne humeur.

— Tu n'as jamais voulu que je m'occupe du Café, reprit-elle. Quant aux chambres d'hôtes, ce n'était même pas la peine d'en parler. Tu sais très bien que c'est encore une des raisons pour lesquelles nous nous sommes séparés.

— Je sais. Mais j'ai beaucoup réfléchi depuis et j'ai compris combien tu tenais à ton indépendance. Maintenant, c'est différent.

Il arrive dans la vie qu'une situation se retourne en un clin d'œil, sauf que, dans le cas présent, Sarah ne croyait pas une seconde que Griff ait pu changer de manière aussi miraculeuse.

— Je ne sais pas quoi te dire, Griff. Ton offre est très généreuse. Malheureusement, je ne crois pas que notre relation marcherait mieux la deuxième fois. Nous sommes beaucoup trop…

— Prends le temps de réfléchir, je ne suis pas pressé. Si tu veux l'argent pour la maison, il est là pour toi. Je ne te demanderai rien en retour, je te le promets. Je ne sais pas quoi faire de tout ce fric, autant qu'il serve à une bonne cause. C'est un juste retour des choses, une certaine forme de justice, appelle ça comme tu veux. Bobby n'aurait jamais dû vendre cette maison à un étranger, alors prends l'argent et rachète-la.

— Si j'accepte, je tiens absolument à te le rendre, avec des intérêts. Ce serait à cette seule condition.

— Comme tu veux, cela m'est égal. Tiens-moi seulement au courant de ta décision.

— D'accord. Merci. Je vais faire mes comptes et voir où j'en suis.

— Appelle-moi dès que tu auras pris ta décision. Bonne nuit, Sarah.

Sarah ferma la porte à clé après le départ de Griff.

Songeuse, elle monta l'escalier qui menait à son appartement à pas lents, encore sous le coup de la proposition de Griff. Elle pouvait racheter sa maison… Griff avait dit qu'il ne demanderait rien en retour, et elle savait qu'elle pouvait lui faire confiance.

Et après ? Si elle récupérait sa maison, que deviendraient Cimarron et Wyatt ?

Chapitre 17

Cimarron avait du mal à croire ce qui lui arrivait. Tout s'était passé si vite qu'il se réveillait chaque matin en se demandant s'il n'avait pas rêvé. Il attendait avec impatience chaque journée où Sarah viendrait le rejoindre pour travailler. Quand Wyatt n'était pas là, ils flirtaient comme des adolescents amoureux, se taquinaient, passaient plus de temps à essayer de se connaître qu'à avancer dans les travaux. Quand Sarah n'était pas là, Cimarron se noyait dans le labeur jusqu'à l'épuisement, pour n'avoir ni le temps ni l'énergie de penser à elle.

Il était constamment assailli d'espoirs insensés, de fantasmes délirants. Il garderait Wyatt, Sarah serait amoureuse de lui, ils fonderaient une famille… C'est alors que des doutes affreux s'emparaient de lui, terribles, obsédants, faisant voler ses rêves en éclats. Et s'il n'était pas à la hauteur? S'il les décevait, tout comme il avait déçu sa mère, comme il avait déçu R.J.?

Tourner sans cesse ces pensées dans sa tête ne le menait nulle part. Il n'en pouvait plus.

Quand arriva le dimanche, il avait besoin de changement.

Après le petit déjeuner, il donna un coup de main à Aaron, pour que le jeune homme puisse rentrer chez lui plus tôt.

— Quel est le programme pour aujourd'hui ? demanda Sarah avec son enthousiasme habituel.

— Rien.

— Rien ?

— Je suis crevé. Et je suis sûr que toi aussi. Tout être humain a droit à une journée de repos. La météo annonce une journée chaude et ensoleillée. Que dirais-tu d'un pique-nique ?

— Quelle bonne idée ! s'exclama-t-elle, les yeux brillants. Où veux-tu aller ?

— Cela fait une éternité que je n'ai pas pêché.

— Oh…

Son enthousiasme chuta d'un cran.

— Il y a un problème ? demanda-t-il.

Elle haussa les épaules.

— Je n'ai jamais été très douée pour la pêche. Papa et Bobby se fichaient toujours de moi, du coup j'ai laissé tomber.

— Wyatt non plus ne sait pas, alors ne t'inquiète pas.

— Alors dans ce cas, nous serons tous les deux des élèves assidus.

Elle ouvrit un placard d'où elle sortit un panier en osier tout équipé, avec des assiettes, des tasses et tous les ustensiles nécessaires bien amarrés par des sangles. Il y avait même une nappe pliée sous le couvercle. On aurait dit qu'il sortait tout droit d'un tableau de Norman Rockwell, le célèbre peintre et illustrateur américain mort en 1978, qui savait si bien décrire la vie de ses contemporains.

— Tu n'es jamais prise de cours, toujours prête pour toutes les occasions !

— C'est ma spécialité.

— Oh! Ce n'est pas la seule…

Il lui décocha un sourire qui la fit rougir jusqu'aux oreilles.

Ils préparèrent sandwichs, boissons et fruits. Quelques brownies complétèrent le panier. Cimarron alla chercher dans son camion tout l'équipement de pêche nécessaire, ainsi qu'une couverture épaisse.

— En avant, Wyatt. On y va!

La petite troupe se mit en route, suivie de Sécotine, toute belle après avoir été baignée et brossée.

Cimarron s'était chargé du panier et des provisions, tandis que Sarah portait la couverture et les cannes à pêche. Wyatt et Sécotine couraient devant.

Tout en marchant, Cimarron passa un bras autour du cou de Sarah et l'attira contre lui.

— Je suis content que tu sois venue. Tu m'as manqué, tu sais.

— Tu m'as vue hier.

— Tu m'as manqué quand même.

Le sentier déboucha enfin sur une clairière à l'endroit où la rivière était plus large, un emplacement idéal pour un pique-nique. Sarah étendit la couverture par terre et s'assit.

— Oh non! Ne crois pas que tu vas pouvoir t'asseoir comme ça! s'exclama Cimarron en assemblant une canne à pêche.

— Je t'ai dit que je ne savais pas pêcher.

— Justement, c'est l'occasion ou jamais d'apprendre. Je vais te donner une leçon dans les règles.

— Pour que tu te moques de moi après!

Il lui tapota la joue affectueusement.

— Rassure-toi, ce ne sera jamais méchant.

Il sortit une canne plus légère, qu'il montra à Wyatt.

— Tiens, je pense que celle-là ira pour toi.

Wyatt fixa sur lui un regard émerveillé.

Cimarron sourit et commença à monter la canne, faisant passer la ligne par les œillets avec dextérité, puis accrocha une mouche à l'hameçon. Lorsqu'il la tendit à Wyatt, ce dernier la prit comme s'il s'agissait d'un objet sacré.

— Voilà, bonhomme, c'est à toi désormais. Tu vas devoir en prendre soin.

— A moi? souffla Wyatt, ébloui.

— Alors, tu veux essayer?

Il l'entraîna vers le bord, là où l'eau n'était pas trop profonde et lui montra comment lancer, faire dériver l'appât, tenir la canne. Quand il se fut assuré que Wyatt pouvait se débrouiller tout seul, il fit quelques pas en arrière, l'observant attentivement.

Un peu plus haut sur la berge, Sarah profitait de cet instant magique, allongée par terre, le visage levé vers le soleil, détendue. Cimarron et Wyatt s'amusaient comme des fous, leurs éclats de rire se mêlaient, ceux de l'enfant, cristallins et limpides, faisant écho au rire chaud et profond de Cimarron.

Elle ne l'entendit pas s'approcher et sursauta lorsque ce dernier vint la tirer de sa rêverie. Il l'aida à se relever.

— Allez, à ton tour maintenant!

La leçon de pêche était une bonne excuse dont Cimarron profita sans vergogne, entourant Sarah de ses deux bras, tenant sa main dans la sienne afin de la guider dans ses lancers. Chaque fois qu'elle y arrivait, il la récompensait d'un baiser. Bientôt, il y eut plus de baisers que de lancers, et la ligne finit par rester à flotter paresseusement sur l'eau, ignorée, ce qui dut faire rire les poissons.

Le soleil dansait et rebondissait sur l'eau, scintillant comme une myriade d'étoiles. Une libellule se posa un instant sur la casquette de Sarah, avant de reprendre son vol. La jeune femme se serra contre Cimarron, pressant son dos contre son torse puissant tandis qu'il posait mille baisers dans son cou, déclenchant autant de frissons.

— Tonton Cimron ! Ma ligne s'est accrochée dans les branches !

— Fin de la leçon, lui chuchota-t-il à l'oreille.

Il en profita pour lui en mordiller le lobe, déclenchant des ondes de plaisir qui se propagèrent jusqu'au bout de ses ongles.

— Je ferais mieux d'aller le dégager, avant qu'il ne s'énerve.

— Pendant que tu fais ça, je vais m'occuper du pique-nique. La *leçon* m'a donné faim.

Tandis qu'elle étalait la nappe à carreaux au milieu de la couverture et installait tout, Wyatt et Sécotine jouaient à se chasser mutuellement et à se rouler dans l'herbe comme deux petits chiots, l'un riant à gorge déployée tandis que l'autre grognait de plaisir. Cimarron, lui, rangeait les cannes à pêche. Quand il s'approcha, il s'empara de Wyatt et lui fit faire une pirouette.

— Tu veux manger ?

— Manger ? s'exclama Wyatt. Ah ça oui, alors ! J'ai trop faim !

— Moi aussi.

Sarah tapota la couverture.

— Viens te mettre près de moi, Wyatt.

Elle partagea les sandwichs et les boissons. Il y en avait pour tous les goûts, et ils mangèrent avec appétit, discutant de tout et de rien.

« Comme il se doit dans toute famille unie », songeait Sarah, envahie d'un sentiment de douce plénitude. N'avait-elle pas devant elle la réponse à ses questions, à ses attentes ?

— Sarah, tu fais les meilleurs sandwichs du monde entier ! déclara Wyatt avec le plus grand sérieux.

— Merci. Ce que tu dis me fait très plaisir. C'est le plus joli compliment que l'on m'ait fait.

Quand ils eurent fini de manger, Wyatt et Sécotine retournèrent à leurs jeux.

Une fois que tout fut rangé, Cimarron s'étendit sur la couverture, la tête posée sur un coude, tandis que Sarah, assise en tailleur, tressait des colliers avec des feuilles comme elle avait appris à le faire, enfant. Elle en donnerait un à Wyatt avant de partir. Elle regarda, émue, ce petit être qui tenait désormais tant de place dans sa vie et dans son cœur, à tel point que, lorsqu'elle ne l'avait pas vu pendant un jour, le monde lui paraissait vide et froid. Quand sa vie avait-elle basculé à ce point ?

— Wyatt, fais attention ! Ne jette pas le jouet de Sécotine trop près de l'eau.

Trop tard. L'os en caoutchouc retomba avec un « plouf » dans la rivière, vite emporté par le courant. Sans hésiter, Sécotine s'élança.

— Attends, Sécotine, reviens ! s'écria Wyatt. Je vais l'attraper pour toi.

Obéissant, le chien retourna sur la berge en se secouant. L'enfant grimpa sur un rocher qui s'avançait dans la rivière, se mettant à quatre pattes et tendant la main pour attraper le jouet lorsqu'il passerait à proximité.

— Cimarron, va le chercher, il va tomber! s'inquiéta Sarah.

Wyatt parvint à rattraper le jouet, mais, surpris par la rapidité du courant, glissa.

Cimarron se précipita, suivi de près par Sarah, affolée. Il sauta avec aisance sur le rocher au moment où Wyatt, incapable de se retenir, basculait dans l'eau. Sans hésiter, Cimarron sauta à son tour dans l'eau.

— Cimarron! Wyatt!

Sarah s'élança vers le rocher, s'accrochant de son mieux pour ne pas glisser elle aussi, cherchant désespérément à voir ce qui leur était arrivé.

La rivière n'était pas profonde à cet endroit, cependant le courant était rapide et les rochers nombreux. Plus loin, en aval, l'eau tourbillonnait avant de dégringoler en cascade vers un profond bassin. Elle aperçut Wyatt qui battait furieusement des bras pour essayer de ne pas se laisser emporter par le courant, tandis que Cimarron avançait tranquillement vers lui.

— Viens me chercher, tonton Cimron!

— Tout va bien, mon bonhomme, j'arrive.

— Cimarron, hurla Sarah. Ne le laisse pas!

— Calme-toi, Sarah, cela n'avance à rien de s'affoler comme ça. C'est encore pire.

Pire? Comment cela pouvait-il être pire? Wyatt était sur le point de se noyer et Cimarron ne faisait rien pour le sauver! N'écoutant que son courage, elle sauta dans la rivière à son tour, suivie aussitôt par une Sécotine tout excitée, enchantée de ces jeux tout à fait à son goût.

Cimarron, lui, continuait d'avancer lentement dans l'eau qui lui arrivait à mi-mollets, jusqu'à être assez près de Wyatt pour le toucher.

Au lieu de l'attraper, il le regarda en souriant.

— Allez, debout! Tu peux très bien y arriver tout seul.

— Je peux pas! hurla Wyatt en frappant l'eau de ses bras comme un forcené. Je sais pas nager!

Cimarron partit d'un grand rire qui eut pour effet de rendre Sarah encore plus furieuse.

— Ne reste pas planté comme ça, Cimarron! Tu vois bien qu'il ne sait pas nager!

Elle luttait de son mieux contre le courant qui menaçait de lui faire perdre l'équilibre et se trouvait encore assez loin de l'enfant en difficulté, ce qui ne faisait qu'attiser sa peur. Quant à Cimarron, il ne semblait pas avoir la moindre envie de lever le petit doigt pour aider son neveu.

— Wyatt, à quoi cela te servirait-il de savoir nager? lui demanda-t-il. Tu es assis sur ton derrière et tu as la tête hors de l'eau! Tu n'as qu'à te relever.

Interloqué, l'enfant se calma et regarda avec étonnement l'eau qui faisait des remous autour de lui.

— Oh!

Ce fut tout ce qu'il parvint à dire.

Sécotine bondit près de lui, lui léchant le visage et l'éclaboussant. Il rit, attrapa la chienne par le cou et se redressa.

Sarah, de son côté, avait fini par les rejoindre. Elle tira Cimarron par la manche.

— Pourquoi ne l'as-tu pas sorti de là? Il aurait pu se noyer!

Il lui répondit d'un regard qui en disait long.

— Tu crois vraiment que je l'aurais laissé se noyer? Il

a surtout besoin d'apprendre à se sortir d'un mauvais pas, surtout lorsqu'il s'y est mis lui-même. Regarde-le, il va très bien.

Wyatt s'accrochait de toutes ses forces à Sécotine à qui il essayait de faire boire la tasse. La chienne, bien déterminée à ne pas le laisser faire, parvint enfin à rejoindre la berge, tirant l'enfant riant et pataugeant derrière elle.

— Ce n'est pas une raison, marmonna Sarah, partagée entre le rire et les larmes. Tu aurais quand même dû faire quelque chose!

Cimarron éclata de rire et l'éclaboussa d'un grand jet d'eau glacée.

— Allez! Arrête de râler!

Elle ne fut pas longue à lui rendre la pareille.

— Qu'est-ce que je déteste quand tu as raison! lâcha-t-elle, riant à son tour.

Voyant cela, Wyatt et Sécotine s'empressèrent de se joindre à eux, envoyant de l'eau de tous côtés, riant et sautant de joie. Au bout d'un moment de ce jeu, le froid commença à se faire sentir.

Sarah fut la première à sortir de l'eau. Une fois sur la berge, elle se retourna. Cimarron avait pris Wyatt sur les épaules et s'avançait vers elle. Son visage ruisselant brillait sous le soleil, sa chemise lui collait à la peau, comme son jean, plaqué contre ses jambes musclées. Elle le regarda, le souffle coupé, le corps parcouru de frissons et de tremblements que ses vêtements trempés et glacés ne suffisaient pas à expliquer.

Entre eux vibrait un courant comme elle n'en avait fait l'expérience avec aucun autre homme. Pourtant, il y avait longtemps de cela, elle avait cru être amoureuse. Désormais, elle savait, sans qu'il y eût aucun doute, que ce n'était pas le cas. Il suffisait que Cimarron pose les yeux sur elle, pour qu'elle perde tous ses moyens. Elle se mettait à trembler, se sentait parcourue de sueurs chaudes et froides à la fois. Il s'était mis à occuper ses pensées au-delà de toute raison, ne laissant de place pour rien d'autre. Elle n'arrivait plus à se concentrer sur rien, passait le plus clair de son temps à vivre dans un monde de fantasmes qu'elle avait le plus grand mal à reléguer au rayon des chimères.

Elle était en train de tomber amoureuse de lui. Et lui, le savait-il? L'aimait-il? Il ne disait rien. Elle non plus d'ailleurs. Mais elle trouvait extraordinaire de parvenir, d'un simple effleurement, à faire trembler ce grand corps viril. Cependant, il semblait attendre qu'elle fasse le prochain pas, qu'elle décide de passer à la vitesse supérieure. Pourtant, la douceur de son regard, cette façon qu'il avait de la toucher, de lui rendre mille et un petits services chaque jour, pouvaient-ils mentir? Qu'attendait-il au juste?

Il posa Wyatt sur le sol avec un grand sourire.

— Impossible d'attraper un seul poisson aujourd'hui avec tout ce remue-ménage!

— Ça m'est égal, décréta Wyatt.

Sarah sourit.

— C'est beau, ici, n'est-ce pas?

Cimarron l'examina des pieds à la tête d'un œil expert.

— Oui, c'est bien mon avis…

— Arrête, tu es impossible! s'écria-t-elle. Tu essaies de me séduire, c'est ça?

— Ma foi…, souffla-t-il. Si nous étions tous les deux tout seuls…

Elle s'étendit dans l'herbe, les bras croisés derrière la nuque, les yeux perdus dans l'immensité bleue du ciel.

Cimarron, allongé près d'elle, jouait avec ses cheveux. Il prenait plaisir à tirer doucement une mèche puis à la lâcher, la regardant s'enrouler de nouveau sur elle-même.

Il se sentait heureux, léger. C'était si bon, cette douceur sous ses doigts.

Il étendit un bras, y reposa sa tête puis ferma les yeux.

— Je savais que cette maison était une véritable trouvaille, dit-il après un moment. Ce que je ne savais pas, c'était qu'il y avait un bonus, toi.

— Un bonus ? Tu en es sûr ?

— Oh que oui !

— Je pense la même chose, reconnut-elle. Pourtant, au début…

— Qu'est-ce qui t'a fait changer d'avis ? Mon charme irrésistible ? Mes baisers ? Mon bon goût en ce qui concerne les femmes ?

— D'avoir tous ces travaux gratuits pour mes chambres d'hôtes.

Cimarron répondit par un grognement de frustration. Puis il roula sur elle et se dressa au-dessus d'elle, les yeux rivés dans les siens.

— J'aime les femmes que l'on peut acheter.

— Attention, je suis très chère, murmura-t-elle en suivant du doigt les courbes de ses lèvres.

Cimarron frissonna de désir, déposa un baiser sur le bout de son doigt et… revint bien vite à la réalité lorsque Wyatt et Sécotine lui sautèrent sur le dos.

Il se redressa aussitôt pour ne pas écraser Sarah, puis roula sur le côté en attirant Wyatt entre eux deux.

— Dis donc, toi, tu veux me tuer?

— J'ai froid, tonton Cimron.

— Ça ne m'étonne pas, remarqua Sarah. Nous sommes trempés. Peut-être ferions-nous mieux de rentrer?

— Quel rabat-joie! déclara Cimarron avec un petit sourire.

Après s'être levé, il aida Sarah à se remettre sur pied puis enveloppa Wyatt dans la couverture afin qu'il n'attrape pas froid.

Dès qu'ils furent rentrés, Sarah leur proposa de se changer et de se retrouver dans le Café pour se réchauffer autour d'un bon chocolat chaud. Proposition qui fut adoptée à l'unanimité.

— Regarde, tonton Cimron! s'écria soudain Wyatt tout excité. Regarde, Zach et Tyler sont là! Je peux aller jouer?

Cimarron se tourna vers Sarah.

— Tu veux bien aller demander si c'est O.K.? insista le petit garçon. S'il te plaît?

Cimarron leva les yeux au ciel et soupira.

Sarah éclata de rire.

— Il va falloir que tu apprennes à lâcher un peu de lest, *tonton Cimron*. Kaycee a dit qu'il pouvait venir quand il voulait, du moment que les jumeaux étaient là. Ce ne sont pas des paroles en l'air.

— Très bien, seulement si elle le renvoie, ce sera ta faute, marmonna Cimarron pour la forme. Et ce sera toi qui le consoleras en lui faisant des petits gâteaux.

— Pas de problème. Mais, avant tout, il faut qu'il mette des vêtements secs.

— Tu as entendu, Wyatt? Va vite te changer.

Le petit garçon ne se le fit pas dire deux fois. En un clin d'œil, il était de retour, vêtu d'un jean propre et sec et d'un T-shirt de son héros préféré, enfilé devant derrière.

— Wyatt, retourne ce T-shirt! lui cria Cimarron lorsqu'il passa en trombe devant eux.

Sans ralentir, Wyatt obéit, tandis que les jumeaux accouraient à sa rencontre. Les trois garçonnets disparurent aussitôt derrière la clinique.

— Tu crois vraiment que je peux le laisser partir comme ça? demanda Cimarron.

— Dans ce cas précis, il n'y a pas de problème. Tu sais, Kaycee ne se prend pas la tête quand il s'agit des enfants, et puis elle adore Wyatt.

— Pour être franc, cela m'arrange plutôt. Comme ça, j'ai quelques instants de tranquillité, seul avec toi…

— Mmm, c'est très tentant…, murmura-t-elle en posant les lèvres sur les siennes. Mais là, j'ai très froid, je vais aller ôter ces vêtements trempés.

— Tu as ma permission. Si tu veux, je peux même te donner un coup de main…

— Arrête, tu ne penses qu'à ça! lança-t-elle en lui donnant une tape sur le torse.

Il la regarda en haussant les sourcils.

— Tu n'as pas tort.

— Ecoute, quoi qu'il en soit, je ne reste pas une seconde de plus comme ça. Je te retrouve ici dans une dizaine de minutes.

Cimarron prit une douche chaude et rapide, et se changea. Il avait eu beau faire vite, Sarah l'avait devancé. Vêtue d'un gros pull long et d'un pantalon de survêtement, elle avait déjà mis une casserole de lait à chauffer.

— Toujours d'accord pour un chocolat chaud?

— Toujours d'accord.

Quelques instants plus tard, ils s'asseyaient à côté l'un de l'autre devant deux tasses de chocolat fumant.

— J'ai passé une journée formidable, déclara Sarah. Le seul bémol, c'est quand Wyatt est tombé à l'eau.

— Les garçons seront toujours des garçons. En fait, moi cela m'a plutôt rassuré. Je commençais à m'inquiéter de le voir si sage. Il a besoin de se lâcher un peu.

— Il commence à te connaître, il est plus à l'aise avec toi. Tu verras, quand il va commencer à tester ses limites, tu vas regretter l'époque où il ne faisait pas de bêtises.

— Peut-être. Si j'en ai l'occasion.

— Que veux-tu dire par là?

Cimarron hésita. Il aurait voulu lui parler de l'adoption éventuelle de Wyatt, savoir ce qu'elle en pensait. Devait-il poursuivre les démarches, ou bien accepter ses responsabilités de tuteur? De la réaction de Sarah pouvait dépendre sa décision.

— Vois-tu, Sarah… au début, quand Wyatt est arrivé, un peu comme un cheveu sur la soupe… eh bien, je ne…

— Tonton Cimron! Tonton Cimron!

La porte de derrière claqua et Wyatt fit irruption dans la pièce.

— Que se passe-t-il? Il est arrivé un accident?

— Non! Dr Kaycee a dit que je pouvais rester avec eux et dormir dans leur maison! Je peux? S'il te plaît? Je peux?

— Je ne sais pas…

Une nuit tout seul avec Sarah? La situation prenait une tournure intéressante.

— C'est l'idée de qui? De Kaycee ou de toi?

— Ce sont les jumeaux qui l'ont invité, annonça Kaycee en les rejoignant. J'ai dit que j'étais d'accord. Claire le ramènera demain matin. Je crois que ça lui ferait plaisir.

— Cela ne fait aucun doute. Que doit-il apporter?

— Rien du tout. Il est de la même taille que les jumeaux, ils lui prêteront des affaires. Alors, qu'en pensez-vous?

Cimarron sourit.

— Pourquoi pas? Cela me paraît une très bonne idée.

— Youpi! hurla Wyatt en sautant de joie.

Il se précipita dehors.

— Zach! Tyler! J'ai le droit de venir!

D'autres « youpi » se joignirent aux siens.

— Merci, dit Kaycee. Ne craignez rien, je m'occuperai très bien de lui.

— J'en suis sûr. Encore merci, Kaycee, vous êtes vraiment très gentille avec lui.

— C'est naturel. Bon, je vous laisse. Profitez-en bien, tous les deux…

Avait-il rêvé? Kaycee avait-elle ou non fait un très léger clin d'œil, presque imperceptible, à Sarah avant de sortir? Il se rassit en souriant.

— Dis donc, c'est une conspiration?

— Qu'est-ce qui te fait dire cela? demanda Sarah d'une voix innocente.

Elle se pencha vers lui et posa la bouche sur la sienne.

— Si tu allais fermer cette porte à clé? chuchota-t-elle.

— Je ne sais pas si c'est très raisonnable. Crois-tu que je serai en sécurité, enfermé ici, seul avec toi?

Elle l'examina attentivement des pieds à la tête, avec un petit sourire en coin.

— Absolument pas.

Cimarron alla fermer la porte à clé. Puis il revint vers Sarah, la prit par la taille et la fit basculer dans ses bras.

— Me voilà donc à ta merci. Je devrais avoir peur, n'est-ce pas ?

— Peur ? Tu devrais être terrifié.

Cimarron sentit son désir décupler. Depuis des jours, il attendait ce moment avec une fébrilité mêlée d'inquiétude. Qu'allait-il advenir à l'issue de cette nuit ? Il n'en avait aucune idée. Ce qui était certain, c'était que Sarah semblait bien décidée à mener la danse, une danse endiablée dans laquelle il ne voyait aucune objection à l'accompagner.

Elle glissa une main sous sa chemise, le caressa, explora chaque recoin de son torse, puis descendit jusqu'à sa ceinture. Malgré ses efforts, elle ne parvenait pas à la déboutonner d'une seule main. Alors elle le poussa fermement contre la table, défit sa ceinture, déboutonna le jean, fit lentement descendre la fermeture Eclair. Elle avait ainsi toute liberté de mouvement. Pour le toucher. Pour le rendre fou.

— Oh, Sarah…, suffoqua-t-il.

Ses jambes flageolèrent, menaçant de le trahir. Sans lui accorder de pause, Sarah continuait son exploration. Ses ongles lui griffèrent le torse, glissèrent le long de son cou, dans ses cheveux.

N'y tenant plus, il l'attira contre lui. Glissant une main dans son opulente chevelure, il tira doucement sa tête en arrière afin qu'elle s'offre à ses baisers. Ses lèvres, sa langue coururent le long de son cou. D'une main experte, il releva son pull et dégrafa son soutien-gorge.

Le corps souple et élancé de Sarah se cambra aussitôt. Elle

gémit lorsque ses doigts effleurèrent les boutons dressés de ses seins gonflés de désir, descendirent vers son ventre plat.

Murmurant son nom, elle l'attira avec elle vers le sol, tout en s'efforçant de faire descendre son jean. D'une main tremblante, il parvint à accrocher la minuscule culotte en dentelle de Sarah, qu'il fit glisser sur la courbe harmonieuse de ses hanches.

Tout à coup, comme frappé d'une pensée soudaine, il la lâcha, s'écarta d'elle, le souffle court, cherchant désespérément à reprendre le contrôle sur lui-même.

— Cimarron, qu'est-ce… ?

Elle tendit les bras vers lui, dans un geste de supplication.

— Nous ne pouvons pas, parvint-il à articuler non sans mal.

Son désir était à son paroxysme, et pourtant cette femme qui allumait chez lui une telle passion, cette femme qu'il voulait posséder plus que toute autre, il ne pouvait pas la prendre ainsi.

— Pourquoi ? murmura-t-elle sans comprendre. J'avais cru… ces derniers jours…

Il remonta son jean puis s'allongea à son côté, la prenant dans ses bras comme on prend un bébé. Il dut faire un effort surhumain pour guider son esprit enflammé loin de ces odeurs prometteuses de sexe, loin de la vue de cette femme allongée près de lui, cette femme qui le touchait au plus profond de lui-même.

Il l'embrassa tendrement.

— Parce que je n'ai rien pour nous protéger et que nous ne savons pas ce que l'avenir nous réserve.

— Tu n'as rien, nulle part? fit-elle d'une voix éraillée par le désir.

— Si, dans ma chambre…, balbutia-t-il.

— Alors, je crois que nous devons aller dans ta chambre.

Il se recula légèrement pour mieux la voir, la dévisagea intensément, cherchant à lire ses pensées. Pas de doute, sa passion, son désir étaient bien réels.

— J'espère que tu sais ce que tu fais, souffla-t-il.

— Je le sais…

« Heureusement qu'il avait tout prévu et qu'il y avait suffisamment de préservatifs dans sa valise », songea Sarah, apaisée. Etendue contre lui, la tête reposant sur son torse, elle écoutait les battements de son cœur qui commençaient tout juste à se calmer. Il étala ses longs cheveux encore mouillés sur ses épaules, les caressa doucement. Ils s'étaient aimés comme des fous et venaient d'atteindre un palier, tous deux comblés. « Pour combien de temps? », se demanda-t-elle en sentant son désir se rallumer.

— J'adore tes cheveux…, murmura-t-il.

Il aimait aussi ses yeux, ses cils, sa bouche, son nombril, ses doigts de pied et chaque petit recoin de son corps qu'il avait exploré avec toute l'attention requise et cela, il le lui avait répété inlassablement pendant des heures. Elle aussi, avait appris à connaître intimement toutes les parties de ce corps robuste et viril, tandis qu'ils faisaient l'amour encore et encore.

Elle avait découvert, entre autres, qu'il était chatouilleux. Assise à califourchon sur son torse, bloquant ses bras à l'aide de ses cuisses, elle le rendit fou jusqu'à ce que, n'y tenant plus, il dut user de sa force pour retourner la situation à son avantage et pratiquer sur elle toutes sortes de tortures plus délicieuses les unes que les autres.

Ils se réveillèrent le lendemain matin, par terre, enlacés, joue contre joue, tandis que les pâles rayons de l'aube se glissaient dans la chambre. Cimarron s'étira comme un chat langoureux puis la prit de nouveau dans ses bras.

— Bon sang, Sarah, tu me rends dingue.

— Tu as le même effet sur moi, reconnut-elle en l'embrassant.

— Attention, je sens que je ne vais pas pouvoir m'arrêter.

Le son de sa voix, profonde et grave, suffit à lui faire perdre tous ses moyens, une fois de plus.

— Tu as raison, nous ferions mieux de nous lever, le taquina-t-elle.

— Mmm… juste une fois… ? Une toute petite dernière fois ?

Sans attendre sa réponse, il attrapa un préservatif dans le tiroir de la table de nuit, là où il les avait jetés la veille au soir.

Elle le repoussa doucement en riant.

— « Juste une fois, une toute petite fois »… Tu n'arrêtes pas de me répéter cela depuis hier soir !

Il la regarda en penchant la tête.

— Je n'ai pas l'impression d'avoir eu trop de mal à te convaincre. Reconnais-le !

— Bon, d'accord, je l'avoue.

Cimarron sourit d'un air victorieux. Il prit ses seins

entre ses mains, en caressa d'un pouce habile les mamelons gorgés de désir.

Sarah retint son souffle, les yeux rivés sur lui, traversée jusque dans les extrémités de son corps par un courant électrique. Sa main descendit, et elle poussa un petit cri de surprise lorsqu'elle se heurta à son sexe dressé et palpitant, sachant ce dont il était capable.

Elle le chevaucha et le fit lentement glisser en elle jusqu'au plus intime de son être.

— Dis-moi tout, murmura-t-elle en riant. Tu prends du Viagra ?

Il partit d'un grand rire franc, et posa ses mains calleuses et douces à la fois sur sa taille.

— Tu es mon Viagra, ma chérie. A partir de maintenant, je vais en faire une cure.

Si elle avait voulu répondre, elle n'en aurait pas eu le loisir. Il attira son visage vers le sien, et mit fin à toute protestation en dévorant sa bouche, tandis que, la maintenant par les hanches, il la soulevait légèrement afin de pouvoir aller au plus profond d'elle. Ils se lancèrent alors dans une danse effrénée, le rythme s'accélérant jusqu'à ce qu'ils atteignent, ensemble, le point culminant de leur plaisir.

Plus tard, lorsqu'ils eurent recouvré le sens de la parole, elle laissa tomber le poids de son corps sur la poitrine de Cimarron, murmurant comme un chat ronronnerait :

— Mmm, c'était merveilleux. Peux-tu m'expliquer comment il se fait que je n'ai aucune pudeur avec toi ? Ni aucun contrôle, d'ailleurs.

— Parce que c'est inutile.

Il l'allongea doucement contre lui, une jambe repliée sur sa cuisse. Elle était bien, là, peau nue contre peau nue.

D'un doigt léger, il traça la ligne de son sourcil, de sa joue, de ses lèvres.

— J'aime comme tu es, murmura-t-il.

Elle déposa un baiser rapide sur le bout de son doigt.

— Tu dois penser que je suis une femme facile.

— Non, pas du tout. Tu me fascines.

— Moi ? Comment ?

— Tu prends ce que tu veux, sans arrière-pensées.

— Des fois, je me dis que je ferais mieux d'en avoir. Quand j'étais plus jeune, on me reprochait toujours d'être comme ça.

— Moi, je ne te le reprocherai jamais. Je n'ai jamais rencontré personne comme toi.

— Hum. Ce n'est pas très bon signe.

Elle s'imprégna de l'odeur masculine et virile qui émanait de lui, de sa peau, de ses cheveux, de sa bouche. Elle voulait la garder précieusement au fond d'elle, pour quand il ne serait plus dans ses bras.

— Que veux-tu dire ? demanda-t-il.

Il la couvrit de baisers légers, sur le front, le bout de son nez, ses lèvres.

— Allons, Cimarron, ne me dis pas que tu ne t'es jamais regardé dans un miroir ? Non seulement tu es beau comme un dieu, mais tu as tout pour plaire : succès, argent et j'en passe. Les femmes doivent te tourner autour comme des mouches sur un pot de miel. Je me trompe ? ajouta-t-elle en riant.

Il banda les muscles de son bras.

— C'est vrai que je n'ai pas trop de mal à trouver chaussure à mon pied, si je veux.

— C'est bien ce que je disais. Tu as dû rencontrer beaucoup de femmes.

Il se redressa sur un coude, l'examina pendant un long moment avec un petit sourire en coin.

— Peut-être. Seulement je n'ai jamais rien ressenti de comparable avec aucune d'elles. Jamais.

Son sourire s'estompa.

— Je ne pensais même pas que c'était possible, ajouta-t-il, devenu soudain sérieux.

— Pourquoi ?

Il resta songeur, perdu dans ses pensées, avant de répondre :

— Cela ne m'a même pas effleuré l'esprit.

Sarah attendit qu'il en dise plus. En vain. Pourtant, il avait l'air d'être sur le point de parler. Ne voulant pas qu'il se referme sur lui-même comme il pouvait le faire quand ils abordaient un sujet trop intime, elle préféra changer de sujet.

— J'ai réfléchi à propos de la maison, Cimarron. Je crois que tu as raison.

— C'est généralement le cas.

Elle plissa les yeux.

— Ne fais pas le malin !

— Pardon, continue.

— Elle mérite d'être restaurée et non pas rénovée, comme j'avais l'intention de le faire. J'ai compris la nuance.

— C'est bien.

Il appuya sa tête sur une main et l'observa attentivement.

— Donc, tu as réuni assez d'argent pour la racheter et la restaurer ? voulut-il savoir.

— Je suis à peu près sûre de trouver l'argent pour la racheter. Là où le bât blesse, c'est la restauration.

Il réfléchit un instant.

— Peut-être pourrons-nous arriver à trouver un arrangement ? dit-il.

Le cœur de Sarah fit un bond dans sa poitrine. Elle retint son souffle. Un arrangement ? Oui, vivre ensemble. Mais il ne fallait pas qu'elle laisse transparaître son trouble, au contraire. Elle devait se montrer professionnelle. Aussi professionnelle que possible, compte tenu du fait qu'elle se trouvait allongée par terre, nue, dans les bras de l'homme le plus sexy qu'elle ait jamais rencontré. Pourtant, le jeu en valait la chandelle. Ils étaient sur le point d'aborder, indirectement, un sujet brûlant : un avenir possible ensemble. Enfin, en ce qui la concernait, c'était le cas.

— J'espérais que tu dises cela, avança-t-elle. Je tiens absolument à ce que ce soit toi qui fasses les travaux.

— Nous sommes d'accord sur ce point.

— Comment envisages-tu de procéder ?

— J'y ai déjà un peu réfléchi et…

Il fut interrompu par la sonnerie du téléphone portable de Sarah.

— Vas-y, réponds. Je reviens.

Il se rendit dans la salle de bains, refermant la porte derrière lui.

— Je t'appelle au cas où vous seriez en petite tenue tous les deux.

— Kaycee ! Qu'est-ce que tu vas t'imaginer ? répondit Sarah d'une voix innocente.

— On n'apprend pas à un vieux singe à faire la grimace ! J'ai bien vu ce qui se passait entre vous, hier soir. En tout cas, je te préviens, Claire va arriver avec Wyatt d'une minute à l'autre. Tu veux qu'elle le garde encore aujourd'hui ? Je pense qu'il sera d'accord.

A ce moment-là, Cimarron revint dans la pièce. En le voyant, elle n'eut qu'une envie, demander à Kaycee de garder Wyatt une deuxième nuit.

— Non, laisse-le revenir au studio. Je serai partie le temps qu'il arrive. Merci !

— Que se passe-t-il ? demanda Cimarron.

— Wyatt arrive.

— Quoi ? Là ? Tout de suite ?

Il avait l'air tellement paniqué qu'elle ne put s'empêcher d'éclater de rire.

— Non, d'ici cinq minutes. Je ferais mieux de filer.

— Je suppose.

Il l'agrippa par le bras, et plongea son regard dans le sien.

— Nous parlerons de la maison ce soir, d'accord ?

— D'accord. Il faut que j'aille à Bozeman cet après-midi. Tu veux venir avec moi ? Rien de très excitant, mais cela me ferait plaisir que tu viennes.

— J'aimerais bien si je n'avais pas déjà pris rendez-vous avec des fournisseurs locaux. J'essaie de m'organiser un peu pour trouver les matériaux nécessaires pour quand j'en aurai besoin.

Elle fronça les sourcils, déçue.

— Si je comprends bien, tu avais déjà prévu de t'occuper de la restauration, que je le veuille ou non ? laissa-t-elle tomber. Tu pensais vraiment que je n'arriverais pas à réunir les fonds ?

— Je n'ai jamais dit cela, Sarah. J'aime bien anticiper,

pour ne pas être pris de court, c'est tout. Si je ne fais pas les travaux, je ne confirmerai pas les commandes. Pour moi, ce qui compte, c'est de trouver des fournisseurs avec qui je peux m'entendre. Bon, en attendant, file vite avant qu'on ne nous prenne la main dans le sac. Enfin, façon de parler !

Chapitre 18

Cimarron fut de retour au Café avant Sarah. Il décida de faire un détour par la clinique pour voir si Wyatt voulait rentrer avec lui. Il n'eut guère de succès : entre jouer avec les jumeaux et deux des autres enfants Rider ou rentrer avec son oncle, Wyatt n'hésita pas une seconde, ce qui arrangeait bien Cimarron qui avait largement de quoi s'occuper. Après s'être préparé un sandwich et avoir pris une bouteille d'eau, il se dirigea vers le chantier.

Au bout d'une heure environ, la chienne, qui l'avait accompagné jusque-là, se mit à grogner de façon agressive. Inquiet, Cimarron tendit l'oreille et jeta un coup d'œil par la fenêtre afin de voir ce qui se passait. Sécotine s'était avancée jusqu'à la porte d'entrée de la grande maison, les poils hérissés.

Tout à coup, il entendit des pas lourds se rapprocher. Au moment où Sécotine allait se précipiter sur l'intrus, le sergent Griff Whitman entra.

— Au pied ! lança Cimarron.

L'animal obéit aussitôt, sans pour autant cesser de grogner.

Griff Whitman, l'air furieux, fit mine de saisir sa matraque.

Cela ne fit qu'aggraver la situation. La chienne se remit à gronder de plus belle.

— Qu'est-ce que…? vociféra-t-il.

— Rangez ça, Whitman! Elle ne vous fera aucun mal.

— C'est votre chien?

— C'est mon chien.

— Elle est à jour de ses vaccinations?

— Oui, rassurez-vous, elle est tout à fait en règle.

— Ça vaut mieux, sinon c'est la fourrière!

Décidément, cet individu ne faisait rien pour s'attirer les sympathies, songea Cimarron.

— C'est pour prendre des nouvelles de la santé de mon chien que vous êtes venu? lança-t-il, peu disposé à être aimable. Parce que, figurez-vous, je n'ai pas que ça à faire.

— Si j'étais vous, je ne m'investirais pas trop dans cette bicoque. J'ai comme l'impression que la jolie Sarah ne va plus avoir besoin de vos services.

Mais de quoi se mêlait-il? Cimarron dut faire un effort colossal pour contenir son irritation croissante. Comme il avait l'intention de rester quelque temps dans les parages, il n'avait pas intérêt à se mettre à dos la police locale. Hélas, c'était un peu tard, il en avait bien peur, car, sans avoir rien fait pour, il était déjà dans le collimateur du sergent Whitman, semblait-il.

— Qu'est-ce que vous racontez?

— Je peux vous affirmer que, lorsque Sarah aura racheté cette maison, elle emploiera quelqu'un d'autre pour les travaux, lui expliqua Griff Whitman avec un grand sourire.

Cimarron accusa le coup et ne sut que dire. Sarah allait donc racheter la maison? C'était donc ce qu'elle avait essayé de lui dire ce matin? Et la veille au soir? Pouvait-il s'être trompé à ce point sur son compte? Si c'était le cas, il perdait la main avec les femmes. Ce qui était certain, c'est qu'il n'allait pas prendre pour argent comptant ce que racontait Griff Whitman. Si Sarah avait quelque chose à lui avouer, qu'elle vienne le lui dire elle-même!

— Comment pouvez-vous être sûr que Sarah va racheter la maison? demanda-t-il, très calme. C'est un peu hors de son budget, non?

— Justement, il y a beaucoup de gens ici qui n'apprécient pas du tout que vous ayez fait monter les enchères. De toute façon, ça n'a plus d'importance. Je lui ai dit hier soir que je lui donnerai l'argent pour la racheter. Et l'argent pour la retaper.

Qu'est-ce que c'était que cette histoire? se demanda Cimarron, médusé. Un officier de police ne devait pas gagner des mille et des cents, surtout dans une petite ville de province. D'où tenait-il tout cet argent? Bluffait-il? Non. Il avait l'air sérieux.

Cette nouvelle n'était pas pour enchanter Cimarron, et il allait devoir réviser ses plans. Pire encore, la nuit qu'il venait de partager avec Sarah, la promesse d'autres nuits aussi belles lui apparaissaient soudain sous une autre lumière. Il avait cru trouver la perfection et voilà qu'il se sentait bafoué. Trahi. Elle s'était bien moquée de lui!

Non content d'avoir marqué un point, le sergent Whitman décida d'enfoncer le clou un peu plus.

— Je ne sais pas si vous êtes au courant, mais Sarah et moi, nous sommes sortis ensemble pendant deux ans, reprit-il. Nous nous sommes séparés pour des broutilles, et j'ai bien l'intention de faire tout ce que je peux pour la récupérer.

J'irai même jusqu'à racheter ce tas de pierres pour lui faire plaisir. Je sais qu'elle y tient. Alors, vous voyez !

Griff Whitman ponctua ses paroles d'un coup menaçant de sa matraque sur la cuisse, ce qui ne manqua pas de déclencher des grognements de la part de Sécotine que Cimarron dut calmer de son mieux.

— Je vais être bref, poursuivit Griff Whitman en jetant un regard meurtrier à la chienne. Ce que je suis en train de vous dire, c'est que, vous et votre gamin, vous avez intérêt à faire vos sacs et à décamper au plus vite.

Cimarron fulminait, mais il se garda bien de le faire sentir. Le plus ignoble, c'était d'imaginer Sarah dans les bras de ce misérable, partageant avec lui ce qu'ils avaient partagé tous les deux. Son sang ne fit qu'un tour. Il déglutit avec difficulté, serra les dents, bien déterminé à ne pas donner à Whitman l'excuse de l'emmener au poste. Il n'attendait que cela, c'était évident, mais il n'aurait pas cette satisfaction.

— Ecoutez, fit-il d'une voix glaciale, nous en reparlerons quand Sarah aura signé le contrat de vente et que l'argent sera sur mon compte.

Il désigna la porte d'un mouvement du menton.

— En attendant, j'ai du travail.

— Commencez à faire vos valises, Cole.

Griff Whitman fusilla Sécotine du regard puis descendit le sentier à grands pas sans se retourner.

Pendant plusieurs secondes, Cimarron resta figé, encore secoué par cette altercation. Quelque chose de froid et de mouillé lui toucha la main ; Sécotine essayait de fourrer son museau dans sa main. Il s'accroupit à sa hauteur pour lui caresser le cou.

— C'est bon, ma belle. Il est parti. Et c'est sans doute ce que nous allons faire bientôt, nous aussi.

La chienne répondit par un gémissement et lui donna un grand coup de langue sur la joue. Elle avait l'air de comprendre. Inquiète, elle surveillait la porte tout en battant le sol de sa queue, comme pour lui dire qu'elle était là, qu'elle ne l'abandonnerait pas.

Cimarron n'avait plus le cœur à rien après cette visite qui avait considérablement émoussé son enthousiasme. Au moment où il quittait la maison, la voiture de Sarah apparut et se gara sous l'auvent. Il se préparait à rejoindre la jeune femme, bien décidé à en avoir le cœur net, lorsque Griff Whitman émergea d'un coin du parking où il avait dû l'attendre. Ils discutèrent quelques secondes avant de disparaître à l'intérieur.

Que se passait-il? Soudain les paroles de Sarah lui revinrent à la mémoire. N'avait-elle pas déclaré un jour qu'elle pouvait très bien « se montrer gentille avec n'importe qui pour un mois »? Avait-elle cherché à lui faire baisser son prix en s'offrant ainsi à lui? Une nuit torride contre un rabais?

Il ne pouvait le croire.

Son cœur affolé battait à tout rompre, résonnant dans sa poitrine. Impossible de le calmer. Il respira à fond une fois, deux fois. Sans grand succès.

Profondément blessé dans son amour-propre, profondément blessé tout court, Cimarron passa chercher Wyatt à la clinique. Le petit garçon l'aida à ranger les outils, puis ils prirent la voiture pour aller à Bozeman. Pas question de rester dans les parages pendant que Sarah se pâmait dans les bras de son prétendant, à quelques pas de là! C'était une soirée entre hommes, avait-il déclaré à Wyatt lorsque ce dernier lui avait demandé si Sarah allait venir avec eux. Une soirée dîner et cinéma.

Sur le chemin du retour, Wyatt s'assoupit. Cimarron fulminait toujours, l'esprit en ébullition. Il ne cessait de ressasser les mêmes pensées lugubres sans comprendre comment il avait pu se laisser berner à ce point. Bon sang! Il frappa le volant du plat de la main, faisant sursauter Wyatt.

— On est arrivés? demanda le petit garçon d'une voix ensommeillée.

— Non, pas encore.

— Tu es en colère contre moi, tonton Cimron?

— Non, pourquoi me demandes-tu cela?

— Tu as l'air en colère.

— Ce n'est pas contre toi. Tu as aimé le film?

— Oh, oui! J'aime bien aller au cinéma. Avec papa, j'ai déjà vu des films mais c'était surtout des DVD qu'il ramenait à la maison.

— Oui, je suppose que c'était plus facile pour lui.

— C'est drôle, il n'y a pas de télévision au studio. Je ne m'en étais même pas aperçu jusqu'à maintenant.

— Moi non plus. Cela fait des années que je n'ai pas eu de télévision, cela ne me manque pas.

— Moi c'est pareil. J'aime mieux colorier que regarder tout le temps la télé.

— Tu as raison, moi aussi.

— Tu es un bon papa, tonton Cimron.

Cimarron sentit sa gorge se serrer.

— Cela me fait plaisir que tu me dises ça, parvint-il à articuler au bout d'un moment.

Wyatt risquait de changer d'avis très vite, songea-t-il, le cœur brisé.

Où était donc Cimarron ? se demandait Sarah en surveillant le parking depuis sa fenêtre. Il était presque minuit et il n'était toujours pas rentré. D'après Claire, il était passé chercher Wyatt en fin d'après-midi. Ils avaient dû partir pendant qu'elle cherchait à se débarrasser de Griff. Elle n'avait pas été longue à comprendre que son offre n'était pas aussi désintéressée qu'il le prétendait. En lui offrant l'argent, il comptait bien reprendre leur relation là où ils l'avaient laissée. C'était un prêt dont le taux d'intérêt était bien trop élevé ! Elle n'avait certainement pas l'intention de s'engager dans cette voie.

Lasse d'attendre, elle décida d'aller se coucher. Plus que jamais, elle devait absolument trouver un compromis avec Cimarron. Hélas, elle n'aurait pas l'occasion de lui parler en tête à tête avant le lendemain midi.

Le lendemain matin, son premier réflexe fut de vérifier que le camion de Cimarron était bien garé à sa place habituelle, près du studio. Il était bien là, constata-t-elle, soulagée. Elle avait dû dormir profondément, car elle ne l'avait pas entendu rentrer. Le studio était encore plongé dans l'obscurité lorsqu'elle entra dans le Café pour s'occuper des petits déjeuners. Peut-être allait-il venir prendre le sien ? Sinon, elle tâcherait de trouver un moment dans l'après-midi pour lui parler.

Les derniers clients étaient tous partis, la dernière tasse lavée et rangée ; il lui ne restait plus qu'à balayer lorsqu'elle entendit Wyatt jouer dehors avec Sécotine. Laissant Aaron terminer, elle s'essuya les mains sur son tablier et sortit.

Wyatt portait une chemise à manches longues, un pantalon kaki et ses vieilles bottes éculées. Ce ne serait pas une mauvaise idée de lui offrir une paire de bottes de cow-boy pour son anniversaire ou pour Noël, songea-t-elle. Il lançait un jouet en caoutchouc à Sécotine qui courait le chercher et le lui rapporter sans jamais se lasser.

— Salut, Wyatt!

— Salut.

— Où vas-tu, habillé comme ça? Tu es drôlement chic.

— Tonton Cimron a un rendez-vous à Bozeman. Je dois y aller aussi parce que Claire n'est pas là aujourd'hui.

— Ah, bon? Ça a l'air intéressant.

Wyatt fit une grimace.

— Non. Je veux pas y aller. Tonton Cimron dit que j'ai pas le choix.

— Tu n'as qu'à rester avec moi, si tu ne veux pas y aller.

Les yeux du petit garçon se mirent à briller aussitôt.

— C'est vrai? Je peux? Oh! J'aimerais bien.

— Allons demander à ton oncle.

Wyatt se précipita au moment où Cimarron sortait. Lui aussi, visiblement, s'était mis sur son trente et un. Il portait un costume gris foncé, une chemise d'un gris-bleu clair et une cravate rouge. Ses cheveux étaient aussi bien peignés que ses boucles noires le permettaient, et ses chaussures, rutilantes. Quel changement! Sarah l'accueillit avec un sifflement admiratif.

— On dirait deux mannequins! C'est en quel honneur?

— J'ai rendez-vous, marmonna Cimarron, laconique.

Sans un mot, il tendit à Wyatt le petit sac à dos dans lequel l'enfant rangeait ses jouets.

Sarah n'osa plus rien dire. Cimarron avait l'air franchement hostile à son égard. Que se passait-il? Ils s'étaient pourtant quittés en très bons termes. A moins que, pour lui, leur rencontre ne soit qu'une aventure sans lendemain? Ce ne devait pas être la première nuit de ce genre qu'il passait avec une femme, vu son style de vie. Toujours par monts et par vaux, il devait passer de l'une à l'autre sans trop se poser de questions. Une de perdue, dix de retrouvées. Pourtant...

— Il y a quelque chose qui ne va pas? demanda-t-elle enfin, inquiète.

Il haussa une épaule, un geste qu'elle lui avait vu faire lorsqu'il cherchait à se dérober.

— Non, pourquoi?

— Je ne sais pas, tu as l'air bizarre.

— Rien de grave. Allez, tu viens, Wyatt?

— Tonton Cimron, Sarah dit que je pouvais rester avec elle.

Cimarron lança à Sarah un regard indéchiffrable. Puis il prit Wyatt par la main.

— Je préfère que tu viennes avec moi.

— Pourquoi? Je peux très bien m'occuper de lui, il n'y a pas de problème, intervint Sarah.

— S'il te plaît, tonton Cimron? S'il te plaît! Je veux pas attendre avec la secrétaire pendant ta réunion. Je préfère rester avec Sarah.

— C'est complètement idiot, Cimarron, il est bien mieux à rester ici avec moi. Il ne me dérangera pas, j'avais l'intention de faire des biscuits.

— Hum, c'est peut-être mieux comme ça, en effet, reconnut-il enfin. Tu n'ennuieras pas Sarah, compris?

— Promis.

L'enfant détacha sa main de celle de Cimarron et prit celle de Sarah.

— J'aime bien faire la cuisine, déclara-t-il en levant sur elle de grands yeux pleins d'attente.

— Ah, bon? Quand as-tu appris?

— Tonton Cimron et moi, on a fait des croque-monsieur une fois. Ils étaient très bons.

Elle regarda Cimarron, qui sourit à Wyatt, l'ignorant délibérément. Pas de doute, il y avait un problème. Mais lequel? se demanda-t-elle, mal à l'aise.

Sans un mot, Cimarron se dirigea vers son camion.

Sarah le regarda s'éloigner, de plus en plus perplexe.

— On va faire quoi, comme petits gâteaux? s'enquit Wyatt.

— Je ne sais pas. Lesquels préfères-tu?

— J'aime tous les petits gâteaux.

Dans la cuisine, il alla poser son sac à dos dans un coin et revint en courant vers Sarah.

— Je sais, si on faisait des biscuits à l'avoine et au chocolat? lui proposa-t-elle. C'est ma spécialité. Qu'en penses-tu?

— Ho! Tu sais faire ça?

— Oui et je vais t'apprendre. Va vite te laver les mains et grimpe là-dessus.

Elle tira un escabeau qu'elle plaça près de la surface de travail, pour qu'il soit à la bonne hauteur. Puis elle sortit les plaques de cuisson, les bols et tous les ingrédients nécessaires.

Elle travailla ensemble dans le mixer le sucre, la vanille et les œufs qu'elle cassa un à un, puis elle mesura dans un autre bol la quantité de farine requise, à laquelle elle ajouta la levure, les pastilles de chocolat ainsi qu'une pincée de sel. Elle le plaça devant Wyatt et lui tendit une cuillère.

— Tiens, quand je te le dirai, tu prendras un peu de farine avec ta cuillère et tu la mettras dans ce bol, pour que je puisse la mélanger. Tu es prêt ? Vas-y.

— O.K.

Avec beaucoup de concentration, Wyatt plongea la cuillère dans le récipient.

— Juste un peu !

Il en versa une infime quantité.

— Un petit peu plus que ça.

Il fit un deuxième essai.

— Parfait !

Elle mélangea le tout puis releva les fouets.

— Encore.

Ils répétèrent le processus jusqu'à ce que toute la farine ait été incorporée et que la pâte ait la consistance requise.

— Maintenant, les noisettes.

— Les écureuils mangent des noisettes.

— C'est vrai. Où as-tu appris cela ?

— Tonton Cimron me lit des livres avec des histoires d'animaux.

— Tu aimes bien les livres ?

Wyatt hocha la tête vigoureusement.

— J'aime bien colorier aussi. J'ai apporté mes albums et mes crayons. Tu aimes aussi colorier, toi ?

— Oui. Enfin, j'aimais bien ça quand j'étais petite. Si tu veux, pendant que les petits gâteaux seront dans le four, nous pourrons faire des coloriages ?

— O.K. !

Elle arriverait bien à trouver le temps de colorier entre le moment où elle devrait se mettre à la préparation pour le dîner et le retour de Cimarron.

Elle beurra la plaque de cuisson, puis, à l'aide d'une cuillère, ils y disposèrent des petits tas de pâte. Elle était fascinée par la concentration que le petit garçon déployait, prenant sa tâche très au sérieux. Il ressemblait tellement à Cimarron que cela en était troublant, avec cette façon qu'il avait de froncer les sourcils et de lui jeter de temps en temps des petits regards en coin comme pour se rassurer, tout comme le faisait son oncle. Jusqu'à leurs cheveux, absolument identiques. Un vrai Cimarron en miniature. Emue, Sarah sourit. Puis, tout aussi soudainement, son sourire s'effaça. Cimarron s'était conduit d'une manière tellement étrange tout à l'heure. Elle enfourna les plaques et s'essuya les mains, puis elle tendit à Wyatt un torchon pour qu'il fasse de même.

— Alors, ce livre de coloriages, où est-il ?

De son sac à dos, Wyatt sortit un énorme album qu'il posa sur la table, ainsi qu'une grosse boîte de crayons de couleur. La plus belle qui soit, comme celles que Sarah adorait, enfant, avec un taille-crayon incorporé et un nombre inimaginable de couleurs. Cimarron n'avait pas fait les choses à moitié, l'enfant avait été gâté.

C'était un de ces albums aux activités multiples, labyrinthes, images cachées qui apparaissaient lorsque l'on reliait les points dans le bon ordre, coloriages de toutes sortes et de toutes catégories avec des images d'animaux, de moyens de locomotion, de paysages, de personnages.

— Qu'est-ce que tu préfères ? Colorier ou faire un jeu ? demanda Wyatt.

— Et toi ?

— J'aimerais bien faire ce jeu avec les nombres. Tu veux bien le faire avec moi ? Parce que je connais pas encore mes nombres très bien. Tonton Cimron me les apprend. Mais je connais mon alphabet! ajouta-t-il avec fierté.

— C'est super. Ton papa t'a appris à compter et à lire?

— Non, il était toujours trop fatigué. Erika, elle avait souvent mal à la tête, elle voulait pas.

— On va faire ce jeu si tu veux.

Le jeu consistait à remplir des blancs. Le nombre était donné soit en chiffres soit en lettres, et il fallait découvrir la version manquante. Wyatt n'avait aucun mal à reconnaître les chiffres, mais il ne savait pas les écrire.

Sarah lui apprit patiemment à lire et à écrire jusqu'à dix en toutes lettres.

— Vous m'avez manqué tous les deux, hier soir, dit-elle soudain.

— On est allés manger des hamburgers à Bozeman et voir un film.

— Ah bon? Tu as aimé le film?

— Oh, oui! C'était un dessin animé, avec des animaux.

— Super.

— Je voulais que tu viennes avec nous mais tonton Cimron a dit que tu avais de la visite, alors c'était « une soirée entre hommes ».

— De la visite?

Soudain tout devint clair! Cimarron avait dû voir la voiture de Griff, ce qui expliquait son attitude pour le moins étrange.

— Il aurait dû venir me chercher, j'y serais allée avec plaisir.

— On y retournera peut-être?

— Je l'espère bien.

Ils feuilletèrent l'album et décidèrent de faire du coloriage pour changer, leur choix se portant sur une double page. D'un côté, un paysage pour Sarah, de l'autre, trois chiots dont l'un était debout, le deuxième assis et le troisième endormi, que Wyatt choisit sans hésitation. Sarah, amusée, vit que Wyatt donnait au petit chien endormi la couleur de Sécotine. Puis il ajouta des « Zzzz » lui sortant de la gueule.

— Qu'est-ce que c'est que ça ? lui demanda-t-elle.

— Tu vois bien qu'il dort. Ça, c'est parce qu'il ronfle. C'est tonton Cimron qui m'a dit que ça voulait dire ça. Tu sais, lui, il ronfle. Il dit que tous les vrais hommes ronflent.

Sarah éclata de rire.

— Il t'a dit ça ?

— Oui. Il fait des drôles de bruits quand il dort quelquefois. Comme ça, ajouta-t-il en émettant une série de ronflements et de grognements tout à fait expressifs qui déclenchèrent l'hilarité de Sarah.

Derrière ce rire, un besoin intense se réveilla en elle, la tenaillant jusqu'à lui faire mal. Elle voulait tant sentir la chaleur du corps de Cimarron contre le sien… Partager chaque instant de sa vie avec lui… Mais vu l'accueil qu'il lui avait réservé ce matin, son doux rêve avait plutôt un goût amer.

Le minuteur sonna, la tirant brusquement de sa rêverie.

— Les petits gâteaux sont prêts. Finis ton dessin pendant que je les sors du four.

Elle les disposa sur une grille pour qu'ils refroidissent. Le temps qu'ils soient moins chauds, Wyatt avait entamé une autre page. Il s'interrompit lorsque Sarah lui proposa un gâteau, se régala visiblement, but une gorgée de lait, puis retourna à son coloriage sans un mot. Quelque chose n'allait pas, elle le sentait bien, mais ne voulait pas le bousculer. Après une autre pause-biscuit, il plongea soudain du nez sur son album, et elle dut tendre l'oreille pour entendre ce qu'il marmonnait.

— Tu sais où est allé tonton Cimron aujourd'hui? demanda-t-il soudain.

— Non. Et toi?

— Je crois qu'il est allé voir quelqu'un pour me *dopter*.

Sarah, suffoquée, resta sans voix. Avait-elle bien compris?

— Pour faire *quoi*?

— Pour me *dopter*. Pour que j'habite ailleurs. Avec d'autres gens.

Elle avait bien compris. Ce n'était pas possible, Wyatt devait se tromper.

— Qu'est-ce qui te fait croire ça?

— Je l'ai entendu parler au téléphone. Il a parlé de moi à des gens qui ont d'autres enfants. Pour que j'aie un papa et une maman tout le temps.

Sarah sentit que son sang se figeait dans tout son corps. Elle dut prendre une inspiration profonde pour tenter d'apaiser les battements de son cœur.

— Et toi, qu'est-ce que tu en penses, Wyatt? parvint-elle à articuler d'une voix qu'elle voulait calme.

Il haussa légèrement les épaules.

— Je sais pas. De toute façon, tonton Cimron m'aime pas, alors si les gens sont gentils, c'est peut-être bien. Peut-être qu'eux, ils m'aimeront?

— Pourquoi dis-tu cela, Wyatt? Bien sûr que ton oncle t'aime! Qui t'a mis une idée pareille dans la tête?

— Mon papa, il disait que tonton Cimron, il aimait

personne de sa famille, sauf sa grand-mère. Et elle est morte depuis longtemps.

Sarah resta un moment sans parler. Puis elle se pencha sur Wyatt, le força à la regarder et posa sur lui un regard tendre et ferme à la fois.

— Ecoute-moi bien, Wyatt. Ton oncle t'aime énormément, crois-moi. S'il cherche une autre famille pour toi, c'est justement parce qu'il t'aime et qu'il a peur que tu ne sois pas heureux avec lui. Tu comprends ? Il vit tout seul, il ne reste jamais longtemps au même endroit, et tu ne pourras pas toujours le suivre sur ses chantiers. Je crois que ce qu'il veut pour toi, c'est que tu aies une vraie famille, dans une jolie maison avec un papa et une maman, des frères et des sœurs, que tu ailles à l'école et que tu te fasses plein d'amis.

— C'est ce qu'il dit.

Sur ce, il se concentra sur ses coloriages.

Sarah, le cœur lourd, s'affaira dans la cuisine, reproduisant ses gestes quotidiens d'une manière machinale, tel un automate. Aaron allait arriver d'ici à une demi-heure, tout devait être prêt pour le dîner. Un étau lui enserrait la poitrine. Elle dut prendre une profonde inspiration pour refouler les larmes qui menaçaient de la submerger.

Si Wyatt avait besoin d'un foyer, c'était avec Cimarron et elle.

Evidemment, s'il avait décidé de retourner à son style de vie habituel, ne restant jamais plus de quelques semaines au même endroit, alors il avait raison d'envisager l'adoption pour Wyatt. Quelle autre solution avait-il ?

Pourtant, ce n'était pas la bonne solution. En aucune façon.

Elle le savait au plus profond d'elle-même.

Chapitre 19

La réunion se déroula sans problème. Cimarron ne trouva rien à reprocher aux Carrington, rien qu'il puisse utiliser comme excuse pour tout annuler. Ils remplissaient toutes les conditions requises, ayant déjà adopté d'autres enfants plus âgés, dont un d'une autre nationalité. Par conséquent, rien ne s'opposait à ce que l'adoption se conclue dans les plus brefs délais, une fois, bien sûr, qu'il se serait assuré que les Carrington et Wyatt avaient toutes les chances de s'entendre.

Il ne restait plus qu'à organiser une rencontre entre eux. Il fut donc entendu que Cimarron amènerait Wyatt dans un fast-food la semaine suivante pour que les Carrington puissent le voir et, si cela paraissait opportun, faire sa connaissance.

Le cœur lourd, Cimarron accepta d'y réfléchir.

Maintenant que les choses prenaient une tournure plus réelle, il hésitait. L'adoption était-elle la bonne solution ? Mais comment serait-il capable d'assumer la lourde respon-sabilité d'élever Wyatt, lui qui doutait tant de ses capacités, surtout maintenant qu'il avait rencontré les Carrington ? Ces derniers avaient tout des parents idéaux. Bien sûr, si quelqu'un avait pu lui affirmer qu'il était l'homme de la situation, il n'aurait pas hésité une seconde. Si seulement il avait pu lire dans l'avenir et savoir quel serait le sort de Wyatt dans l'un et l'autre cas, son choix aurait été facilité. Hélas, il n'était pas devin.

Lorsqu'il entra dans le café par la porte de derrière, Wyatt était en train de jouer à une table un peu à l'écart, tandis que Sarah et Aaron s'occupaient de la préparation du dîner.

Wyatt se précipita à sa rencontre.

— Tu t'es bien amusé, bonhomme ?

— Oui ! Regarde ! On t'a gardé un petit gâteau !

Le petit garçon lui tendit un sac en papier d'où s'échappait une délicieuse odeur.

Cimarron le soupesa.

— On dirait qu'il n'y en a pas juste un seul.

Wyatt hocha la tête vigoureusement.

— Il y en a un pour moi aussi et Sarah en a rajouté d'autres pour tous les deux.

— C'est gentil de sa part.

Cimarron jeta un coup d'œil à Sarah qui, à ce moment précis, avait l'air tout sauf gentil. L'après-midi n'avait pas dû se passer aussi bien qu'elle l'avait escompté, se dit Cimarron, perplexe.

— Merci de t'être occupée de lui, Sarah.

Sarah, qui était en train de préparer la sauce, tendit sa cuillère à Aaron pour qu'il continue de remuer à sa place et s'approcha de lui, le visage fermé.

— Wyatt, va donc voir si Sécotine ne traîne pas par là. Tiens, j'ai quelque chose pour elle.

Elle sortit du réfrigérateur un gros os, qu'elle lui tendit.

Enchanté, l'enfant s'en empara et sortit en courant.

— Merci !

— Cimarron, je voudrais te parler.

— Bien sûr. Cela ne s'est pas bien passé, avec Wyatt ?

En guise de réponse, elle ouvrit la porte qui donnait sur le couloir menant à son appartement.

— Aaron, s'il te plaît, est-ce que je peux te confier Wyatt un instant ? Je n'en aurai pas pour longtemps.

— Pas de problème.

Intrigué, Cimarron suivit Sarah. Un escalier menait à son appartement, une autre porte donnait sur la terrasse. Il n'était jamais monté chez elle, tandis que Griff, lui... Une jalousie féroce lui vrilla soudain les entrailles, qu'il eut bien du mal à contrôler.

— Que s'est-il passé avec Wyatt ? voulut-il savoir.

— Rien. Absolument rien. C'est après toi que j'en ai !

Sa voix tremblait de rage contenue, ses yeux lançaient des éclairs.

— Qu'est-ce que j'ai fait ? demanda-t-il, étonné.

— Qu'est-ce que tu as fait ? Tu oses me demander ce que tu as fait ? Tu vas faire adopter cet enfant ! Voilà ce que tu as fait !

Cimarron, qui n'avait rien mangé de toute la journée et se sentait nauséeux et horriblement fatigué, fut incapable de prononcer une parole. Il avala sa salive avec difficulté.

— Qui t'a dit ça ? demanda-t-il enfin.

— Wyatt m'a dit ce que tu étais allé faire aujourd'hui. Il m'a dit que tu voulais le faire adopter, il t'a entendu en parler au téléphone.

Elle lui raconta ce que l'enfant lui avait appris.

— Il est très intelligent, très sensible, ajouta-t-elle. Il

fait tout pour être sage et ne pas te gêner mais, au bout du compte, il est persuadé que tu ne l'aimes pas.

— Mais c'est faux, bon sang! C'est totalement faux! Tout ce que je veux, justement, c'est qu'il soit le plus heureux possible!

— En tout cas, pour lui, il n'y a aucun doute, il croit dur comme fer ce que son père lui a raconté. Lui as-tu seulement dit une fois, une seule, que tu l'aimais, depuis qu'il est avec toi?

Cimarron blêmit et ne répondit pas. Un étau lui enserrait la poitrine, l'empêchant de respirer, de parler. Quelle réponse aurait-il pu apporter de toute façon?

— C'est bien ce que je pensais, laissa tomber Sarah froidement.

— Je ne sais pas comment faire. Je… je… Mes parents… Ils n'ont jamais…

Il s'interrompit, incapable de continuer. Son passé venait de remonter à la surface, lourd, trop lourd. Comme pris dans des sables mouvants, il sentit qu'il s'enfonçait et que tout allait s'écrouler autour de lui. Il aurait voulu crier, il aurait voulu s'ouvrir à Sarah. Elle seule pouvait comprendre, elle seule pouvait l'aider. Mais aucun son ne put sortir de sa bouche.

— Et maintenant, tu ne trouves rien de mieux que de le faire adopter, poursuivit-elle.

— Ce n'est pas exactement ce que j'étais en train de faire, aujourd'hui. Pas exactement.

— Comment ça, *pas exactement*?

La nausée le prit de nouveau. Cette fois-ci, c'était plus un mélange de culpabilité, de colère rentrée, de besoin de se justifier qui lui tordait les entrailles.

— Ecoute, Sarah, laisse-moi t'expliquer au lieu de me condamner. Quand je me suis retrouvé avec Wyatt, je ne pensais pas être capable de m'occuper de lui. J'en ai parlé à mon avocat, qui a insisté pour que je rencontre les Carrington. D'après lui, je ne trouverai pas mieux comme famille. Crois-moi, il n'a pas tort.

— On ne peut pas dire que tu aies accordé beaucoup de temps à Wyatt. C'est comme ça que tu gères tes relations amoureuses, je suppose ? Dès que cela devient trop sérieux, tu prends tes jambes à ton cou, c'est ça ?

Le ton de la jeune femme était sans pitié. Il hésita avant de répondre :

— *C'était* ça, oui, concéda-t-il. Mais…

— Mais quoi ? Tu as brusquement changé ?

Cimarron leva les mains dans un geste de frustration.

— Tu ne crois pas que quelqu'un puisse changer, Sarah ? Tu as sans doute raison. Il n'y a qu'à te regarder, toi. Tu n'as pas mis longtemps à reprendre tes anciennes habitudes !

— Je te demande pardon ?

— Griff. J'ai bien vu qu'il était chez toi, hier soir.

— Il est passé me voir, oui, et alors ? Ce n'est pas parce que nous avons couché autrefois ensemble que je n'ai plus le droit de voir mes anciens amis.

— Un ancien *petit* ami. Et pas n'importe lequel, puisqu'il va te donner deux millions de dollars pour que tu récupères ta maison. Ce genre de service est rarement gratuit. Qu'attend-il en échange ?

— Comment oses-tu me parler comme ça ? De quel droit ?

Sarah, à cet instant, était la représentation même des Furies de la mythologie, la chevelure flamboyante, elle semblait sur le point de se jeter sur lui, toutes griffes dehors, prête à le déchiqueter.

Quant à lui, il était si bouleversé, déchiré entre peur, ressentiment, colère, qu'il ne s'en serait probablement pas aperçu.

— J'ose te parler comme ça parce que, hier soir, j'ai reçu la visite de ton ex-petit ami, justement, rétorqua-t-il. Il m'a dit qu'il allait te donner l'argent et que vous alliez vous remettre ensemble. Il a été très clair : j'ai intérêt à tirer un trait sur la maison, sur toi, à prendre mes cliques et mes claques et à disparaître le plus vite possible. Après, j'ai bien vu que vous vous êtes retrouvés et…

— Je l'ai vu un quart d'heure !

La voix de Sarah monta d'un cran, se fit plus aiguë. Elle s'approcha de lui, pointa sur son torse un doigt accusateur, avec lequel elle ponctuait ses paroles.

— Si tu t'étais donné la peine d'attendre un peu au lieu de partir comme un voleur, tu t'en serais rendu compte toi-même ! J'avais l'intention de ne pas l'encourager, figure-toi, parce que je croyais que, toi et moi, nous avions commencé une belle histoire. Désormais, j'ai changé d'avis, Cimarron Cole. Parce que je n'ai rien à faire avec un homme capable de tourner le dos à un petit garçon comme Wyatt. Regarde-toi ! Tu pleurniches parce que ton père t'a abandonné, et qu'est-ce que tu fais ? Tu reproduis exactement le même schéma, sauf que Wyatt, lui, il n'a personne. Alors que toi, au moins, tu avais une mère et un frère. Tu devrais avoir honte !

Cimarron resta sans voix. Il lui semblait que le sol venait brusquement de s'ouvrir sous ses pieds.

Les paroles de Sarah lui avaient transpercé le cœur comme un coup de poignard. Elle aurait voulu l'achever qu'elle ne s'y serait pas prise autrement. Toute velléité de se défendre disparut aussitôt. S'il y avait une personne à laquelle il ne supportait pas d'être comparé, c'était bien à son père.

Depuis le début, il avait cherché ce qu'il y aurait de mieux pour Wyatt. Il ne voulait surtout pas l'abandonner comme l'avait fait Jackson Cole avec sa famille. Il s'était juré, au contraire, de lui éviter une vie de pauvreté, d'angoisse et d'insécurité comme celle qu'il avait connue. Lui ne pouvait pas lui offrir la stabilité dont tout enfant avait besoin. Les Carrington, eux, le pouvaient. Comme ils lui offriraient, il en était sûr, l'amour d'une famille unie. Et pour Sarah, il devait avoir honte de lui?

Titubant, il recula jusqu'à la porte de sortie.

— Non, sois tranquille, continua Sarah, je ne vais pas reprendre ma relation avec Griff. En revanche, son argent, probablement. Puisque c'est la seule façon pour que tu quittes la ville et sortes de ma vie une bonne fois pour toutes! Et tu sais ce que je vais faire de la maison? Je vais sans doute la raser complètement, parce que je ne pourrais plus jamais la regarder sans penser à ce qui est arrivé à Wyatt!

Lorsque, enfin, Cimarron parvint à articuler quelques mots, ce fut d'une voix si rauque et si tremblante que c'est à peine s'il la reconnut.

— Tu as raison, Sarah. Tu n'as rien à faire avec un homme comme moi.

Il ouvrit la porte derrière lui.

— Et Wyatt non plus! ajouta-t-il.

Avant qu'il ait pu s'échapper, elle l'avait agrippé par le bras.

— Tu sais, Cimarron, il serait temps que tu grandisses

un peu, que tu cesses de te considérer comme une victime. Grand temps !

— Que veux-tu dire par là ?

— Arrête de te sous-estimer ! Parce que tu ne te considères pas comme un assez bon papa, tu vas confier Wyatt à une famille qui, à tes yeux, fera le boulot mieux que toi ? Parce que tu n'es pas assez bien pour moi, tu préfères me laisser partir avec un autre ? Bon sang ! Est-ce que c'est vraiment ce que tu veux ? Non, je ne pense pas. Je crois que tu aimes Wyatt, je crois aussi que je représente quelque chose pour toi, et je ne crois pas une seconde que tu veuilles nous quitter, ni l'un ni l'autre !

Il se dégagea violemment.

— Ce que je veux n'a rien à voir là-dedans ! Ça l'a toujours été et ça le sera toujours !

Cette fois-ci, il était parti avant qu'elle ait le temps de le retenir.

L'esprit en ébullition, Sarah travailla ce soir-là comme un automate jusqu'à la fermeture du Café. Inquiet, Aaron lui demanda à plusieurs reprises ce qui n'allait pas. « Rien, mentit-elle, rien du tout. » Comment lui expliquer que son monde venait de chavirer, qu'elle n'avait plus rien à quoi se raccrocher ? Qu'un gouffre béant s'était ouvert, la séparant de Cimarron et de Wyatt, et qu'elle ne savait pas comment le combler, qu'elle n'en avait pas la moindre idée, alors que tout son être se tendait vers eux dans un effort aussi vain que désespéré ?

Elle aurait voulu pouvoir faire reculer les pendules, reprendre cette discussion à zéro, effacer les paroles qu'elle avait jetées à la figure de Cimarron dans un moment de colère. Paroles qu'elle regrettait amèrement du reste. Il avait eu l'air si profondément blessé quand elle l'avait comparé à son père… Comment avait-elle pu se montrer aussi insensible ? Cruelle même. Jamais elle n'aurait dû dire cela. C'était vil, gratuit. Il était trop tard pour réparer quoi que ce soit ; le mal était fait.

Cimarron était si convaincu d'agir pour le mieux vis-à-vis de Wyatt, vu les circonstances. Pourtant, elle savait au fond de son cœur qu'il se trompait lourdement. Non seulement pour Wyatt, mais pour eux deux aussi.

Quand, enfin, elle ferma la porte à clé et put monter chez elle, elle s'assit à la fenêtre. Le studio était plongé dans l'obscurité. Cimarron et Wyatt dormaient-ils ? Ou bien, comme elle, Cimarron ressassait-il les mêmes questions sans réponse, tournant et se retournant dans son lit sans pouvoir trouver le sommeil ?

Il lui suffisait de penser à Wyatt pour que les larmes lui montent aux yeux. Il aimait tant son oncle, c'était évident. Et elle ? Elle les aimait tous les deux. Cependant, comment Cimarron avait-il pu tirer des conclusions si hâtives sur sa relation avec Griff ? Avait-il à ce point si peu confiance en elle ? En eux ? Il avait à peine écouté sa version des faits ! Comme s'il était soulagé d'avoir une raison de ne pas s'engager plus avant avec elle. Elle fulminait rien que d'y penser ! Quant à l'adoption de Wyatt, il semblait plus déterminé que jamais à mettre ses plans à exécution, son attitude avait été très claire et sans équivoque lorsqu'il l'avait quittée.

Quel choix cela lui laissait-il ? Avait-elle seulement le choix ? Cimarron, visiblement, avait déjà choisi. Qui était-elle, après tout, pour aller à l'encontre d'une décision qu'il avait, sans qu'aucun doute ne soit possible, déjà prise ?

Elle jeta un rapide coup d'œil à la pendule. 23 heures. C'était tard, mais tant pis.

— Griff ? Je voulais discuter avec toi de ton offre pour m'aider à racheter la maison. Si ça tient toujours, bien sûr.

— Bien sûr que ça tient toujours. Tu sais bien que je ferais tout pour t'aider.

— Pourrions-nous nous rencontrer demain pour en discuter ? Cela m'ennuie de te demander de venir ici, seulement je suis bloquée à cause du Café.

— Non, ce n'est pas un problème. A quelle heure veux-tu que je passe ?

— Vers 14 heures, si tu peux ? Merci.

Elle fixa le téléphone longtemps après qu'ils eurent raccroché.

Etait-elle en train de commettre une grosse erreur ? Elle le craignait. Ce qui était sûr, en revanche, c'était qu'il était temps de tirer un trait sur cette tornade émotionnelle.

Le lendemain matin, dans le petit studio qui était devenu leur refuge, du moins pour l'instant, Cimarron et Wyatt étaient assis l'un en face de l'autre, devant leur petit déjeuner. Cimarron savait qu'il ne pouvait plus reculer. Rassemblant tout son courage, il se décida à parler.

— Wyatt, Sarah m'a dit que tu savais où j'étais allé hier matin.

Wyatt fixa sur lui de grands yeux sombres qui reflétaient toute sa détresse.

— Oui. Je t'ai entendu parler au téléphone.

— Est-ce que tu comprends pourquoi je cherche à te trouver une famille d'adoption ?

L'enfant détourna le regard et ne répondit pas.

— Wyatt, tu peux me dire tout ce que tu penses. Tu sais que nous sommes amis.

Wyatt hésita un instant avant de lâcher dans un souffle :

— Parce que tu m'aimes pas et tu veux pas de moi.

— Ce n'est pas vrai, Wyatt, murmura Cimarron, profondément troublé. Parfois, nous sommes obligés de prendre des décisions qui ne nous font pas plaisir. Cela n'a rien à voir avec les sentiments que j'ai pour toi.

— Alors, pourquoi tu veux me faire *dopter* ?

Wyatt tenait toujours sa cuillère au-dessus du bol de céréales, sans aucune intention de s'en servir. Il n'y avait plus en face de Cimarron qu'un petit garçon triste, en proie visiblement à une anxiété croissante. Cimarron sentit un poids énorme s'abattre sur lui. Lui non plus ne pouvait avaler une seule bouchée. Il se passa la main dans les cheveux et se pencha vers Wyatt.

— Wyatt, c'est que… je suis seul et je n'ai personne pour m'aider.

« Ce n'est que ça ? », parut penser Wyatt, tandis qu'une lueur d'espoir éclairait son regard.

— Tonton Cimron, je peux t'aider, moi ! Je suis là.

— Non, ce n'est pas ce que je veux dire, soupira Cimarron, bouleversé devant tant d'innocence. Je veux dire que je n'ai personne qui puisse s'occuper de toi. Tu vois, je dois beaucoup voyager à cause de mon travail, et je ne pourrai pas toujours t'emmener avec moi. Si je t'emmenais, tu serais obligé de changer d'école tout le temps, ce qui n'est pas bien.

— Je vais pas à l'école.

— Tu n'y vas pas encore mais tu iras bientôt. Si tu étais dans une famille avec un papa et une maman, tu pourrais rester dans la même école et te faire plein d'amis.

— Je veux pas d'amis. Mes amis, c'est Zach et Tyler. J'en veux pas d'autres.

— Je sais, je comprends. Mais avec le temps, tu verras, on change d'avis. Un jour, tu seras content d'avoir de nouveaux amis.

Wyatt croisa les bras et le fixa d'un regard pénétrant.

— Non, c'est pas vrai !

— Je t'assure, tu seras étonné toi-même. Ecoute, de toute façon, il n'y a pas vraiment le choix : je voudrais pouvoir t'offrir une vie stable, une bonne éducation, tout ce que tu mérites. Mais je ne peux pas.

Il marqua une pause, avala sa salive. Il se devait d'être honnête avec son neveu, même si c'était une des choses les plus difficiles qu'il ait jamais eu à faire de sa vie.

— Ecoute, bonhomme, tu sais, je ne pourrai pas être un bon papa pour toi. C'est ça la vérité.

L'enfant s'effondra littéralement sous les yeux de Cimarron, dont le cœur vola en éclats. Il brûlait de le prendre dans ses bras, de le bercer, de lui assurer que ce n'était pas vrai, qu'il retirait tout ce qu'il avait dit. Malgré cela, il choisit de n'en rien faire. Mieux valait trancher dans le vif, c'était dans l'intérêt de Wyatt, surtout maintenant que Sarah ne faisait plus partie de l'équation. Incapable d'avaler une bouchée supplémentaire, il prit son assiette qu'il porta dehors pour Sécotine.

A partir de ce jour, tous les travaux cessèrent dans la maison. Cimarron évita de se montrer au Café et partout où il risquait de rencontrer Sarah. Si elle ne les avait pas encore mis à la porte du studio, ce devait être à cause de l'affection qu'elle portait à Wyatt, pensa-t-il.

Cela ne pouvait plus durer. Plus les jours passaient, plus Wyatt semblait se renfermer sur lui-même. Il lui fallait prendre une décision, bonne ou mauvaise, et s'y tenir, afin que l'enfant puisse entamer une vie meilleure.

Il avait discuté longuement avec les Carrington au téléphone à deux reprises. Il avait aussi vu des photos de leur maison, qui se trouvait à la sortie de Bozeman. C'était une maison à deux étages, vaste et encombrée, avec un très grand jardin. Elle était accueillante, à l'image des Carrington. Les enfants qu'ils avaient adoptés semblaient compter beaucoup pour eux. Wyatt ne pouvait pas mieux tomber.

Il organisa un rendez-vous avec eux pour un après-midi, profitant de ce que Claire serait là. Si elle venait avec les jumeaux, Wyatt serait plus détendu, espérait-il.

L'idée d'inviter Sarah à se joindre à eux ne l'effleura pas. Au contraire, il choisit délibérément un jour où elle serait retenue par son travail. Il l'avait profondément déçue, il le savait. Et il n'avait ni la force ni le courage de tenter, une nouvelle fois, de lui expliquer son point de vue. A quoi bon ? Elle avait mis un terme à leur relation d'une manière plutôt définitive, semblait-il. Une fois l'adoption finalisée, il partirait loin d'ici. Sarah ne serait alors plus qu'une femme parmi tant d'autres, une femme de son passé.

A peine cette pensée l'avait-elle effleuré qu'il sut que ce n'était qu'un leurre. Il aurait beau faire, il aurait beau mettre autant de distance qu'il pourrait entre elle et lui, se raisonner tant et plus, à quoi bon se voiler la face ? Sarah resterait à jamais une femme à part, bien différente des autres.

Une fois les garçons bien installés sur le siège arrière, Claire parla pendant tout le trajet vers Livingston. Elle débordait d'enthousiasme. Son projet de centre d'équitation pour handicapés lui tenait tellement à cœur, que c'en était touchant. Cimarron, qui avait vu de quoi Claire était capable, ne doutait pas un seul instant du succès de son entreprise. Avait-il déjà ressenti une telle passion ? se demanda-t-il en l'écoutant. Certainement pas dans sa jeunesse. Pourtant, si, il venait d'en avoir l'expérience. Très récemment. Lorsqu'il avait cru que Sarah et lui avaient un avenir possible ensemble, avec Wyatt. Mais il chassa bien vite cette pensée de son esprit.

— Quand pensez-vous pouvoir ouvrir votre centre ? Bientôt ? demanda-t-il en tâchant de chasser ses idées noires.

— Oh, d'ici à un an environ. Il faut surtout que j'économise beaucoup d'argent. Le problème, c'est que je ne peux pas commencer à travailler à temps complet avant d'avoir fini mes études. J'en ai encore pour plusieurs mois. Après, le plus dur sera de trouver de bons chevaux, que je pourrai dresser.

— Combien coûtent les chevaux ?

— Cela dépend. J'espère en trouver cinq bons pour moins de quinze mille dollars. Je n'aurai pas de salaires à payer puisque je ne prendrai que des bénévoles pour m'aider. Il faut que je sois patiente, ce ne sera pas facile, je sais bien. Mais j'ai tellement hâte de commencer, vous ne pouvez pas vous imaginer !

— Vous avez raison de faire les choses étape par étape. Inutile de vous précipiter, surtout si vous devez terminer vos études.

Il hésita, puis reprit :

— C'est vraiment gentil à vous de venir avec moi aujour-d'hui, j'apprécie énormément. Pour tout vous avouer, je ne sais pas comment j'aurais pu m'en sortir sans vous. Vous êtes une envoyée des dieux, Claire. J'aimerais faire une donation à votre centre. Je ne sais pas, de quoi vous acheter deux de ces fameux chevaux, peut-être ?

— Vous êtes sérieux ? s'exclama Claire. Cela représente une somme considérable.

— Je fais des dons tous les ans à des associations. Pourquoi pas à votre future association ? Nous verrons tout cela en détail plus tard, si vous voulez.

— Oh oui ! C'est génial ! Je ne sais pas comment vous remercier !

— Vous l'avez déjà fait, lui répondit Cimarron, heureux de la joie évidente de la jeune fille.

Une fois dans le parking, il ne fallut pas longtemps aux garçons pour sauter hors du véhicule et se précipiter à l'intérieur du fast-food.

Avant de lui demander de venir, Cimarron avait expliqué à Claire le but de la rencontre avec les Carrington, et avait été soulagé que la jeune fille ne fasse aucun commentaire ni ne porte de jugement quelconque sur sa décision.

« J'espère que tout va bien se passer et que Wyatt aura un bon contact avec eux », avait-elle simplement déclaré.

Malgré tout, chaque pas le rapprochant un peu plus de cette adoption était pour lui comme une lame de couteau s'enfonçant un peu plus profondément dans son cœur. Chaque fois qu'il avait eu des décisions importantes à prendre, il avait fait confiance à son intuition. Là, cependant, il avait beau essayer de se justifier, rien n'empêchait ce doute diffus de s'insinuer dans son esprit. Si jamais il se trompait ? Ce ne serait pas une petite erreur.

Ils entrèrent à leur tour dans le fast-food. Cimarron ne fut pas long à apercevoir Don et Amy Carrington, assis dans un box un peu à l'écart.

Il leur fit un signe discret de la tête, auquel ils répondirent. Ils s'étaient mis d'accord lors de leur dernière conversation téléphonique : s'ils considéraient le moment opportun pour être présentés à Wyatt, ils lui feraient signe. Cimarron déciderait alors si Wyatt était prêt ou non, ce qui ne serait pas une chose facile car le petit garçon, même s'il n'avait rien dit, semblait visiblement se douter de quelque chose.

Quand ils eurent fini de manger, les garçons n'avaient qu'un souhait : aller jouer. Cimarron et Claire les emmenèrent jusqu'au terrain de jeu. Pendant ce temps, les Carrington se rapprochèrent sensiblement de leur table.

Claire avait pris une boisson, Cimarron en revanche avait l'impression d'avoir une énorme pierre à la place de l'estomac. Toute la semaine, il n'avait rien pu avaler. La dernière fois qu'il s'était senti aussi mal, c'était quand sa mère était morte. C'était comme si on essayait de lui arracher les entrailles à mains nues. Il faudrait du temps pour que cette douleur s'estompe, il faudrait avant tout qu'il parvienne à tirer un trait sur cette histoire, à tourner la page. Pour l'instant, cela lui était impossible.

Il jeta un coup d'œil vers les Carrington. Don était prêt et lui adressa le signal convenu. Cimarron resta encore un peu à regarder les enfants jouer, puis il demanda à Claire d'emmener les jumeaux chercher des glaces. Elle avait compris et lui assura qu'elle prendrait tout son temps.

Les Carrington s'installèrent cette fois à la table la plus proche.

Cimarron s'approcha de Wyatt.

— Tu viens avec moi, Wyatt? Je voudrais te présenter quelqu'un.

Wyatt blêmit et se rapprocha brusquement de Cimarron, intimidé.

— Bonjour, Wyatt, dit Amy. Tu t'amuses bien avec tes amis?

— Oui, madame.

Cimarron ne savait plus où se mettre. Il voulait que Wyatt fasse bonne impression et le redoutait tout à la fois, espérant secrètement qu'il échoue à ce test, tout en se reprochant cette pensée. Si les Carrington n'appréciaient pas l'enfant, cela ne ferait que reporter une décision qui devait être prise quoi qu'il arrive. Cela entraînerait une perte de temps, des complications, sans doute des souffrances supplémentaires pour lui et pour Wyatt. Autant en finir vite! essaya-t-il de se raisonner.

— Nous avons cinq enfants, poursuivit Amy. Deux sont à peu près du même âge que toi. L'un est originaire de Chine. Tu sais où est la Chine?

Wyatt secoua la tête.

— Non. Vous habitez en Chine?

— Non, fit Don en riant. Nous habitons à Bozeman, pas très loin d'ici.

— Je connais Bozeman.

Wyatt, visiblement mal à l'aise, se tortillait sur son siège, cherchant désespérément des yeux Zach et Tyler.

— Tu aimes monter à cheval?

Wyatt hocha la tête.

— Mon papa faisait du rodéo.

— Il paraît, oui. Nous ne faisons pas de rodéo, mais nous avons plusieurs chevaux et des poneys. Nous avons aussi une piscine. Tu aimes nager?

— Je sais pas nager.

— Tu verras, c'est super quand on sait. Tu aimerais apprendre à nager?

Il haussa les épaules.

— Je sais pas. Vous avez des chiens?

— Non, nous n'avons pas de chien. L'un de nos enfants est allergique, ce qui nous empêche d'en avoir.

Le visage de Wyatt s'assombrit.

— Moi, j'aime les chiens, murmura-t-il. J'en ai un.

— J'aimerais bien pouvoir en avoir un, moi aussi, déclara Don avec regret.

Soudain Claire apparut, accompagnée des jumeaux, et Wyatt ne put dissimuler son soulagement. Il supplia Cimarron du regard.

— Je peux aller jouer avec Zach et Tyler, maintenant?

— Bien sûr, bonhomme. Allez, file!

— Il est très bien élevé, ce petit garçon, déclara Amy dès que Wyatt ne pouvait plus l'entendre.

Cimarron acquiesça.

— Oui, il est vraiment très mignon. Il a oublié d'être bête aussi, il comprend très bien tout ce qui se passe.

Don posa sur lui un regard soucieux.

— Vous êtes sûr de ne pas vouloir changer d'avis? Vous avez l'air de bien vous entendre, tous les deux.

— Oui, c'est exact. C'est juste que je ne peux pas lui donner tout ce dont il a besoin.

— L'amour, intervint Amy. C'est l'ingrédient principal dans une famille.

— Sans doute, mais ce n'est pas le seul. Je crains de ne pas pouvoir lui offrir une vie stable et équilibrée, avec tous les à-côtés.

Elle sourit.

— Pour ça, vous pouvez compter sur nous.

Les Carrington partirent peu de temps après, et Cimarron décida de laisser les garçons jouer encore un peu avant de rentrer.

Sur le chemin du retour, les jumeaux firent un chahut de tous les diables. Wyatt, lui, était silencieux, ne répondant même pas à leurs taquineries. Claire garda les yeux rivés sur le paysage. Quant à Cimarron, il n'avait rien à dire, lui non plus.

Ce soir-là, son avocat téléphona. Wyatt avait fait une telle impression sur les Carrington qu'ils voulaient que l'adoption se fasse dans les plus brefs délais. Cimarron accepterait-il que Wyatt aille passer quelques nuits chez eux, afin de le préparer en douceur ?

L'appareil toujours collé à l'oreille, Cimarron contempla pensivement l'enfant endormi. L'espace d'un instant, il revit R.J. enfant, repensa à ses dernières paroles : « Frérot, tu vas prendre soin de Wyatt, hein ? » Son cœur se serra. Comment savoir ce qui serait le mieux pour Wyatt ? Qui pouvait le lui dire ? Certainement pas Dieu, en tout cas, qui ne s'était pas montré très loquace jusque-là.

— Oui, bien sûr, laissa-t-il tomber en essayant de dissimuler son amertume.

Il raccrocha et sortit. Il faisait froid, aussi froid que dans son cœur. Il aurait aimé marcher, peut-être cela l'aurait-il aidé à mettre un peu d'ordre dans son esprit embrouillé ? Mais il n'était pas question de laisser Wyatt tout seul. Alors il se contenta de s'asseoir à la petite table en laissant la porte entrouverte pour pouvoir entendre l'enfant si jamais il se réveillait et l'appelait.

C'était une nuit étoilée, peuplée de bruits d'ordinaire apaisants. Pas ce soir. Une angoisse sourde lui étreignait le cœur. Allait-il un jour retrouver la paix ? Etre libre de nouveau ? Rien n'était moins sûr. Il était sur le point de perdre les deux êtres qui comptaient le plus pour lui, Sarah et Wyatt. Leurs fantômes le hanteraient jusqu'à son dernier soupir, tout comme les rêves qu'il n'avait pas été capable de réaliser, tout comme la vie qu'il ne partagerait jamais avec eux.

Il ferma les yeux, se laissant envahir par des images qui s'effritaient comme du sable entre ses doigts tandis qu'il cherchait désespérément à les retenir.

Faire l'amour à Sarah, la contempler alors qu'elle porterait leur bébé, tenir dans ses bras son enfant, son enfant à lui… Et Wyatt… Il aurait tant voulu lui apprendre à pêcher, à faire de la bicyclette. A construire une cabane dans les arbres, une belle cabane. A jouer au base-ball, à tirer sur des pigeons d'argile. Il aurait pu l'emmener au cinéma, lui faire découvrir le monde. Le regarder grandir, devenir un homme fort, quelqu'un de bien. Etre à ses côtés lors de ses premiers émois amoureux, l'aider à surmonter son premier chagrin d'amour… Tenir la place de son père le jour de son mariage. Et, quand il aurait son premier petit-enfant, aller le voir avec Sarah. Et puis… et puis…

Les coudes sur les genoux, Cimarron prit sa tête entre ses

mains. A quoi bon se torturer? Il ne pouvait plus changer le cours des choses, c'était trop tard.

Il aurait tellement voulu parler à quelqu'un, ouvrir son cœur, déverser sa douleur, ses regrets. Plus que tout au monde, il aurait voulu tenir Sarah dans ses bras, la supplier de l'écouter. Mais il n'avait aucune chance. Toutes les lumières chez elle étaient éteintes, et puis à quoi cela aurait-il servi? Elle ne voulait plus le voir.

C'est dans de tels moments que l'on avait besoin de parents, toujours prêts à écouter, d'un frère, d'une sœur. Cimarron se sentit tout à coup seul, tellement seul.

S'il avait eu une famille, tout cela ne serait pas arrivé.

Il repensa à sa mère, qu'il avait souvent vue prier lorsqu'il était enfant. Animée d'une foi infaillible, elle lui disait que Dieu l'écouterait, qu'Il lui répondrait à sa façon quand Il serait décidé. Il ne la croyait pas, bien sûr, il la croyait encore moins aujourd'hui. Pourtant, elle n'avait jamais perdu la foi.

Il tourna les yeux vers la voûte céleste émaillée de milliards de petits points scintillants, en fouilla l'immensité, cherchant à percer le mystère de l'existence de Dieu.

— Toi là-haut, j'espère que tu m'entends, parce qu'il ne me reste plus personne, sauf Toi, et je suis complètement perdu. Dis-moi ce que je dois faire!

Chapitre 20

Sarah n'avait pas fermé l'œil de la nuit. D'ordinaire, les premiers rayons de l'aube l'emplissaient de joie. Aujourd'hui, lasse, désemparée, elle se demandait comment elle survivrait à la journée qui l'attendait. La veille, au lieu de se coucher, elle était restée près de la fenêtre, toutes lumières éteintes, à contempler Cimarron assis sur la terrasse, devant le studio. Elle aurait tant voulu descendre lui parler, mais à quoi bon? Qu'y avait-il à dire?

Son notaire appellerait Cimarron à un moment donné de la journée, pour lui annoncer qu'elle avait réuni la somme nécessaire au rachat de la maison. Il ne resterait plus qu'à prendre rendez-vous pour signer l'acte de vente. Dire, qu'en l'espace de quelques semaines, ils avaient fait un tour complet : d'ennemis, ils étaient devenus amants, puis de nouveau ennemis. C'était difficile à croire. Aujourd'hui, elle avait réuni l'argent pour racheter la maison et n'avait plus rien pour la restaurer. Exactement comme Cimarron l'avait prédit.

Rien ne changerait, sauf bien sûr la maison qui, peu à peu, finirait par se délabrer un peu plus d'année en année, jusqu'à n'être plus qu'un tas de ruines. Elle pensa à ce qu'elle avait

perdu et qu'elle ne pourrait jamais retrouver. Et Wyatt...
Elle ne pourrait jamais plus regarder la maison sans le voir,
ce petit bonhomme, en train de jouer avec Sécotine, sa
chienne qui le couvait comme s'il avait été son propre fils.
Des larmes brûlantes lui brouillèrent la vue.

— Pourquoi fallait-il que tu entres dans ma vie, Cimarron
Cole ? Pourquoi ?

Tout était arrangé. Les Carrington viendraient chercher
Wyatt le surlendemain, et Cimarron avait rendez-vous avec
le notaire de Sarah le lendemain. Puisqu'il avait le temps,
il en profitait pour préparer les affaires de Wyatt. Tous ses
vêtements étaient lavés et pliés, posés sur le lit. Dès que
l'adoption serait conclue, il quitterait le studio. Il prendrait
une chambre dans un motel en attendant que cette histoire de
maison soit réglée, elle aussi. Ensuite ? Ensuite, il reprendrait
la route, comme il l'avait fait tant de fois. Il irait n'importe
où. De préférence très loin du Montana.

Perdre sa mère avait été douloureux, terriblement douloureux. Perdre Sarah et Wyatt dépassait de loin ce qu'il avait
enduré jusqu'alors. C'était physique. Tous ses muscles lui
faisaient mal comme s'il avait été battu, son corps ne fonctionnait plus, son esprit était comme gelé. Il n'arrivait pas
à penser. Il accomplissait tous les gestes quotidiens comme
un robot. Le seul être vers qui il s'était tourné, le seul qui
lui reste, était demeuré sourd à ses prières. Qu'était-il allé
imaginer ? Qu'une voix résonnerait dans l'obscurité, le
guidant dans ses choix ? Il était ridicule !

Où donc était passé Wyatt ? se demanda-t-il soudain.
Il lui avait demandé de préparer ses jouets et ses livres, ce

qu'il n'avait pas fait. Des images lui revinrent, Wyatt en haut de l'échelle, Wyatt tombant dans la rivière. Où donc pouvait-il bien être? On ne peut jamais savoir ce qui peut passer par la tête d'un enfant, surtout dans ces circonstances. Saisi de panique, il se précipita vers la porte, s'arrêtant net en entendant la voix du petit garçon. A qui pouvait-il bien parler? Il s'approcha de la terrasse sur la pointe des pieds, sans se faire voir.

Wyatt était assis par terre, tenant Sécotine enlacée.

— Je vais bientôt partir, ma Sécotine.

L'animal frappa lentement le sol de sa queue, tandis que Wyatt lui caressait le cou tendrement.

— J'ai demandé à M. Carrington si je pouvais t'amener avec moi, mais il m'a dit non. Il a dit que quelqu'un était *lergique* aux chiens. Je sais pas ce que ça veut dire. Tu le sais, toi?

Pour toute réponse, il reçut un gros coup de langue sur le visage.

— Je veux pas te quitter, je veux pas quitter tonton Cimron non plus. Seulement, il veut pas que je reste et puis, tu sais, depuis que mon papa est mort, je suis plus le petit garçon de personne.

Il étreignit Sécotine, qui se mit à gémir comme si elle comprenait.

— Ils sont gentils, les Carrington, c'est vrai. J'ai dit à tonton Cimron que je les aimais bien. Mais moi, je l'aime mieux, lui, et toi aussi je t'aime. Je veux pas y aller! Pourquoi tonton Cimron, il m'aime pas? Hein, Sécotine? Pourquoi?

Figé, Cimarron luttait contre ses larmes et serrait les dents si fort que ses mâchoires lui firent mal.

Wyatt enfouit la tête dans la fourrure de la chienne. Il sanglotait.

— J'ai peur, Sécotine, j'ai tellement peur, tu sais…

Le cœur de Cimarron fit un bond dans sa poitrine. Il comprenait si bien ce que Wyatt disait. Etre un petit garçon terrifié, il savait ce que c'était, il l'avait vécu. Et il n'avait besoin de personne pour lui dire qu'il devait libérer ce petit garçon de cette horreur.

Il l'appela doucement.

— Wyatt.

Wyatt s'essuya les yeux très vite avec sa manche.

— Je vais ranger mes affaires tout de suite !

— Non, ce n'est pas la peine. Tu ne vas nulle part.

Wyatt essayait de retenir ses larmes de toutes ses forces. Ses petits poings étaient crispés, ses lèvres tremblaient. Là aussi Cimarron se trouvait en terrain connu. Profondément ému, il serra les poings si fort lui aussi que ses ongles lui pénétrèrent dans la chair. Des larmes brûlantes gonflaient ses cils, qu'il ne parvenait plus à refouler.

— Mais tu avais dit… tu avais dit…

— Qu'importe ce que j'avais dit, bonhomme ! Je me suis trompé, c'est tout. Pourquoi chercher une autre famille alors que nous en sommes une, toi et moi ? Bien sûr, elle est loin d'être parfaite, et il y aura des moments difficiles à traverser ; j'aurai besoin que tu m'aides. Mais tu es un grand garçon, non ? Je sais maintenant que je veux que tu restes avec moi. Si tu le veux bien, toi.

Ravalant ses larmes, Cimarron s'accroupit pour être à la hauteur de l'enfant.

— Je t'aime, Wyatt. Je t'aime vraiment. Je serai le meilleur papa que je pourrais être.

Wyatt se jeta dans les bras tendus de Cimarron, riant et pleurant à la fois.

— Je veux rester avec toi! Je veux rester! Je te promets que je serai sage! Et puis je vais t'aider aussi! Je te promets! C'est moi qui ferai les croque-monsieur, et puis je sais presque faire les gâteaux aussi!

Cimarron sourit et l'éloigna doucement de lui. Emu, il le regarda droit dans les yeux.

— Tu n'as rien à me promettre, tu es toujours tellement sage. Oh! Mon petit bonhomme, ce n'était pas à cause de toi…

Wyatt le serra fort contre lui, refusant de le lâcher, même lorsque Cimarron se releva.

— Si nous allions annoncer cela à Sarah. Tu veux?

Toujours blotti contre lui, Wyatt hocha la tête vigoureusement.

Sans espoir quant à leur relation puisque Griff était désormais revenu sur la scène en faisant miroiter la possibilité de racheter la maison, Cimarron tenait cependant à se réhabiliter à ses yeux. Il ne supportait pas que Sarah ait une si piètre opinion de lui. En proie à un sentiment mitigé — joie profonde à l'idée d'avoir su prendre la décision que son cœur lui dictait concernant Wyatt et tristesse infinie en songeant à ce qu'il aurait pu vivre avec Sarah —, il se dirigea vers le Café, le petit garçon toujours dans les bras.

La jeune femme était occupée à inscrire les plats du jour sur le grand tableau accroché derrière le comptoir. Elle s'interrompit en entendant Wyatt l'appeler.

— Dis-lui, toi, murmura Cimarron.

— Je vais rester avec tonton Cimron! s'écria le petit garçon, le visage resplendissant de bonheur.

Sarah posa sur Cimarron un regard interrogatif.

— Vraiment?

— Vraiment. Je ne tenais pas à être un martyr.

— Je dois dire que ce n'est pas un rôle que j'affectionnais particulièrement pour toi.

Sarah accompagna ses paroles d'un sourire si désarmant que la gorge de Cimarron se noua. Il était passé si près du bonheur…

Il n'aurait jamais dû venir, songea-t-il, accablé. Il aurait mieux fait de partir sans se retourner. Voir Sarah ne faisait que remuer le fer dans la plaie, le rendre encore plus malheureux.

— C'est génial, Wyatt! s'exclama-t-elle avec enthousiasme. Ce n'était pas possible autrement.

— Mon tonton Cimron m'aime. Il me l'a dit.

Les yeux embués de larmes, Sarah se détourna rapidement pour saisir une serviette en papier sur le comptoir. Sa voix tremblait lorsqu'elle reprit :

— Je sais bien qu'il t'aime, je l'ai toujours su. Il sera un très bon papa, tu verras.

— Hum… Je… je suis content que tu aies pu réunir l'argent pour la maison, prétentendit Cimarron. C'est bien que nous ayons déjà fait un minimum de travaux, cela t'avancera.

— Je n'en suis pas si sûre, j'ai tout juste de quoi la racheter. Pour le reste… c'est exactement comme tu l'avais dit, seulement je n'avais pas trop le choix… vu les circonstances. Je ne voulais surtout pas qu'elle tombe entre les mains d'étrangers.

— Je ne t'aurais jamais fait un coup pareil, Sarah, je te

le jure. Même si cela ne s'est pas passé entre nous comme je l'avais espéré, tu n'avais rien à craindre.

— Merci. J'apprécie.

Cimarron hocha la tête.

— J'espère que tu arriveras à trouver une solution. J'avais cru comprendre que Griff était prêt à investir assez pour que tu puisses réaliser ton projet?

— L'argent ne vient pas de Griff.

Cimarron haussa les sourcils, incrédule. Il posa Wyatt par terre.

— Je pensais… Enfin, il m'avait semblé qu'il avait été très clair.

— Très clair, en effet. Il tenait surtout à se débarrasser de toi. J'ai vite compris qu'il n'était pas aussi désintéressé qu'il me l'avait laissé entendre. Je n'ai pas du tout l'intention de reprendre notre relation. C'est fini depuis longtemps, bien fini.

— Comment as-tu trouvé l'argent, alors?

— Jon a réussi à convaincre son banquier en ma faveur. Kaycee et lui se sont portés garants pour un prêt. Il faudra bien sûr que je le rembourse, et cela me prendra sans doute toute ma vie, surtout si je ne peux pas faire mes chambres d'hôtes. Tant pis.

Cimarron la regarda un instant. Puis il esquissa un sourire en coin.

— Figure-toi que je connais un type très bricoleur qui cherche du travail, déclara-t-il en plongeant son regard dans celui de Sarah.

Elle sourit.

— Tu m'en diras tant… Et… il prend cher?

— Assez, je crois. Je pense cependant que tu devrais

pouvoir trouver un arrangement avec lui. Peut-être même n'auras-tu pas besoin de ce prêt, en fin de compte?

Il contourna le comptoir.

— Ah bon! Quel genre d'arrangement? demanda-t-elle en se rapprochant de lui si près qu'ils se touchaient presque.

— Voyons, je ne sais pas… Disons que tu pourrais lui apprendre à être un bon père en échange, par exemple.

— Je crois que c'est dans mes cordes.

Elle lui passa les bras autour du cou.

— Ah! Et il y a autre chose, ajouta-t-il. Il a un petit garçon qui cherche une famille pour l'accueillir. Et cela peut poser un problème.

Sarah se mordilla la lèvre. Ses yeux brillaient d'une passion qu'elle avait visiblement toutes les peines du monde à maîtriser, une passion qu'il ne tenait à partager avec personne d'autre.

— J'ai l'esprit de famille très développé, tu sais, murmura-t-elle.

Il se pencha vers elle, croqua délicatement cette lèvre qu'il aimait tant, avant de l'embrasser.

— Est-ce que tu te sens prête à pardonner à un martyr réformé?

— Je crois, oui…

L'amour qui se lisait dans ses yeux était si éloquent qu'il valait à lui seul tous les mots, toutes les promesses.

— Tu en es sûre?

Sans lui laisser le temps de répondre, il l'embrassa de nouveau avec fougue, donnant libre cours à toute sa passion.

Lorsqu'elle eut repris ses esprits, Sarah inspira profondément et leva vers lui un regard lumineux.

— Je n'en ai jamais été aussi sûre de ma vie.

PRÉLUD'
Le 1er Octobre

www.harlequin.fr

Best-Sellers n°395 • *suspense*

L'héritage maudit - Heather Graham

A peine arrivé à La Nouvelle-Orléans dans la plantation dont il a hérité, le détective privé Aidan Flynn trouve des ossements humains. Des crimes récents, selon Aidan. Rien de bien intéressant, selon la police. Décidé à percer seul ce mystère, il fait appel à Kendall Montgomery, une jeune femme qui affirme non seulement être dotée de visions prémonitoires, mais aussi être en contact avec les fantômes qui hantent la propriété. Car Aidan soupçonne qu'en plus de cette demeure, il a également hérité d'un sombre secret de famille.

Best-Sellers n°396 • *roman*

Le temps des promesses - Emilie Richards

Rongée par le remords d'avoir jadis abandonné Kendra, sa sœur aînée, Jamie se rend au cœur de Shenandoah Valley pour offrir à sa sœur ce qu'elle estime lui devoir depuis longtemps. Grâce à ses talents d'architecte, elle dessine à Kendra la maison que celle-ci a toujours voulue. Mais ce n'est pas seulement pour l'aider à bâtir ce rêve que Jamie est revenue. C'est aussi pour offrir à Kendra un cadeau inestimable : celui d'un enfant. L'enfant que Kendra et son mari Isaac désirent de tout leur cœur mais ne peuvent concevoir.

Best-Sellers n°397 • *historique*
Un palais sous la neige - Rosemary Rogers
Angleterre et Russie, 1820

Pour échapper à un beau-père qui veut la mettre dans son lit, Brianna Quinn espère l'aide du duc de Huntley, son tuteur et ami d'enfance. Mais, à la place de ce dernier, c'est son jumeau, Edmond Summerville, qui lui offre sa protection… Brianna accepte bien malgré elle, car Edmond est tout l'opposé de son frère : débauché et séducteur. On raconte même qu'il est un homme de main du Tsar. Aussi, lorsqu'il décide de l'emmener en Russie avec lui, Brianna est-elle soudain prise d'angoisse : auprès d'un tel homme, sa vertu et sa vie sont plus que jamais en danger…

Best-Sellers n°398 • suspense

L'ultime refuge - Nora Roberts

Depuis qu'un inconnu lui envoie des photos inquiétantes sur lesquelles elle croit se reconnaître, Jo Hathaway vit en permanence dans la terreur. Une terreur qui monte encore d'un cran le jour où elle s'aperçoit que l'un des clichés ne la représente pas elle, mais sa mère, Annabelle, disparue vingt ans plus tôt sans laisser de traces… Peu après, la photo est subtilisée dans son appartement. Sans preuve à fournir à la police, et épuisée par la tension et la peur, Jo se réfugie alors dans la maison familiale, sur une île au large de la Géorgie. Là, espère-t-elle, elle sera en sécurité. Mais Jo pourrait bien avoir trouvé là son dernier refuge…

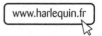

www.harlequin.fr

Oui, je désire profiter de votre offre exceptionnelle. J'ai bien noté que je recevrai d'abord gratuitement un colis de 2 romans* ainsi que 2 cadeaux. Ensuite, je recevrai un colis payant de romans inédits régulièrement.

Je choisis la collection que je souhaite recevoir :

(☑ cochez la case de votre choix)

- ❏ **AZUR** : ZZ9F56
- ❏ **BLANCHE** : BZ9F53
- ❏ **LES HISTORIQUES** : HZ9F53
- ❏ **AUDACE** : UZ9F52
- ❏ **HORIZON** : OZ9F54
- ❏ **PRELUD'** : AZ9F54
- ❏ **PASSIONS** : RZ9F53
- ❏ **BLACK ROSE** : IZ9F53
- ❏ **BEST-SELLERS** : EZ9F53
- ❏ **MIRA** : MZ9F52
- ❏ **JADE** : JZ9F52

*sauf pour les collections Jade, Mira et Audace = 1 livre gratuit.

Renvoyez ce bon à : Service Lectrices HARLEQUIN
BP 20008- 59718 LILLE CEDEX 9.

N° d'abonnée Harlequin (si vous en avez un) ⊔⊔⊔⊔⊔⊔⊔⊔⊔⊔⊔

Mme❏   Mlle ❏   NOM _____

Prénom _____

Adresse _____

Code Postal ⊔⊔⊔⊔⊔   Ville _____

Tél. :⊔⊔⊔⊔⊔⊔⊔⊔⊔⊔   E-mail : _____

Le Service Lectrices est à votre écoute au 01.45.82.44.26
du lundi au vendredi de 8h à 17h.

Composé et édité par les
éditions **Harlequin**

Achevé d'imprimer en France (Malesherbes)
par Maury-Imprimeur
en août 2009

Dépôt légal en septembre 2009
N° d'imprimeur : 148089 — N° d'éditeur : 14454